LOS VIEJOS PRIMOS DE AZOV

LOS VIEJOS PRIMOS DE AZOV

ANDREA BENNETT

Editado por HarperCollins Ibérica, S.A.
Núñez de Balboa, 56
28001 Madrid

Los viejos primos de Azov
Título original: Two Cousins of Azov
© 2017, Andrea Bennett
© 2018, para esta edición HarperCollins Ibérica, S.A.
Publicado por HarperCollins Publishers Limited, UK
© De la traducción del inglés, Isabel Murillo Fort

Diseño de cubierta: Calderónstudio

ISBN: 978-84-9139-211-8
Depósito legal: M-35071-2017
Impresión en CPI (Barcelona)

Distribuidor para España: SGEL

Para mamá y papá

AGRADECIMIENTOS

Me gustaría expresar mi gratitud a Mary Woodrow, Ady Coles, Lucy Du Plessis, Tim Parlett y Liz Moore por sus útiles comentarios a los diversos borradores del libro. Un agradecimiento muy especial para Cassie Browne y Charlotte Cray de Borough Press por sus sabios consejos, su paciencia y sus palabras de ánimo cuando todo parecía un poco confuso. Gracias también a The Prime Writers por la parte que les corresponde en el apoyo mutuo que nos hemos brindado.

Y como siempre, mil gracias a Mick James, por su ojo crítico, sus buenas ideas y sus cariñosos abrazos.

Y gracias a Louis y Archie, por ser Louis y Archie.

ÍNDICE

EL HUEVO DESAPARECIDO

Quince días después del incidente del conejo, Gor estaba junto a la mesa de la cocina, rascándose la cabeza con un lápiz mordisqueado, a la espera de que el agua rompiera a hervir para echarle el huevo que iba a prepararse para comer. Tenía delante el crucigrama por terminar y, aunque el gato blanco y esponjoso estaba a sus pies, ignoraba casi por completo su presencia. El huevo, frío aún, se acurrucaba en su mano. Gor estaba distraído, mirando por la ventana sin ver, sus pensamientos lúgubres reflejados en una mirada turbia. Se oían los ladridos de un perro. Los graznidos de un cuervo. Se estremeció, uniendo las cejas en un gesto inquisitivo. ¿Y si fuera a buscar un jersey?

Era eso: el otoño empezaba a pulular a su alrededor con las maletas todavía por deshacer, era como si su cepillo de dientes se hubiera instalado ya en la repisa de cristal del lavabo. La luz natural que bañaba las zapatillas de lona tenía una palidez poco saludable. Aspiró hondo: el olor a tierra mojada por la lluvia se filtraba a través de las paredes. Solo faltaría un resfriado. Se estaba dejando. El lápiz cayó al suelo y Gor salió de la cocina. Desenterraría las zapatillas de otoño unas semanas antes de lo habitual y la sensación de tener los pies más calentitos le daría una pizca de consuelo.

El otoño le traía sin cuidado. No era nada sentimental con las estaciones, ni las echaba de menos ni ansiaba su regreso. Cada vez amanecía más tarde y era como si los días se agotasen, como si oscureciera antes de que a los pájaros les hubiera dado tiempo a terminar su canción. Todo lo cual causaba estragos en el suministro de bombillas, aunque rara vez causaba estragos en sus nervios. El otoño era un tema rápido y sucio, que en cuestión de semanas transformaba el polvo del verano en una porquería gélida. La alquimia basaba su secreto en una caída de temperatura de tres grados y unos milímetros adicionales de lluvia. Pero el ciclo de la vida era así. Librarse por fin del calor del verano estaba bien, murmuró Gor para sus adentros. La humedad había sido sofocante, sobre todo por las noches.

A veces, cuando el bochorno del verano lo tenía dando vueltas en la cama sin poder pegar ojo, había tenido una sensación de lo más extraña, como si estuviera en el lugar equivocado y fuera el tipo de criatura equivocado. Percibía un sentido distinto, nada que ver con el oído, el gusto o el olfato, sino más bien un recuerdo físico, impreso en los huesos. Era casi como si tuviera alas; las notaba desplegarse en la espalda, moverse arriba y abajo sin esfuerzo mientras sobrevolaba la tierra. Intuía que tendría que haber sido algo distinto a lo que ahora era. Y esa sensación le encogía el estómago, como una promesa olvidada mucho tiempo atrás: sí, eso tiene que ser bueno; sí, tiene que ser cierto. Anhelaba anidar en un lugar elevado y rocoso, totalmente árido.

Tal vez fueran sus raíces armenias que tiraban finalmente de él hacia los paisajes de sus antepasados. Al fin y al cabo, su domicilio actual, la ciudad de Azov, en el sur de Rusia, no era su hábitat natural. Era un lugar que sudaba o temblaba de frío, enclavado en unas ventosas marismas de agua salobre, allí donde el caudaloso río Don desembocaba en el mar de Azov, de aguas poco profundas. Desde lo alto de las viejas murallas, y mientras Azov hervía bajo una nube de mosquitos, podías ver a lo lejos el brillo y el movimiento del agua bajo un cielo de color intenso. Armenia no tenía nada que ver con el mar; se asentaba noble y remota, gloriosa y resplandeciente en su aislamiento, las montañas formaban barricadas que la flanqueaban por ambos lados y, con su sinuosa espalda arqueada hacia el cielo, se extendía veteada por carreteras polvorientas que serpenteaban hasta alcanzar el firmamento.

Se sentó en el recibidor, revolvió la caja de los zapatos hasta que dio con las zapatillas de otoño. Tenían el exterior de cuero pulido, con el brillo característico que otorga el paso del tiempo, y el interior listo para envolverle los talones con su suave lana de oveja.

Tal vez un día volvería a la tierra de sus antepasados, mejor dicho, de la mitad de ellos, y se sentaría en una montaña armenia. Con su mirada de grafito, señalaría, en un valle pedregoso, el punto exacto donde plantar un árbol. En una parcela de terreno llano, junto a ese árbol, construiría una casa armenia, con paredes altas de color marrón y elegantes ventanas rematadas con arco de medio punto. Plantaría viñedos y cultivaría un suelo tan difícil como aquel para extraerle una amplia variedad de frutos, exprimiría la tierra.

Aunque, pensándolo mejor, tal vez no. Había visitado el país en una única ocasión, en su juventud, para conocer a parientes lejanos y ver qué se estaba perdiendo. Por lo que recordaba, había disfrutado con el viaje, pero nunca lo había repetido a pesar de sus intenciones. La vida se había puesto seria y sus prioridades habían cambiado. Su carrera profesional en el banco, por ejemplo. Había prosperado rápidamente, echando unas raíces que lo habían mantenido firmemente arraigado en el suelo local. Además, ahora, la mayoría de los que había conocido entonces ya ni siquiera estaría en este mundo: lo más probable es que estuvieran enterrados bajo los árboles del valle, descansando en aquella tierra seca y arenosa. En su caso, empezaba a ser tarde para construir una casa y aprender un nuevo idioma.

Suspiró y volvió a la cocina, las cifras resaltadas en negrita del calendario de pared le llamaron por un instante la atención, sonriéndole con suficiencia mientras Pericles se paseaba entre sus tobillos. Una tímida «x» marcaba aquel primer viernes de septiembre, cuando había dado el paso y tomado las riendas de su destino. Una «x» de trazo más intenso señalaba el día, dos semanas después, en el que todo había salido tan mal. Plantado delante del calendario, se acarició su barba de chivo y, frunciendo el entrecejo, cogió un lápiz para dibujar otra «x», cuatro días más tarde. La fecha del incidente del conejo. El día que conoció a Sveta.

Se estremeció, a pesar de las zapatillas de lana de oveja, y cayó entonces en la cuenta de que había olvidado por completo tanto el crucigrama como el huevo. No soportaba los huevos que quedaban secos. Se disponía a retirar el huevo del cazo cuando se quedó de repente paralizado, boquiabierto. El cazo estaba vacío, el agua hervía alegremente, sin rastro alguno de huevo. ¡Pero si acababa de meter allí el huevo hacia un momento, antes de salir al recibidor! ¡Si había oído cómo el agua echaba de nuevo a hervir! Estaba seguro de que las puntas de los dedos, que habían estado en contacto con su superficie dura y lisa, seguían todavía frías. Miró a su alrededor, sintiéndose como un imbécil: ¿dónde se habría metido? Pericles abrió un ojo y observó a su amo explorar el horno, la vitrina, la despensa, la caja vacía de las galletas, todos los armarios: nada. No había huevo. Gor dirigió la mirada hacia las luces del techo, luego hacia el suelo, no buscando, sino examinándolos. Permaneció inmóvil, dudando de sí mismo, y fijó entonces la vista en el cazo de agua hirviendo, que pareció responderle con una risita y un guiño.

¿Qué estaba pasando? Las cosas no desaparecían así porque sí. Tenía que haber una explicación lógica. Abrió la puerta de la nevera: sí, la caja de los huevos estaba allí, y estaba también el espacio vacío dejado por el huevo que había sacado hacía exactamente seis minutos, o un poco más, pensándolo bien. El huevo del jueves no estaba. Cerró la nevera con más fuerza de la necesaria y apagó el fuego del cazo. Daba igual.

Lo último que podía permitirse era la pérdida de un nutritivo huevo. A la porra con todo: tomaría té y una rebanada de pan con mantequilla. Al fin y al cabo, había sobrevivido antes sin huevos, y con apenas nada, de hecho, aunque había que reconocer que de eso hacía ya mucho tiempo, cuando estuvo en Siberia. Estaba a punto de sentarse frente a su exiguo almuerzo cuando el teléfono, con su agudo y repetitivo sonido, le obligó a cambiar de planes. Dudó un momento, rebanada con mantequilla en mano, preguntándose quién podría ser. Seguía sonando. Salió corriendo al recibidor.

—¡Buenos días! —pronunció con seriedad, y su voz profunda rebotó contra las paredes.

El tono del bajo recibió la respuesta de una contralto algo chirriante.

—¡Hola, Gor! Soy... Sveta.

—Ah, sí. —Hizo una mueca y tragó saliva, y se relajó un momento apoyándose en la pared—. ¿En qué puedo ayudarle?

—Sé que tenemos un ensayo en breve en su casa, si no me equivoco. —A pesar de la pregunta implícita, no hizo la más mínima pausa—. Pero llamo para decirle que Albina, mi hija, ¿recuerda que se la mencioné? Pues resulta que no se encuentra muy bien y he tenido que quedármela en casa porque no puede ir al colegio. No puedo dejarla sola, evidentemente. —El pecho de Gor empezó a respirar con inaudible alivio cuando asimiló la idea de que Sveta estaba a punto de cancelar el ensayo—. Pero me preguntaba si... —continuó, empleando un tono más íntimo—. No me gustaría nada perderme este ensayo, justo ahora que acabamos de empezar, así que me preguntaba si le parecería bien venir a mi casa y hacerlo aquí. Albina se portará muy bien. Me lo ha prometido.

Gor unió por un instante sus negras cejas y se mordió el interior de la mejilla, sorprendido, y a la vez decepcionado, a decir verdad, por la determinación de Sveta.

—Si no hay otra alternativa, Sveta, habrá que hacer lo que podamos. Puedo ir a su casa, si es absolutamente necesario; es decir, si cree que debería ir.

La mujer no detectó su falta de entusiasmo, y le dio las gracias por mostrarse tan flexible antes de colgar con el tintineo de una risa forzada.

Gor había tomado nota de la dirección en el primer trozo de

papel que había encontrado, el extracto bancario del Rostov Regional Magic Circle. Ojalá nunca hubiera llegado a tesorero. Se mordió de nuevo la mejilla y regresó a la cocina, para limpiar, y para ponerse nervioso pensando.

Los trucos enrevesados y la caja de magia, que habían sido su diversión favorita, no presentaban ya ningún atractivo. Se sentía cansado, carente de inspiración; preocupado, quizá. Ambicionaba tener tiempo para él, para tocar el piano y para reflexionar sobre los problemas de su falta de memoria, sobre la peculiaridad de la vida, sobre su pujante toma de consciencia, y sobre los montones de dudas que lo rodeaban, que se acumulaban hasta alcanzar el techo y ocultaban a menudo la luz del sol.

No dormía. Cuando se pasaba las manos por el pelo, notaba que a veces le temblaban. Últimamente habían estado sucediendo cosas extrañas, y no solo lo de aquel huevo estúpido o lo del horripilante conejo. Una tarde con el piano de media cola tal vez le diera la paz que necesitaba para aclararse las ideas. Una tarde con Sveta no, a buen seguro.

Cuando llegó al umbral de la puerta, canturreando para sus adentros, vio un movimiento en la ventana que le llamó la atención. Levantó la cabeza en un gesto automático, esperando encontrarse con un ala de paloma o un trozo de papel volando a merced del viento. Pasmado, vislumbró los perfiles de una cara, sus facciones empañadas por el vaho adherido al cristal frío, pero un semblante humano, sin duda alguna, allí, mirando, cuatro plantas más arriba. Se quedó paralizado, estupefacto al ver que la cara se difuminaba entre las nubes, y echó entonces a correr hacia la ventana. Las bisagras rechinaron cuando empujó el marco y estiró la cabeza para inspeccionar el exterior. No había nada que ver: ningún ser humano, ningún pájaro, nada excepto una extensión vacía de cielo y, abajo, el patio de suelo desigual. Se oyeron los ladridos de un perro y luego un portazo. Un escuálido abedul plateado dejó caer un montón de hojas al suelo. Gor siguió allí, respirando trabajosamente el aire frío y húmedo, viendo disiparse el vapor que despedía su cuerpo y a la espera de que el ritmo de la respiración recuperase la normalidad. Cuando lo consiguió, se restregó con una mano huesuda las cavidades de sus grandes ojos oscuros y cerró la ventana.

Entró en su habitación y se quedó frente al espejo un buen rato. ¿Estaría enfermo? ¿Estaría perdiendo la cabeza? A simple vista, era el de siempre: su cara no mostraba ningún signo de demencia ni de confusión. Aunque, pensándolo bien, ¿qué aspecto tendrían esas cosas?

Extendió las manos ante él: eran sólidas, fuertes, preparadas para el trabajo. Era alto y bien plantado. Recordaba todo lo que había hecho a lo largo del día hasta aquel momento, y sabía perfectamente qué día era, qué año era, dónde estaba y qué hacía. Observó con un mohín su imagen reflejada en el espejo. Lo que debería hacer ya, reconoció, era cargar el coche con todos los artilugios e ir a casa de Sveta.

No podía hacerle nada: tenía que seguir adelante como si todo fuera normal. Se encogió de hombros y se puso el jersey.

BOCADILLO DE POLILLA

En cuanto Gor tuvo cargado el coche con todo el atrezo básico –un coche que era pequeño como una caja de cerillas–, el corto recorrido hasta casa de Sveta no presentó ningún problema. Puso la radio y disfrutó con el sonido sordo que emitían los sólidos botones negros mientras iba cambiando de emisora en busca de algo suave, reconfortante y sin locutores. Acabó dejándolo en Rachmaninov, y las notas burbujearon en su sangre como si fueran oxígeno mientras esquivaba baches y saludaba con un gesto brusco al quiosquero de la esquina, un hombre cuyo nombre desconocía pero que era un elemento fijo de su vida diaria. Más tarde se pararía a comprarle un periódico e intercambiaría con él gestos de asentimiento y avezados meneos de cabeza; lo sabía. Pasó por la plaza principal, llena a rebosar de gente y actividad, y saludó con la mano al guardia que mantenía el orden en los cruces. Después de atravesar el puente de hierro sobre el río Don, se dirigió hacia la parte más nueva de la ciudad y aumentó la velocidad cuando la calle, aunque no el asfalto, se ensanchó. Trazó sin dificultad un par de giros a derecha e izquierda, pasó por delante de un campamento de puestos ambulantes y perros greñudos y embarrados, y acometió la complicada tarea de localizar el bulevar, el grupo urbanístico, el edificio y el número de piso de Sveta.

A pesar de Rachmaninov y del recorrido por calles anchas y

espaciosas, sus pensamientos seguían anclados en su nueva ayudante. No estaba del todo seguro de que fuera a encajarle. Gor llevaba varios años sin practicar la magia, pero la experiencia acumulada era importante: tenía el porte adecuado y un carácter apropiado para ello; podía ser misterioso e infundir confianza. En caso necesario, era capaz de arrastrar al público hacia un viaje que lo dejaba confuso y perplejo. A su entender, era un maestro, aunque muy oxidado. Pero esa tal Sveta: ¿podría llegar a ser un contrapunto efectivo? Si se reían de ellos cuando salieran a escena, no conseguiría más bolos, y si el resultado no era bueno, no le pagarían el trabajo. Lo cual sería un problema. De hecho, pensó, moviendo apesadumbrado la cabeza en un gesto dedicado únicamente a sí mismo, el dinero era el quid de la cuestión.

Una tubería, cerca del arcén, despidió una nube de humo y Sveta se esfumó de sus pensamientos para quedar sustituida por el recuerdo del cazo vacío y la cara empañada por el vapor. ¿Había sido real o una alucinación? ¿Tan mal estaba de los nervios? A lo mejor ni él ni Sveta valían para los escenarios. A lo mejor tendría que dejar correr su plan. ¿Sería realmente capaz de confundir y dejar perpleja a la gente, de dominar a un público que había pagado por verlo si ni siquiera conseguía hervir un huevo? ¿Estaba seguro de que a la gente de hoy en día le gustaba la magia? ¿Con su música pop, sus empresas privadas y sus excursiones al extranjero? Se rascó la barbilla e hizo un gesto de asentimiento cuando vislumbró el edificio, permitiéndose un rápido «rum-pum-pum-pa» para acompañar a Rachmaninov y levantarse un poco el ánimo.

Cuando Sveta abrió la puerta del Piso 8, Edificio 4, Grupo 6 de Turgenev Bulevar, Gor se quedó sorprendido al ver que el apartamento estaba completamente a oscuras. Tenía un aspecto desaliñado en comparación a cuando la había visto hacía unas semanas, con el cabello rubio ahuecado y encrespado alrededor de unas mejillas que recordaban las de un hámster y el maquillaje corrido. Se quedaron mirándose, él dándole los buenos días con una inclinación de cabeza y ella aparentemente paralizada.

—Buenos... —empezó a decir Gor, que fue acallado de inmediato con un «chsss» que le caló en los huesos—. ¿Qué pasa, Sveta? ¿Algún problema? —preguntó en voz baja, aún en el umbral de la puerta.

—¡Más bajo, Gor! Ya le he dicho que mi hija está enferma. Necesita silencio absoluto. Es... es una niña muy nerviosa, y sufre, ¿entendido?

Gor no entendía nada, y frunció el entrecejo.

—Tengo que sacar las cosas del coche. Haré un poco de ruido, seguro, pero iré con mucho cuidado y...

—¡No! ¡No se le ocurra meter en mi casa la caja de magia! ¡No, no, eso sería demasiado! ¡Tanto ruido y tanta agitación! Debemos ensayar como si la tuviéramos, pero sin ella. Nada de artilugios, gracias.

—¿Fingir que está ahí, Sveta? No me convence. Tal vez tendríamos que tener una charla.

Levantó las cejas. Pero Sveta siguió en la puerta, cambiando con incomodidad el peso del cuerpo de un pie hinchado y en zapatillas al otro, sin invitarlo a pasar. El olor cálido del apartamento se infiltró en las narices de Gor: limpia muebles y algo comestible, salsa de carne, quizá.

Tosió para aclararse la garganta antes de volver a hablar.

—¿Puedo?

—Oh, sí, claro, claro, pase, ¡qué tonta soy! —Se apartó de la puerta y encendió la luz. Una descuidada lámpara de techo proyectó un hilillo de luz rosada en el estrecho vestíbulo—. Quítese los zapatos, por favor. Veamos, aquí están, unas zapatillas... ¡de hombre!

Sveta, con un rostro tan radiante que Gor empezó a sentirse incómodo, le hizo entrega de un par de zapatillas de gamuza de color azul marino con el interior forrado de lana de aspecto mugriento. Tuvo la impresión de que, a pesar de que no tenían mucho polvo y no se habían convertido en un nido de arañas, llevaban mucho tiempo esperando la llegada de unos pies adecuados. Algo tenían aquellas zapatillas que le hizo pensar en una de las características de los barcos de placer atracados en el río: abandono.

Sveta le indicó que tomara asiento en la banqueta que había junto a la mesa del teléfono para descalzarse, y se quedó a su lado, observando cómo lo hacía. Miraba repetidamente hacia una habitación que había al final del pasillo, que tenía la puerta entreabierta. Imaginó Gor que la hija debía de ocupar esa ala de la casa, y que debía de estar sufriendo: era evidente que su madre estaba ansiosa. Tal vez tendría que haberle llevado algo de vino.

Cuando se estaba calzando la segunda zapatilla, oyó un revoloteo, seguido por el silbido que producen las alas al agitarse en el aire. Un chillido aviar en el fondo del apartamento, seguido por lo que parecía una ristra de palabrotas, le llevó a levantar la cabeza. Sveta rio con nerviosismo y se tapó la boca con la mano cerrada en un puño, presionándose la barbilla, que era pequeña y algo hundida. Se volvió hacia él.

—Es Kopek, nuestro periquito. Albina lo adora y está enseñándole a hablar. Creo que Albina tiene una relación muy especial con los animales, una afinidad, creo que lo llaman —le confió con orgullo.

Gor enarcó una ceja, pero no dijo nada. Daba la impresión de que a aquel pájaro le dolía algo. Los chillidos continuaron, cada vez más fuertes y más insistentes, y luego empezaron a intercalarse con una serie de golpes sordos que hicieron temblar incluso la luz. Gor y Sveta se miraron. La sonrisa de ella se esfumó, suspiró e hizo un mohín.

—Un momento —dijo, dirigiendo un solo dedo hacia la cara de él antes de echar a correr por el pasillo, cruzar la puerta del final y cerrarla a sus espaldas.

—Faltaría más —murmuró Gor para sus adentros.

Se acercó a la librería mientras esperaba y, meneando la cabeza de vez en cuando, buscó títulos que le resultaran familiares. Detrás de la puerta del final del pasillo se seguían oyendo sonidos, seguidos por una tempestad de siseos pidiendo silencio. Levantó los hombros hacia arriba, en un intento de alcanzarse los oídos, cuando el desgraciado pájaro volvió a chillar. Soltó el libro que tenía en la mano –*La madre*, de Máximo Gorky– y se levantó de un brinco varios centímetros del suelo cuando la misteriosa puerta se abrió de repente y una niña-diablo irrumpió aullando en el pasillo. Una cara redonda y sonrosada enmarcaba unos ojos como canicas que asomaban bajo mechones de pelo recogidos en dos coletas mediante un par de pompones deshilachados que se agitaban con violencia. Reía. O lloraba. Imposible saberlo. Y corría… hacia él.

El graznido que emitía la niña se metamorfoseó en un prolongado «¡ahhhh!» de terror cuando el pie se le quedó enganchado con la alfombra del pasillo y empezó a caerse. En aquel instante, mientras intentaba recuperar el equilibrio, le recordó a Gor un osezno sorprendido por la trampa de un cazador: el cuerpo aún inmaduro totalmente descontrolado, las distintas partes agitándose en torno a las caderas, las patas delanteras y traseras enormes y tontorronas, aunque también amenazantes. Fue en el último momento, justo antes del impacto, cuando Gor se dio cuenta de que en la mano derecha sujetaba un pajarito de colores vivos que tenía el pico abierto para articular un mudo e interminable grito de espanto. Levantó las manos.

Escuchó el impacto antes de sentirlo. Cuando cayó hacia la estantería y la niña se derrumbó sobre él como un árbol en el bosque, el aire salió silbando de sus pulmones. Por unos instantes, se quedó sumido en la negrura porque un amasijo de pelo, que olía a salsa de carne, limpiamuebles y pompones, se apoderó de su cara. Notó dolor en la espalda y una presión en el pecho. Siguieron unos segundos de silencio absoluto, luego un estruendo, como si hubiera caído una bomba en el edificio. La niña empezó a llorar, a toser y a farfullar para levantarse, sin soltar en ningún momento el pajarito que seguía atrapado en su mano.

—¡Kopeka! ¡Mi Kopekito! ¡Está mueeeeertoooo! —bramó.

—Oh, *malysh*, tranquila, serénate, vamos a ver si te ha pasado a ti algo. —Sveta se agachó junto a su hija para intentar liberarla del amasijo que se había formado entre la alfombra, la librería y Gor, y empezó a tirar sin éxito de su brazo—. Te tengo dicho que no corras por casa, ¿verdad?

—¡Está mueeeeertoooo! ¡Tú me has hecho matarlo!

—No, no, veo que le brillan los ojos. ¡Mira! Solo está aturdido. Anda, levántate y miremos cómo está nuestro pobre invitado. ¿Está herido?

—¡Te odio!

—Tranquila, tranquila, pequeñita. Mamá no tenía ninguna intención de hacer que tropezaras.

—¡Pero lo has hechooooo!

—Lo único que quiero es que te comportes…

—Óiganme… no puedo respirar.

Gor interrumpió una discusión que se estaba volviendo acalorada. La niña que le estaba aplastando el pecho miró furiosa a su madre y lloriqueó acto seguido al fijar la vista en el pájaro inmóvil que tenía en la mano. Siguieron discutiendo. Notó que le subía por la garganta una oleada de pánico y agitó los brazos.

—¡Socorro! —fue lo único que logró decir.

Albina se quedó mirándolo, sorbió los mocos por detrás de sus manos temblorosas y cambió el peso del cuerpo hacia un lado.

Y cuando lo hizo, el pájaro hizo un discurso, con una voz aguda y ácida. Gor levantó tanto las cejas que le llegaron hasta el nacimiento del pelo y Sveta se quedó boquiabierta. Albina sonrió, se secó la nariz con la manga y observó la bola que tenía en las manos.

—¡Está vivo, mamá! —exclamó, y se acercó a la cara al desventurado Kopek para acariciar con la nariz sus plumas de color azul eléctrico.

—¡Oh! ¡Qué maravilla! Ya te he dicho que estaba bien. Pero ve con cuidado con el pico, pequeñita. Ya sabes lo que pasó la última vez —le advirtió Sveta—. Y ahora, a levantarte.

—Ese pájaro… ¿verdad que ese pájaro ha dicho…?

—Ya le he comentado que tiene afinidad con los animales —dijo Sveta, radiante.

Levantó a la niña del suelo cogiéndola por debajo de las axilas y luego tiró de Gor con una luminosa sonrisa.

—Gor, le presento a mi hija, Albina. Albina, saluda al señor Papasyan. —La niña miró a Gor con hosquedad—. Albina no se encuentra hoy muy bien, ¿verdad, nenita? —prosiguió Sveta—. Por eso necesita ir a descansar en silencio a su habitación. Pero querías saludar al invitado de mamá, ¿a qué sí, cariño? Gor es mago. Y vamos a ensayar. ¿Verdad que no te importa?

Albina no dijo nada, pero miró a Gor a través de sus pestañas y se mordió el labio.

El pájaro emitió un chasquido gutural.

—Voy a guardarlo —dijo Albina, levantando la cabeza con una sonrisa—, y luego puedo ayudaros.

Como era de esperar, el ensayo que siguió no estuvo en absoluto a la altura. Sin atrezo, sin escenario, y con ambos distraídos por los sucesos del día, ninguno de los dos estaba de humor para practicar la magia. Lo que hicieron entonces fue discutir posibles programas para su espectáculo y el abanico de trucos de ilusionismo que podían ofrecer, cómo se colocarían y cómo moverían brazos y piernas. Con suspiros de preocupación, Gor repasó la exigua lista de reservas recibidas hasta el momento. Sveta sugirió nombres de locales tenebrosos en deprimentes ciudades de los alrededores a los que tal vez podrían convencer para representar su espectáculo. Cuando empezó a parlotear sobre organizar un espectáculo de variedades propio, Gor se puso a toser, ahogando con el sonido las palabras de ella.

Observó la mirada borrosa de Sveta y le preguntó qué margen de beneficios había estimado.

—Bueno... la verdad es que no he llegado tan lejos.

Gor movió la cabeza en un comprensivo gesto de asentimiento y Albina rio con disimulo tapándose la boca con la mano.

La niña, que se negaba a abandonar la estancia, estaba siendo una distracción continua para Sveta. De hecho, se negaba a separarse de Gor y lo siguió la tarde entera por todas partes a medio paso de distancia de él; fue detrás de él cuando entró en la cocina, se pegó a su lado en el sofá e insistió incluso en enseñarle dónde estaba el cuarto de baño cuando él preguntó al respecto. Gor había respirado hondo y corrido el pestillo mientras ella esperaba en el pasillo a que saliera.

—¿Qué tipo de vestuario utilizará?

Acompañó la pregunta con una expresión de perplejidad.

—Debería tener un vestuario adecuado, ¿no? Las ayudantes tienen que lucir siempre muy bien. Un cuerpo con lentejuelas, estaba pensando, con plumas en el hombro, y una falda de tul, con medias de rejilla debajo. Y una diadema con plumas. Es lo tradicional, ¿no?

Sveta rio roncamente y Gor carraspeó y apartó la vista… para tropezarse directamente con la mirada inquisitiva de Albina.

—¿Tiene pensado utilizar a Kopek en el espectáculo, señor Papasyan? —preguntó, deslizando una y otra vez los pies por la funda de nailon que cubría el sofá, un ruidito que le provocaba a Gor una dentera terrible.

—No, Albina, no creo que sea muy buena idea.

—Los magos utilizan conejos, ¿no? —preguntó, y a continuación dijo—: ¡Ay! ¡Mamá, acabo de engancharme la uña en la funda del sofá!

Gor se estremeció al ver que empezaba a tocársela.

—Sí, algunos sí. Pero yo nunca he utilizado animales en mis espectáculos de magia. Considero que los animales no son ni necesarios ni ventajosos cuando de lo que se trata es de confundir y desconcertar a la mente humana.

—Pero son monos. Kopek quedaría monísimo con un sombrero de copa o una varita mágica. Podría sujetarla con el pico. Vamos, señor Papasyan, podría utilizarlo.

—No, no, Albina, de verdad, no es necesario.

—Mamá, dile al señor Papasyan que utilice a Kopek.

—Sí, Gor, es muy buena idea, ¿no le parece? —Sveta lo miró sonriente y cogió un mechón de pelo rubio encrespado para retorcerlo coquetamente—. Al fin y al cabo, a la gente le gustan los animales...

—No, Sveta, eso es innegociable. Ese... pájaro no puede jugar ningún papel en mi...

—¡En nuestro! —exclamó Albina, interrumpiéndolo.

—En mi espectáculo de magia. Y no se hable más del tema.

Sveta hizo un mohín y empezó a tirar de los puños del jersey. Albina miró fijamente a Gor unos segundos y rio entre dientes.

—¿Verdad que piensa que Kopek estaba diciendo palabrotas?

—Sí, Albina, estaba diciendo palabrotas.

—¡No, ahí es donde se equivoca! Es un pájaro muy inteligente. Estaba hablando en japonés.

—Albina, de verdad, me parece que nuestro invitado...

—¡Calla, mamá! Deja que se lo explique al señor Papasyan. —Albina miró fijamente a su madre y esta evitó la mirada, bajando la vista hacia las manos, entretenidas ahora con una pelusilla de la falda—. ¡Kopek estaba hablando en japonés! Es muy bueno en kárate. Y yo también.

—Cierto —dijo Sveta con una sonrisa y levantando la cabeza para mirar a Gor con un gesto de asentimiento.

—Soy cinturón amarillo. El *fu kyu*[1] es un ejercicio de kárate.

—¡Lo es! —afirmó Sveta, sonriendo de nuevo—. Albina lo aprendió en el colegio.

—Así que tiene usted una mente sucia, señor Papasyan —dijo la niña, mirando a Gor por el rabillo del ojo.

Gor se la imaginó causando estragos en un gallinero.

—No saques estas conclusiones, Albina —dijo Sveta, sonriendo con afectación.

---

[1] La confusión viene por un juego de palabras intraducible: el ejercicio de kárate, *fu kyu*, se pronuncia en inglés igual que la expresión malsonante «*fuck you*», que admite múltiples traducciones desde un leve «Vete a la mierda» hasta otras más fuertes. (*N. de la T.*)

—¿Es usted millonario, señor Papasyan? —ceceó entonces la niña—, porque dice mamá que no lo es, pero el señor Golubchik, el de la panadería, dice que usted antes tenía un banco…

—¡Albina! —gritó su madre—. ¡Nada de cotilleos!

—¡Señoras mías! —dijo Gor, cerrando los ojos y bajando la vista—. Ha sido una tarde muy interesante, pero me temo que debo marcharme. No creo que podamos hacer mucho más por hoy.

Estaba decidido a no dejarse arrastrar por una niña de doce años, o lo que quisiera que fuese aquella niña, hacia una conversación estúpida sobre movimientos de kárate o sobre sus finanzas.

—Pero Gor, no puedo permitir que se marche ya —dijo Sveta—. Llevamos toda la tarde con la planificación y aún no le he ofrecido nada. Permita que le prepare un té y un bocadillo antes de que se marche. ¡Insisto!

Pensándolo bien, Gor no tuvo más remedio que llegar a la conclusión de que estaba hambriento, sobre todo porque no había disfrutado de su huevo a la hora de comer, de modo que, agradecido, dejó que Sveta se fuera a la cocina a prepararle algo. Y fue un alivio cuando Albina, después de pasarse unos minutos más mirándolo, se marchó a ayudar a su madre. Dio entonces una vuelta por la estancia y abrió y cerró brevemente las cortinas moradas que ocultaban la visión del bloque vecino.

Sveta volvió con una bandejita con una taza de té, un bocadillo de pan de centeno con queso y perejil y un platito pintado de forma oval con caramelos.

—Adelante, Gor. Albina y yo comeremos más tarde.

Las dos tomaron asiento en el sofá delante del sillón donde estaba sentado él dispuestas a ver cómo comía. El té estaba perfecto.

—¡Aaah! —dijo Gor, cuando el calor le llegó al estómago—. ¡Está estupendo, Sveta!

—Gracias. Es georgiano. Digan lo que digan de los georgianos, la verdad es que en lo que al té se refiere, saben lo que se hacen.

—¡Cierto! Y con los guisos también —añadió Gor—. ¡La cocina georgiana es magnífica!

Le dio un mordisco al bocadillo. Las semillas de cilantro que cubrían la corteza del pan le incorporaban aroma a limón a la acidez del centeno oscuro. De pronto, se dio cuenta de que estaba muerto de hambre y masticó con rapidez.

—Eso sí que no lo sé, la verdad. No como mucho fuera. Nos apañamos cocinando en casa. Nos gustan las chuletas y la col hervida, con eso nunca fallas.

—Sí, por supuesto. Las chuletas son una buena comida. No era mi intención…

Le dio otro mordisco al bocadillo y masticó. Fue entonces cuando notó algo raro que le obligó a ralentizar la masticación. Notó alguna cosa que no era ni queso, ni perejil, ni pan. Algo con una textura extraña, algo que al masticar le recordó un poco el papel, un poco tal vez un pelo, algo un poco pastoso, todo a la vez. La mandíbula dejó de moverse, los dientes se cerraron y lo que fuera se quedó allí, sin tragar. Algún sentido interno estaba impidiendo que la lengua proyectase el bolo alimenticio hacia la garganta para iniciar la siguiente fase. Le vinieron arcadas y miró fijamente el bocadillo.

—A Albina le gusta la *ukha*, la sopa de pescado —estaba diciendo Sveta.

—Me gustan las cabezas —añadió la niña.

Gor separó las dos rebanadas de pan de centeno para examinar el contenido.

—Sí, las cabezas de pescado, te gustan, ¿verdad?

—Los ojos y los sesos son la parte más sabrosa —dijo Albina, sonriendo.

Gor frunció el entrecejo. Aplastados entre el queso y el perejil había los restos de una polilla peluda, enorme y de color marrón. Tenía las alas abiertas y ocupaba prácticamente toda la superficie del pan. Quedaba solo la mitad de su cuerpo moteado.

—Contienen muchas vitaminas, ¿verdad? —dijo riendo Sveta,

que captó la mirada de Gor cuando este levantó la vista, pálido y con la boca llena aún de mejunje de queso, polilla y perejil.

Albina lo estudió también con atención y su rostro se contorsionó.

—¿Pasa algo? —preguntó Sveta.

Su rostro seguía esbozando una sonrisa, pero la frente se le arrugó en un gesto de preocupación. Gor, con ojos lagrimosos, inspeccionó rápidamente la estancia en busca de algún lugar donde librarse de tan indeseable bocado. No había nada: ni servilletas, ni macetas. Y las dos seguían mirándolo. No le quedaba otro remedio. Movió la lengua hasta capturar el pedazo de polilla y lo tragó con férrea determinación.

—No —chirrió cuando estuvo seguro de que aquello no volvía a subir, y tosió para aclararse la garganta antes de beber un agradecido trago de té dulce y caliente—. Bueno, en realidad sí. Tengo que irme.

Se estremeció solo de pensar en la polilla entrando en el estómago, pero, tambaleándose, se levantó y salió corriendo del salón, dejando la bandeja en la cocina oscura por el camino.

—¡No, por favor, díganos qué sucede! —le imploró Sveta, sinceramente preocupada.

Gor se sentó en la banqueta para sacarse de encima las pantuflas azul marino y calzarse sus confortables botas marrones.

—No… no sé, Sveta, a lo mejor es una tontería, pero todo es… no sé, es todo tan extraño… Reconozco que estoy un poco asustado —dijo, levantando la vista para mirarla.

—¿Pero por qué? —replicó ella, que había posado una mano en el hombro de Gor.

—En el bocadillo había una polilla enorme.

—¿Una polilla? Oh… ¡vaya! —exclamó Sveta—. Pero no tiene de qué asustarse, Gor…

—¡Y no es la primera cosa rara que pasa, se lo aseguro! Hubo lo del conejo…

—¡Oh, sí, lo del conejo fue espantoso!

—¿Qué conejo? —preguntó gritando Albina.

—Y las llamadas telefónicas… a todas horas del día y de la noche. ¡Infinitas llamadas telefónicas en las que nadie dice nada! También llamadas a la puerta, y luego no hay nadie. Y esta mañana me ha desaparecido un huevo del cazo, mientras estaba hirviendo…

—¿Desaparecido? ¡Eso es magia! ¡Es… sobrenatural!

—¡Sí! ¡No! Y eso no es todo. No me creerá… pero había una cara en la ventana. ¡Una cara!

—¡Pero si vive usted en un cuarto! —exclamó Sveta.

—¡Exactamente!

—¡Horripilante! —intervino Albina.

—Sí —reconoció Gor—. Lo encuentro todo un poco… un poco horripilante, como bien dice —dijo, frunciendo el entrecejo.

—¿Y quién era?

—Nadie —respondió Gor, hablando entre dientes—. Allí no había nadie. Miré… y nada de nada.

—Tendríamos que mirar ese bocadillo, mamá —ordenó Albina—. Creo que tendríamos que… asegurarnos.

La niña marchó corriendo a la cocina y regresó instantes después sosteniendo a una distancia considerable de su cuerpo la desordenada bandeja. Los tres estudiaron los restos de comida.

—Pero si estaba aquí. ¡La he visto!

Gor tocó con cuidado el pan, el queso y el perejil con su fino dedo índice y separó los elementos en busca del intruso alado. No había nada.

—¡Estaba aquí! —exclamó con voz vacilante, y miró los ojos azules y reconfortantes de Sveta—. ¿Qué me está pasando? ¿Cree que estoy… enfermo?

Sveta hizo un mohín.

—¿Cuánto tiempo lleva con esto?

—Unas dos semanas. Desde que nos conocimos, de hecho.

—¿Ah sí?

—Oooh, mamá, ¿y qué puede significar todo esto?

—Calla, Albina. Me parece que puedo ayudarle, Gor. Tengo una amiga, bueno, más bien es una conocida. Podría hacer algo… para solucionar todo esto.

—¿Sí? —inquirió Gor, sorprendido y aliviado—. ¿Es médico, quizá?

—No —respondió Sveta—. Mucho más útil que eso. Es médium.

—Ah —dijo Gor sin levantar mucho la voz, y bajo la vista.

—¡*Fu kyu*! —chilló Kopek desde donde estaba posado en la cocina.

TOLYA HABLA

La bola amarilla del sol parecía una yema de huevo en el cielo lechoso, no emanaba calor, no rezumaba luz, estaba simplemente suspendida allí. Anatoly Borisovich, o Tolya, para abreviar, tragó una masa sustanciosa de saliva. Huevo y leche, como su *baba* le preparaba cuando era una mañana especial, mucho tiempo atrás, cuando era pequeño y rubio, cuando era capaz de cautivar a los cuervos para que bajaran de los árboles y a los caracoles para que salieran de los cubos. Cuando era joven. Batió sus pensamientos, revolvió el sol-huevo, con deseo de sacar de allí algo comestible, algo nutritivo, algo bueno. Refunfuñó al darse cuenta de que estaba hambriento.

¿Cuántos pares de ojos de aquel pasillo estarían fijándose en aquel sol?, se preguntó, ¿cuántos de sus compañeros pacientes (¿acaso eran eso?) respirarían aún, a la espera de unas tortitas y de un poco de leche, de unas gachas y de la muerte? Sabía que había otros pacientes. A veces los oía. No había salido de su habitación, y no recordaba ni cómo había llegado hasta allí ni qué había al otro lado de la puerta, pero sabía que había más gente. Giró la cabeza y su pelo gris enmarañado hizo crujir la almohada almidonada. Vio entonces que se abría la puerta, que el verde del pasillo recién pintado se filtraba en la habitación. Entró un hombre joven de aspecto atlético y se quedó a los pies de la cama, inquieto, con un papel y un bolígrafo pegados al pecho. Le dio la sensación de que el joven le hablaba. ¿Sería real?

Eso de que le hablaran resultaba muy extraño. Hacía bastante tiempo que nadie lo hacía. Anatoly Borisovich se restregó los ojos. Sí, era evidente que la boca del joven se movía, que su mandíbula bien esculpida saltaba arriba y abajo, que sus dientes titilaban. Se oían muchas palabras, un revoltijo de sonidos. Decidió escuchar y se esforzó por sintonizar. Reconocía los picos y los descensos de los grupos de letras, los sonidos de las sílabas, pero era como si las palabras chocaran entre ellas, como si hicieran carreras, como si cargaran las unas contra las otras, como si jugaran a saltar a la pídola, incluso. Arrugó la nariz.

El joven se quedó quieto. Reinó el silencio. Anatoly Borisovich se pasó la lengua por los labios y su ojo izquierdo se sacudió con un tic.

—¿En qué piensa? —preguntó el joven. Anatoly Borisovich sorbió por la nariz, satisfecho. Acababa de encontrar el final del ovillo, el principio y el fin de la frase. La cosa mejoraba—. ¿Es algo que le gustaría comentar?

Anatoly Borisovich dudó. No había entendido nada de lo que había dicho el chico. Y por mucho que quisiese hablar, no conseguía dominar la lengua: se movía con timidez en el interior de la boca y se escondía tras las encías. Al final, logró esbozar una sonrisa, arrugar los ojos y emitir un pequeño gruñido.

El joven volvió a hablar, más despacio esta vez.

—Es muy sencillo. Cuénteme cosas sobre su demencia… sobre su olvido, quiero decir, sobre su pérdida de memoria y cómo fue que acabó usted aquí… ¿Cuándo fue eso? —Repasó las notas que llevaba—. ¿El jueves ocho de septiembre? Hace casi un mes. Analizaré la información que me dé, emitiré un diagnóstico y encontraremos la manera de reducir su confusión, y sus miedos. Y se sentirá mejor. Y es posible que, en un momento u otro, pueda volver a casa. Sufrió usted algún tipo de problema físico grave, ¿verdad? E imagino que también un cataclismo mental. Cuando llegó aquí estaba delirando.

Anatoly Borisovich asintió y movió la boca, preparándose para hablar, pero el chico, al intuir una recepción positiva, se apresuró a seguir.

—Su expediente es escueto, pero me parece un sujeto potencialmente interesante… y cualquier cosa que pueda contarme resultará muy útil. Soy estudiante de medicina y estoy cursando un módulo de gerontología. Será mi caso de estudio. —Estrujó el cuaderno que llevaba en la mano—. Tengo que tenerlo acabado para finales de octubre, así que… —Miró al anciano a los ojos—. No se trata solo de decrepitud, ¿verdad? ¿Hubo algún suceso… dramático?

Anatoly Borisovich intentó hablar, pero el chico continuó.

—¿Está dispuesto a tomar parte? Espere un momento, ¿podría girar la cabeza hacia la luz, por favor? —El joven hizo una pausa y entrecerró los ojos—. Me gustaría preguntarle sobre esas cicatrices. Las cicatrices podrían ser un buen comienzo. Según me han explicado, los traumatismos nunca se limitan tan solo a la superficie de la piel. —Anatoly Borisovich asintió. El peso de la perspicacia de su visitante le llevó a echar hacia abajo las comisuras de la boca. El chico continuó—. A lo mejor podría formularle preguntas y usted me responde con un «sí» o un «no», si le cuesta decir más.

Por fin el chico dejó de hablar. Anatoly Borisovich cogió aire y empujó unas cuantas palabras hacia el exterior.

—¿Su nombre? ¿Cómo se llama? —El sonido se arrastró por las cuerdas vocales secas.

—Vlad —respondió el joven, pasándole un vaso de agua que llevaba una eternidad en la mesita de noche.

—¿Vlad? —Bebió un poco y tosió—. ¿Y qué tipo de nombre es ese?

El joven sonrió y jugueteó con el bolígrafo, pero no hizo el más mínimo intento de responder.

—Me refiero —el anciano bebió un poco más de agua—, a si se trata de una abreviatura de Vladimir, de Vladislav o de qué. No puedo hablar con usted… si no lo conozco.

Hablaba despacio, moviendo las manos en el aire como si

quisiera subrayar sus palabras. De haber tenido Vlad un poco de imaginación, habría equiparado a Anatoly Borisovich con un prestidigitador.

—Vladimir —respondió el joven con una sonrisa de superioridad.

—Bien. —Anatoly Borisovich suspiró con tanta intensidad que se sacudió incluso—. ¿Quiere escuchar mi historia? Nunca la he contado. ¿Se imagina? —Vio que el joven iba a replicar, de modo que prosiguió con rapidez, cogiendo el ritmo—. A decir verdad, la he olvidado. Se perdió por alguna parte, entre los árboles, hace muchos años. Pero ha ido regresando mientras permanecía aquí tumbado, sin ver a nadie, sin ser nadie. —Su voz era casi inaudible, suave y seca como el susurro de la hierba a finales de verano—. He olvidado mi presente, pero recuerdo mi pasado. Vaya, vaya… Y ya que me lo pide tan amablemente… se lo contaré. ¡Aunque me resulta extraño oír palabras pronunciadas con mi propia voz! ¡Imagínese! —Sus ojos se iluminaron con perplejidad, unos ojos que brillaban con intensidad desmesurada—. ¿Sabía usted cómo sonaba mi voz? Seguro que no. Es la primera persona que muestra cierto… interés. Me dan de comer, me lavan, me pinchan… pero nadie habla, nadie escucha. —Se incorporó un poco en la cama y le indicó con un gesto a Vlad que le colocara otra almohada—. ¿Qué día es hoy?

—Martes.

—Explíquese un poco más —dijo Anatoly Borisovich, arrugando la cara y mirando a Vlad.

—Cuatro de octubre. 1994.

—¡Ah! Ya estamos en otoño. —Bebió otro trago de agua y chasqueó los labios. El tono de voz subió—. Nunca me preguntan cómo estoy, ¿sabe? Se limitan a mirar ese gráfico y a preguntarme si necesito ir al baño —prosiguió—. ¡Me tienen por un orinal! —Disfrutó como un niño pronunciando aquella palabra y la risa que ascendió por su garganta sonó como el aire cuando sale silbando de un neumático viejo.

Vlad sonrió y se rascó la cabeza, cubierta con pelo castaño y rizado. Anatoly Borisovich se fijó en el movimiento del bíceps bajo el tejido de un jersey que tenía pinta de ser extranjero.

—Eso lo arreglaremos. ¿Le apetecería tal vez un té? Si quiere puedo pedirle a una auxiliar que se lo traiga.

—¡Ah! ¡Té! ¡Sí! —Los ojos del anciano brillaron, como si el té fuera un hijo al que hacía mucho tiempo que no veía.

Unos minutos más tarde, con la ayuda del perfumado lubricante, las palabras empezaron a rodar con más rapidez por su lengua.

—¡Gracias, gracias! —Removió los varios terrones de azúcar que había echado en el té—. ¿Es un pino eso de ahí fuera? ¿Detrás de la valla? —Bebió un sorbito y hundió las mejillas, que parecían hojas de col—. Tengo los ojos cansados ya de mirar. He mirado con intensidad tantas cosas, tantos lugares. Pero eso no logro verlo bien, ¿sabe? A veces está más cerca, otras más lejos. Una noche estaba en la ventana. Me parece que es un árbol. Tiene que serlo, ¿verdad? Y si no es un árbol, pues… —El anciano titubeó y se calló. Miró a Vlad con los ojos muy abiertos—. ¿No hay ningún bosque?

Vlad acercó la silla de la habitación a la cama del anciano. El papel y el bolígrafo cayeron al suelo.

—No hay ningún bosque, Anatoly Borisovich. Yo no sé de árboles, soy médico. Podría ser un pino. —Miró por la ventana—. Diría que sí que es un árbol. —El anciano sonrió, animándolo—. Pero no hay ningún bosque, sino mucha agua. Estamos junto al mar.

—¿Junto al mar? ¿En serio?

—Por supuesto, está a unos pocos kilómetros de aquí, en dirección oeste. —Vlad señaló el horizonte gris—. Por ahí: el mar de Azov.

—¡Ah! ¡Sí! Eso me suena… quizá. ¿Queda lejos Rostov?

—No muy lejos. Estamos más o menos a medio camino entre Azov y Rostov. Es usted de Rostov, ¿no?

—No. —El anciano negó con la cabeza—. De Rostov no.

—Ah. Veo que ha recuperado usted la voz, hable pues, Anatoly Borisovich. Cuénteme qué le pasó. Cuánto más me explique, más detallado será mi caso de estudio, y más útil será para usted. Dispongo de mucho tiempo: mi turno ya ha acabado, oficialmente, de modo que tengo toda la tarde libre, más o menos. ¿Recuerda cómo lo trajeron hasta aquí?

El chico sonrió, y sus labios carnosos se retiraron para mostrar la cara limpia de unos dientes blancos y bien colocados. El anciano fijó en ellos la mirada unos instantes: eran afilados, enormes, de aspecto fuerte, como los de un caballo. Recorrió con la lengua los bultos y las oquedades de sus gastadas encías.

—No. Nada de nada.

—Vaya, ¿qué le parece, entonces, si empezamos un poco más atrás?

Anatoly Borisovich bebió otro poquito de té y lo sorbió con alegría.

—Perfecto. Nací en Siberia…

—A lo mejor no tan lejos…

—En un pueblecito no muy alejado de Krasnoyarsk. ¿Conoce Krasnoyarsk?

El anciano se quedó a la espera y miró fijamente a Vlad con una mirada que exigía una respuesta. El joven se lo pensó un momento.

—Sí, claro, hay una presa. Espere, ¿ha visto…? —Hurgó en los bolsillos y extrajo un billete nuevo doblado perfectamente por la mitad—. ¿Lo ve? Sale en el reverso de los nuevos billetes de diez mil. La presa. —Se lo enseñó al anciano.

—¿Un billete de diez mil rublos? ¿Es usted millonario, Vlad? —dijo con incredulidad Anatoly Borisovich.

—Todavía no, pero espero serlo. —Esbozó una sonrisa—. Pero ahora en serio, diez mil rublos no son nada, equivale a unos dos dólares estadounidenses. Una muestra más de la inflación de Yeltsin… ¡ahora todos somos millonarios!

Vlad le guiñó el ojo mientras doblaba de nuevo el billete y lo guardaba con cuidado en el bolsillo.

—¿Dos dólares? ¿Millonarios? —El anciano se quedó boquiabierto y dejó ver la lengua, blanca y arrugada—. ¿Y para qué queremos nosotros dólares estadounidenses, eh? Tenemos salud y tenemos la Unión Soviética, quiero decir que tenemos... ¿cómo la llaman ahora?

Vlad se encogió de hombros y se agachó para recoger el bolígrafo y el cuaderno.

—¿El qué? Pero sigamos con su historial. Nació usted en Siberia. —Se inclinó hacia delante y movió la barbilla en dirección al anciano—. ¿Recuerda su infancia?

—Sí que recuerdo cuando era niño. Recuerdo estar en el bosque, que todo el mundo tenía que trabajar. En el bosque, con los árboles. ¡Trabajo duro! Todo el mundo tenía una cuota. O cumplías con tu cuota o te recortaban la paga. Aquello era trabajo a destajo. Mi padre superaba con creces sus cuotas. Siempre. ¡Era un auténtico héroe! Lo pusieron al mando de una cuadrilla, durante un tiempo. No lo veíamos nunca.

El anciano dejó vagar la mirada mientras su cerebro retrocedía en busca de su padre.

—Un frío gélido constantemente, imagino. ¿Y qué me cuenta sobre los gulags, sobre los prisioneros políticos? ¿Los vio? Eso que cuenta debió de ser más o menos hacia los años treinta.

El interrogatorio de Vlad le pareció al anciano una vulgaridad. Él quería pensar en su padre, en su *baba* y en los pinos. No quería pensar en los campos de trabajo. Frunció el ceño.

—Tal vez tenga miles de rublos, Vlad, pero sabe muy poco de las personas. Escúcheme bien. —Tosió y bebió un poco más de té—. Fui un niño. Fui feliz. No sabía nada sobre campos de trabajo. ¡El camarada Stalin era nuestro amigo, nuestro protector! —Le brillaban los ojos—. No era más que un pueblecito, unas cuantas chozas con cerdos y pollos, gente que trabajaba duro, borrachos perezosos. Hacía frío, en invierno. Pero Krasnoyarsk está en el sur: teníamos verano, claro que sí, caliente, húmedo y con un montón de mosquitos. Mosquitos tan malos que volvían locas a las vacas... o eso contaban las historias. La gente contaba muchas historias.

—Se restregó los ojos—. Las historias salían del bosque... salían de la corteza de los árboles, ¡para devorarte el cerebro como un ejército de hormigas! —Se interrumpió y sonrió—. Permítame que le cuente una historia.

—¿Es relevante? —replicó con resignación Vlad.

Sabía que tendría que estar indagando en busca de hechos, trabajando tal vez mediante un formulario estructurado de preguntas y respuestas sobre las semanas previas al ingreso de aquel hombre. Sabía también que Polly habría salido ya del trabajo y estaría esperándolo en casa. Que probablemente habría sexo –sexo eufórico, sudoroso, resbaladizo– si estaba de buen humor. Y que si llegaba tarde, probablemente no lo estaría. Miró el reloj Tag Heuer que llevaba en la muñeca.

—¡Ha dicho que me escucharía, Vlad! ¡Escúcheme, por favor!

El anciano quería divagar, retroceder. Tal vez sería bueno para hacer un poco de análisis práctico. Tal vez, incluso, podría plasmarlo como una «conversación curativa». Dependía de lo que dijera, evidentemente, pero... Había imaginado que el anciano le soltaría alguna historia sobre una caída o sobre un episodio de tuberculosis, sobre un exceso de vodka o sobre una vieja herida de guerra... Aunque quizá no estaría mal intentar un punto de psicoanálisis. Una historia era una historia. Y, la verdad, era que siempre le habían gustado las buenas historias. Aunque no tanto como el sexo.

—Sí, por supuesto, adelante, Anatoly Borisovich.

—Érase una vez, en un bosque muy remoto, vivía un muchacho de ojos verdes, sonrisa pícara y un tupé en la cabeza. Un muchacho sencillo e inteligente llamado Tolya.

—¿Usted?

—¡Muy agudo! Un chico llamado Tolya, sencillo e inteligente, que vivía con su abuela, a quien llamaba Baba, un perro llamado Lev y su papá. En el este, muy lejos, allí por donde campan los osos y se mecen los pinos. Donde las sierras muerden los árboles día sí, día no, y donde los niños aprenden sobre la vida...

Vlad acercó la punta del bolígrafo al papel, preparándose para tomar nota.

Tolya enlazó las manos alrededor del cuenco de caldo para que el calor se filtrara a través de sus dedos doloridos y mugrientos y alcanzara los huesos. Estaba sentado en un extremo del banco de madera con la espalda apoyada en la pared, balanceando los pies bajo la mesa. La lámpara estaba encendida, pero tenía la mirada perdida en la negrura que se extendía más allá de la ventana que había a su lado. El aliento empañaba el cristal. No ver era peor que ver. Dejó el cuenco en la mesa y limpió el vaho con la manga. Observó por el agujero que acababa de crear y apartó la lámpara para vislumbrar mejor el exterior.

Durante unos instantes no hubo allí más que oscuridad y el sonido del viento abriéndose paso entre el cielo y los árboles. Entonces vio que se movía alguna cosa, cerca del pozo. Se estiró hacia la ventana y los pies casi tocaron el suelo con el esfuerzo. Conteniendo la respiración, observó el rectángulo negro. No había nada que se materializase en forma. Soltó lentamente el aire y volvió a sentarse para apurar lo que quedaba de caldo. Estaba rico, salado y caliente, se sentía a gusto con el cuenco entre las manos. Observó su reflejo en el fondo, una nariz grandota y ojos de bichillo. Rio entre dientes: Tolya el monstruo, ¡RARRRRR! ¡El rey del bosque! Rugió y casi se atraganta, y se vio obligado a escupir de nuevo el caldo en el cuenco y a sacudir los granos de cebada que se le habían quedado pegados a la barbilla. Se secó la cara con la manga. Cuando volvió la cabeza, vio de nuevo el movimiento por el rabillo del ojo, en el patio pero más lejos: algo que se agitaba, tal vez a ras de suelo, tal vez en las ramas de los pinos que se sacudían como brazos de gigante cuando soplaba el viento. No era una figura, sino un titileo. Un aleteo, quizá. Se estremeció y movió con energía las piernas bajo la mesa para no perder la valentía.

—¡Marchamos… marchamos… marchamos hacia la victoria!

—cantó con voz poco firme, aguda, para mantenerse animado, decidido a resistir hasta que regresara Baba. Montaría guardia y no tendría miedo. Por mucho que tener miedo fuera una de sus emociones favoritas. Aunque no mucho miedo.

—¿Dónde habrá ido, eh, chico? No tengas miedo, no hay de qué tener miedo. —Le habló a Lev empleando un tono reconfortante. Lev no tenía miedo, Lev nunca tenía miedo. Estaba estirado debajo de la mesa descansando los huesos, soñando con conejos. Tolya se rascó las orejas—. Enseguida volverá. O volverá papá. Y nos traerá salchichas. Seguro que sí. Y queso. Y a lo mejor un cuaderno para dibujar, lo ha dicho. Mmm... Marchamos, marchamos, marchamos hacia la...

La canción acabó en un chillido. Se había oído un golpe en la ventana. Se había tumbado en el banco boca abajo para acariciar al perro que seguía debajo de la mesa y se había olvidado de seguir montando guardia. Y ahora no se atrevía a levantar la cabeza, no se atrevía a mirar. En el patio había algo monstruoso. El corazón le latía con fuerza. ¡Otra vez! Unos golpes en la ventana, débiles pero insistentes, como si unos dedos helados intentaran taladrar el cristal, y si ahora se incorporaba...

—Lev... ¡Lev! —La voz salió forzada de las tensas cuerdas vocales y el cuerpo se le quedó rígido, como si hubiera quedado abandonado en la gélida intemperie—. Lev... ven aquí, chico.

El perro levantó la vista, adormilado, sorprendido por la actitud del niño. Lamió la mano vacía que se ofrecía ante él y, con un gruñido, volvió a tumbarse.

—¡Lev! ¡Escucha! Ahí fuera hay algo. Lo oigo. ¡Y quiere entrar! —Tolya seguía estirado en el banco e impulsó la cabeza y los hombros hacia abajo para saltar al suelo. Se tumbó junto al perro—. Viene a por nosotros... tenemos que ser valientes... tenemos que cerrar los ojos y cruzar los dedos. Es lo que se suele hacer en estos casos. Me lo han contado los niños del colegio. Me lo ha dicho también mi primo. Y tenemos que pedirle al camarada Stalin...

Cuando la puerta se abrió y entró en la casita una bocanada de aire frío, Tolya se golpeó la cabeza con la parte inferior de la mesa. Se agazapó. Lev meneó el rabo.

—¡Tolya! —Una voz como un pistoletazo—. ¡Ven a ayudarme, hijo! Voy muy cargada. ¡Vamos, cariño, sal a ayudar a Baba!

Lev levantó del suelo sus cansados huesos, caminó tranquilamente hacia la voz de su ama y sacó la lengua cuando esta le acarició la oreja con una mano enrojecida.

—Lev, viejo granuja, ¿qué quieres ahora de mí, eh? ¿Y qué has hecho con mi nieto?

—Estoy aquí, Baba —dijo Tolya, saliendo de debajo de la mesa y sacudiéndose el polvo del pelo y del pantalón holgado de color gris que llevaba. Le temblaban las manos—. Hemos oído un ruido espantoso. Era el niño polilla, que revoloteaba entre los árboles. ¡Y ha llamado a la ventana! Me he quedado… ¡me he quedado petrificado! —Levantó la vista del pantalón y, al parpadear, sus ojos verdes derramaron una lágrima.

Baba detuvo el movimiento de la mano con la que estaba tocando el hocico del perro y miró al niño.

—¿Dices que has oído al niño polilla? ¿Y qué sonido hacía, eh? ¿Como el viento entre los árboles o como yo cuando llego al patio?

Enarcó una ceja y esperó a que Tolya replicara, pero el niño evitó su mirada y empezó a jugar con los botones de la chaqueta, a acariciar su suave superficie una y otra vez.

—¿Y Lev? ¿Ha oído Lev al niño polilla?

Tolya negó con la cabeza.

—Creo que no, Baba.

—Veo que has pasado el rato aquí asustado en vez de hacer tus tareas. Escondido debajo de la mesa con el perro cuando tendrías que haber ido a sacar agua del pozo o limpiado las cenizas de la cocina. ¡Eres un granuja, jovencito, y habrá que contárselo a papá!

Dejó la bolsa y le entregó una barra sólida de pan negro.

—Comida para llenar el estómago, hijo, esa tendría que ser tu preocupación. La realidad… ¡el aquí y ahora! Ahora estás asustado y no habrá manera de dormir.

—Dormiré contigo, Baba, y con Lev, y dormiré bien. Me da igual lo que haga el niño polilla.

—Bueno, a ver si duermes bien con algo de comida en el estómago, ya lo veremos. Pero no pienso permitir que te entrometas entre mi sueño y yo. Mañana tengo muchas cosas que hacer. Y ahora, ayúdame a preparar la cena. No esperaremos a papá, llegará tarde.

—Tiene una cuota que cumplir —dijo Tolya, empleando un tono de voz serio y de adulto.

—Tiene una cuota que cumplir —repitió Baba, con un gesto de asentimiento.

Se lavaron las manos en el cubo que había al lado de los fogones y empezaron a preparar la cena.

—¿No hay salchichas, Baba? —preguntó Tolya, buscándolas en el interior de la bolsa.

—¡Ja! ¿Salchichas? Esta noche no hay salchichas. Ya he olvidado incluso el aspecto que tienen. Dicen que la cosa mejorará, pero… pero tendremos que esperar a ver qué pasa. ¡El sabor sí que no lo he olvidado!

—¡Un sabor glorioso!

—¡Celestial! —dijo Baba, sonriendo.

—Es como comerse el sol —dijo Tolya.

—Siempre podríamos intentar sacar salchichas de Lev. ¿Qué opinas? —Las arrugadas mejillas de Baba se sonrojaron cuando empezó a reír entre dientes.

—¡No tiene ninguna gracia, Baba!

—No —reconoció ella con ironía después de una breve pausa—, no la tiene. Tú eres mi sol. Eres mi alegría. No cambies nunca.

Lo abrazó, cuchillo en mano, e inspiró el aroma cálido y familiar de su cabello, de su cuello, de su joven vida.

Se pusieron a trabajar y a contarse lo que habían hecho durante el día.

—¿Me has dibujado alguna cosa, joven Tolya?

—No, Baba. Necesito tiza nueva. La que tengo ya está gastada, no puedo ni cogerla.

—Vaya, ¿otra vez? Veremos qué puedo hacer. A lo mejor podemos pedir un poco en la escuela. Lo probaremos. Me encantan tus dibujos. Tu presencia aquí es un regalo, hijo. Te hará mucho bien.

El cubo del pozo emitió un sonido metálico cuando el viento sopló con fuerza entre los árboles del exterior. El niño soltó la cuchara.

—Y bien, Tolya —dijo con tranquilidad Baba—, ahora que me has contado ya lo de la escuela, ¿qué es todo eso del niño polilla? ¿De dónde sale? Son viejas historias, mi niño… no son buenas para el comunismo.

Baba lo observó por el rabillo del ojo mientras empezaba a cortar en rebanadas la barra de pan negro. Tolya estaba removiendo con mano inexperta las gachas de alforfón.

—Lo hablamos a la salida de la escuela, Baba. Pavlik lo ha visto. Y también Gosha. Se acercó a la ventana de sus casas por la noche. Llamó porque quería velas. Y el primo Go…

—¡Ese no sabe lo que dice! —exclamó Baba, meneando la cabeza.

—¡Pero es verdad! Dijo que el niño polilla quiere entrar en sus casas para estar más cerca de la luz, y que ha puesto huevos en sus orejas. ¡Todos lo han visto! ¡Todos! ¡Espera junto a la ventana! ¡A lo mejor es que quiere comérselos! ¡Sorberles los sesos!

—¡Ya basta! ¡A trabajar! —Baba, enfurruñada, levantó la vista del pan—. ¡Esos niños y sus historias! ¡Voy a tener que hablar con tu primo!

Tolya fingió que seguía con lo que tenía entre manos, pero no podía parar de mirar hacia la ventana. Se imaginó el niño polilla: su cara bañada por la luz de la luna, pálida como el sol de medianoche, pálida como la leche, luminosa como el hielo; sus ojos enormes, redondos, bulbosos, mirando desde un cráneo hundido como si fueran planetas gemelos, vacíos y muertos; su vientre, redondo y peludo, toscamente abultado y dividido en dos partes, tórax y abdomen, moviéndose ambas al ritmo de sus latidos; y lo peor de todo, las alas, titilando, verdes, marrones y azules, vibrando, brillando, gigantescas y peludas: un ser inhumano. Se lo imaginó revoloteando entre los árboles, estremeciéndose, lanzándose en picado, con las motas de polvo de polilla desprendiéndose de sus alas, abalanzándose, anhelando alejarse de los árboles para adentrarse en el pueblo, para pasar de la oscuridad a la luz, revoloteando junto a las chimeneas y los marcos de las ventanas, golpeando los cristales, extendiendo unas cosas mustias y congeladas, que parecían hojas de helecho… ¿Serían las puntas de las alas o antenas?

—¿Has acabado ya?

Sobresaltado, inspiró hondo. La cuchara permanecía inmóvil por encima del cazo, sin remover el contenido, realizando movimientos inútiles en el aire. Las gachas eran un mazacote que empezaba a secarse por los lados.

—Sí, ya están hechas, Baba.

Asintió y sonrió y, con cuidado, sirvió una ración generosa en los cuencos, incorporándole una pizca de sal.

—Más vale que comas bien, Tolya. Mañana tenemos *Subbotnik* y vas a necesitar de todas tus fuerzas para el trabajo voluntario.

—¡Otro *Subbotnik*! ¡Pero si es sábado, Baba! ¡Quiero jugar, y ayudar a papá en el patio, y darle clases de marcha a Lev!

Baba miró con agotamiento a Tolya y suspiró ante las gachas grumosas.

—Tolya, esa es precisamente la gracia del *Subbotnik*. Hacemos buenas obras durante nuestro día libre. Mejor dicho, las hacemos todos aquellos a quienes no nos queda otro remedio. Y todo el mundo obtiene un beneficio de ello. Es nuestro deber.

—¡Pues no es justo! —exclamó el niño, cuyo labio inferior había empezado a temblar.

—La vida no es justa, Tolya, la vida no es justa. Y ahora, cómete las gachas para hacerte grande y fuerte. Así llegará un día en que podrás decirles a los demás qué hacer con su *Subbotnik*.

Se echó a reír, un sonido cavernoso y potente. Tolya se acurrucó a su lado para compartir su calor y masticó con ahínco su pan negro y sus gachas, decidido a hacerse grande y fuerte.

Luego, se acostaron ambos en la cama grande de madera que había en una esquina de la estancia. Tolya prestó atención al ritmo regular de la respiración de Baba, y observó el movimiento que provocaba el aire al entrar y salir de su pecho y que hacía subir y bajar la colcha, arrugándola ligeramente. Baba estaba caliente y era sólida, era como una estufa viviente. Sabía que no estaba dormida.

—Cuéntame un cuento, Baba.

—A dormir, niño, que es tarde. Demasiado tarde para cuentos.

Se puso de costado de cara hacia él y ahuecó un poco con el hombro el cojín de paja. Echó la cabeza hacia abajo y la nariz y la boca quedaron tapadas por las sábanas.

—Cuéntame la historia del niño polilla, Baba.

—Ay, ojalá no hubiera abierto nunca la boca. El niño polilla, ¡qué tontería! No hay ninguna historia. No es más que un mito, un simple chismorreo. Yo no lo he visto nunca... —Un bostezo interrumpió la frase—. Y de todo eso hace ya mucho tiempo.

—No hace tanto, Baba. Es de cuando eras pequeña.

—¡Ja! —Rio y abrió los ojos—. No, no hace tanto tiempo... sí, pero cuando era pequeña... ¡estábamos en otro siglo! No había radios, ni cines móviles, ni electricidad, al menos no la había en todas partes, y nadie sabía leer. O, mejor dicho, nadie sabía leer como leemos nosotros. No había comunas, ni soviets...

—¿Y todo eso fue antes del niño polilla? —la interrumpió Tolya.

—Ay, dichoso niño polilla. No, el niño polilla no es tan viejo, aunque, si es un espíritu quiere decir que es tan antiguo como el agua, tan antiguo como las estrellas. A lo mejor lo sabe el chamán, ¿no? La gente de aquí cree en esas cosas. Y vete tú a saber si están o no equivocados.

—¿Y tú que viste, Baba?

—Nada. Fue un sueño... un cuento. Un cuento que se introdujo en mi sueño. Cosas que contaba la gente —dijo, adormilándose.

—¿Y el cuento? —dijo Tolya, presionándole el codo contra el pecho.

—Un niño se escapó por el bosque; era un niño raro. Quería ser chamán, por eso se fue. Se escondió en los árboles, entre las hojas… pero la luz de la luna se introdujo en él a través de las arruguitas de alrededor de los ojos. —Tolya se palpó la zona de los ojos en busca de arrugas—. Se filtró en su cerebro. Y en cuanto se apoderó de él, el niño ya no pudo regresar, por mucho frío que tuviera y muy solo que se sintiera. Había caído presa de la luna y se había convertido en un lunático, mitad niño… y mitad polilla. Ahora llama a las ventanas, pero no podrá regresar jamás —dijo Baba con voz adormilada.

—¡Pues yo lo he oído, Baba! —Tolya zarandeó su rubia cabeza sobre el hombro de Baba para espabilarla—. Es real.

—¡Ay, mi niño! Real, no real, ¿dime tú dónde está la diferencia, eh? —Sonrió y le acarició el pelo mientras se permitía cerrar los ojos—. Nada dura para siempre, excepto los cuentos.

—Pero nosotros creemos que existe, ¿verdad, Baba?

—A dormir. Nosotros creemos lo que queremos creer. Y lo que creemos tiene que ser real, ¿no? —Tolya asintió—. A lo mejor, de mayor te conviertes en científico y entonces podrás explicarme si los espíritus son reales o no.

—Así lo haré, Baba. Seré científico. Y así lo sabremos.

—Estupendo. Y ahora es hora de dormir. Papá llegará pronto y se enfadará si nos encuentra despiertos.

Tolya cerró los ojos y pegó la nariz a la almohada rellena de paja. Se acomodó en el calor de su *babushka* y se imaginó cómo sería el laboratorio que tendría cuando fuera mayor, grande y fuerte. Trabajaría en la creación de una máquina voladora y comería únicamente salchichas y caramelos.

—La próxima vez que veas al niño polilla, Baba, ¿sabes qué tienes que hacer? —No obtuvo respuesta, pero igualmente siguió hablando mientras se miraba las manos—. Cerrar los ojos, y cruzar los dedos y decirte, lo más fuerte que puedas: «¡Camarada Stalin, protégeme!», y todo irá bien. Es lo que dicen los niños. Todo irá bien. Solo hay que creerlo. Es lo que me han dicho.

Baba refunfuñó y le acarició la cabeza. El calor de la cama se extendió por las extremidades y el cerebro de Tolya y se dejó caer en el nido aterciopelado del sueño. Un sueño tan profundo que no oyó nada, no sintió nada. Ni siquiera el solitario sonido en el cristal de la ventana.

«Tap tap tap».

El anciano levantó la cabeza.

—Lo ve, Vlad, el niño polilla es tan antiguo como el viento y el agua. ¡Esa historia no me la he inventado yo! ¡Pregúntele a quien quiera! —Se rascó los ojos y el movimiento produjo un sonido pegajoso, como un chapoteo—. Van siempre hacia la llama, se acercan demasiado y entonces ¡fsssst!

Vlad miró al anciano, perplejo, y dirigió a continuación la mirada hacia la fina niebla grisácea que cubría el terreno llano y fangoso que se extendía al otro lado de la ventana. Infló las mejillas con aire.

—Me parece que no hemos avanzado mucho, ¿no le parece, Anatoly Borisovich?

—Yo era muy joven… ¡demasiado joven para enterarme de la mitad de las cosas que pasaban! Creía que el camarada Stalin me protegería. ¿Qué sabía yo?

Vlad miró el reloj.

—Mire, Anatoly Borisovich, lo siento mucho pero tengo que irme. —Eran las cuatro pasadas. Se pasó la lengua por los labios pensando en Polly—. Siento tener que marcharme en un momento tan interesante.

—¿Interesante?

Anatoly Borisovich bostezó. Notaba un calor interior. Llevaba mucho, muchísimo tiempo sin hablar tanto rato y había olvidado lo vigorizante que era conversar con otra persona, en vez de limitarse a murmurar para sus adentros. Se sentía, además, extremadamente cansado.

—Volveré otro día, hacia finales de semana. A lo mejor entonces podremos pasar a la parte que corresponde más a mi investigación. Lo que me ha contado es fascinante, y se lo agradezco, pero no puedo utilizarlo para nada. No me ayuda a entender qué era lo que le preocupaba recientemente y qué fue lo que produjo el colapso, esta pérdida de memoria. Y ese es el objeto de mi investigación.

—¿Investigación? —repitió el anciano, ausente—. ¿Colapso? —Arrugó la frente—. Ah, sí. —Tosió para aclararse la garganta y seguir hablando—. ¿Verdad que el próximo día buscará la manera de traerme alguna cosita para picar? Aquí no nos dan mucho dulce, Vlad, y hablar me resulta agotador. ¿Le apetecerá también a usted un poco de tarta?

—¿Tarta? —cuestionó Vlad, como si le hubiese dolido la insinuación—. Yo no como tarta. Soy un atleta… o lo era, al menos.

—¿Ah sí? ¡Caramba, eso sí que es una buena historia!

—No crea.

El anciano posó la mirada en los brazos de Vlad y se fijó en la flexión de la musculatura bajo el jersey. La trasladó luego hacia las piernas, delgadas y ocultas por un pantalón vaquero ceñido.

—Veré que puedo hacer para traerle algo dulce. Y espero que la próxima vez avancemos un poco en cuanto a averiguar cómo se hizo usted todas estas cicatrices. Nos ayudará a encontrarle el sentido a lo que sucede ahora —dijo Vlad, ordenando sus papeles y cogiendo las llaves.

El anciano se llevó una mano arrugada a la mejilla para palpar las marcas con sus dedos secos.

—Yo quería a mi Baba. Lo que le sucedió no fue por mi culpa.

UN ESTUDIO SOBRE LA BISECCIÓN

Gor volvió a casa conduciendo bajo la niebla otoñal, cruzó de nuevo el puente, pasó otra vez por delante del quiosco, pasó por la plaza llena a rebosar de gente y de actividad, pasó frente a los puestos ambulantes y pasó por todos los semáforos, corriendo todo lo posible en busca de un poco de paz. Cuando llegó, cerró la puerta con llave, puso el pestillo de seguridad y se cepilló los dientes, dos veces. La segunda vez, utilizó sal de roca y aceite de mentol para retirar la capa de polilla que se aferraba a sus colmillos. Se pasó un hilo dental de algodón y finalmente se examinó la boca en el espejo del cuarto de baño y sonrió a su reflejo con un triste gruñido.

Una visita a una médium: le resultaba increíble haber accedido a la propuesta. Pero Sveta quería ayudarlo y, lo que era más, su preocupación le parecía sincera. No se lo esperaba. Cuando se conocieron, dos semanas atrás, no le había parecido un fichaje prometedor en absoluto. Se había mostrado dubitativa y disconforme, no había parado de suspirar y de formular preguntas incómodas, lo cual, a buen seguro, no eran las mejores características para la ayudante de un mago. El segundo ensayo había ido mucho mejor. Pero hoy había sonreído, había reído incluso, y se había transformado en una persona de verdad. Una persona de verdad que servía bocadillos con polillas gigantes y peludas. Gor se estremeció. ¿Estaría perdiendo la cabeza? ¿Era real aquella polilla? Solo la había visto él. Se pasó la lengua por los dientes y tomó asiento en el sillón con los gatos paseándose entre sus tobillos, sin dejar de maullar.

Aunque lo del conejo... ahí sí tenía testigos. Había sido muy real, y muy inquietante. Un conejo y una polilla: tenía que haber alguna lógica. Se inclinó para acariciar la barbilla de Pericles y pensó de nuevo en el primer encuentro con Sveta, consideró una vez más la situación en busca de pistas, intentó recordarlo todo, qué había pasado exactamente. Había hecho una mañana cálida y soleada y a la hora de comer había llovido un poco. Los titulares de la radio comentaban la caída en picado del rublo con respecto al dólar, la desaparición del ahorro, enormes repuntes de las acciones de las compañías petrolíferas, la amenaza de guerra en Chechenia. Y luego, se había visto invadido en su propio apartamento por una mujer que había respondido a su anuncio —medio pegado en una farola de una calle cubierta de hojas secas— el mismo día en que lo había colocado. Había irrumpido, sin ningún tipo de preparación previa, y lo había alborotado todo.

—Señor Papasyan.

—Llámeme Gor.

—Como guste, señor...

—Gor, por favor —repitió con educación, aunque con firmeza.

Estaba encorvado de espaldas a ella, refunfuñando un poco por el esfuerzo de asegurar los cierres de la caja. Ella se mordió el labio inferior y entonces recordó que lo llevaba pintado.

—De acuerdo, Gor...

Se interrumpió. Había olvidado qué quería decir. Estiró el cuello para observar el perfil de los omóplatos de él a través del algodón fino y gastado de la camisa y, cuando lo oyó resoplar de aquella manera, se preguntó si tendría asma. De pronto, también ella notó cierta tensión en el pecho, un ataque repentino de pánico. Exhaló sonoramente el aire e intentó relajarse.

53

—La tarde será mucho más fácil si pudiera llamarme simplemente Gor. Y contenga el aire.

—Entendido.

Respiró de nuevo e intentó hacerse más pequeña, dolida por lo que implicaban aquellas palabras. No era una mujer grande, aunque tampoco era un palo. ¿Quién necesitaba mujeres palillo? ¿Para qué servían? ¿Y quién era él para decirle que contuviese el aire? La veía como una desventaja y se preguntó, por décima vez, si aquella tarde habría sido un error. Lo único que podía hacer ahora era cerrar los ojos y armarse de santa paciencia mientras él seguía resoplando.

—Y yo la llamaré Sveta, si le parece correcto.

—Oh, sí, estupendo —dijo, con voz agitada y sin abrir los ojos.

—Ya está, todo correcto. —Se oyó un vago «rum-pum-pum» en el interior de sus mejillas y se enderezó, elevándose por encima de ella—. ¿Por dónde íbamos? —preguntó.

Se rascó la cabeza y el pelo canoso se onduló como consecuencia de la vibración que los dedos provocaron al entrar en contacto con el cráneo. Se le veía más confuso de lo que cabía esperar.

Sveta frunció los labios y el gesto hizo que el carmín rojo se difuminara hacia las arruguitas que rodeaban los labios y coloreara la palidez pastosa de su cara. De pronto, su rostro se iluminó.

—¿Me pide ya que mueva los dedos de los pies? —preguntó esperanzada, levantando una ceja tupida de color castaño.

—No, todavía no. Aún es demasiado pronto para eso. Falta todavía un poco. Solo… —Le levantó algo más la mano, tirando de los dedos, y se detuvo un momento para observar el efecto—. ¿Cómo se siente?

—Mmmm… bastante normal. No siento nada mágico por el momento, si se me permite decirlo.

Gor se giró, murmurando para sus adentros, las manos en las caderas. Meneó la cabeza.

—¿Pasa algo?

No respondió, pero empezó a mirar hacia uno y otro lado, estudiando la sala.

—¿Gor?

—La sierra… —dijo, apretando los dientes.

Se volvió de nuevo hacia ella y sus ojos, grandes como la luna y oscuros como la noche, rodaron despacio de un lado de la cuenca al otro, y luego otra vez. Sveta notó que empezaban a sudarle las manos y percibió un aleteo en el estómago: daba miedo mirar a aquel hombre.

—¿La sierra, señor… Gor?

Gor le dio la espalda. Estaba enfadado consigo mismo y con la mujer, aparentemente de pocas luces, que tenía ante él. Fijó la mirada en las ventanas, en la lluvia que tras los cristales amenazaba con disolver el cielo y la tierra y transformarlo todo en un escenario inmóvil y embarrado. Capturó con la mirada el contenido del salón, bañado por el resplandor amarronado y honesto de los libros y las partituras que llenaban sus paredes, exudando un aroma a permanencia. Capturó con la mirada el piano de media cola, negro y reluciente como azabache pulido, afinado a la perfección para poder ser tocado en cualquier momento. Capturó con la mirada el gato blanco y esponjoso recostado sobre su tapa, con una pata estirada como si se dispusiera a atacar con las garras la perfección de la madera. Y allí, en medio de todo aquello, capturó con la mirada una mujer corpulenta de mediana edad, en el interior de una caja.

Suspiró y apartó los ojos de ella: era turbadora. El carmín que llevaba le parecía excesivamente pegajoso, el cabello demasiado rubio, su nivel de conocimientos de magia era cero… y los suspiros estridentes, que emanaban y rezumaban de ella como si fueran lava, habrían chamuscado sus agotados nervios incluso en sus mejores tiempos. La tarde, a pesar de la reconfortante lluvia, no estaba siendo buena. ¡Y ahora, encima, era incapaz de encontrar la maldita sierra!

—Está encima de esa mesa, al lado de la puerta —dijo Sveta sin alzar la voz.

Gor se sobresaltó al oírla hablar, tosió y enfocó la mirada, que acabó descansando sobre la mesita que había junto a la puerta. Meneó la cabeza.

—Ah, sí, ya la veo, señora. Mi vista está… cansada.

Cruzó la sala para coger la sierra, y escuchó el crujido de caderas y tobillos. Examinó la hoja bajo la exigua luz de la lámpara.

—Sí. La sierra. ¡Estupendo! Mejor que sigamos antes de que se me olvide cualquier otra cosa. ¿Se siente usted… estable?

Sveta reflexionó un instante la respuesta y movió con cuidado la cabeza en sentido afirmativo. Gor no respondió. Se estaba acariciando la barbilla, con la mirada perdida. Sveta tragó saliva.

No es que su cara fuera vieja: no, cualquier cara puede llevarte a preguntarte cómo es posible que algún día perteneciera a un bebé. Pero aquella… era una cara tan triste, tan ojerosa y demacrada, con unos ojos tan grandes, que haría llorar incluso a un cura. Sveta se estremeció y la caja se movió levemente. El gato blanco, que seguía tumbado con despreocupación sobre el piano, la miró con escaso interés.

—Svetlana Mikhailovna, confíe en mí. Todo irá bien. Tengo que pararme un momento a pensar… soy viejo, como se habrá dado cuenta. Y los viejos nos tomamos nuestro tiempo, para todo. —Mientras hablaba, levantó en el aire una mano grande y delgada que a continuación hizo descender, un gesto a la vez artístico y de derrota. No sonrió. De hecho, su expresión era sumamente grave—. Lo cual resulta extraño, podría parecerle, puesto que el tiempo juega en nuestra contra, pero es así.

Sveta frunció los labios e intentó no mirar ni a Gor ni al gato, que le dio la impresión de que le guiñaba uno de sus ojos de color zafiro.

—Confío en usted. Ya lo habrá notado, no me queda otro remedio. —Miró por la ventana la lluvia que caía desde un cielo sucio. La luz menguaba y empezó a ponerse nerviosa; tenía cita en la peluquería a las seis—. Dese prisa, por favor, señor Papasyan.

El anciano seguía de pie a su lado y la coronilla le quedaba muy próxima al techo.

—Puede que sienta algún tipo de vibración, me temo. Pero no tendría que pasar de eso. Hace mucho tiempo que no practico este truco y por eso he hecho limpiar y afilar la sierra. No habrá óxido. A mi última ayudante, que en paz descanse, no le gustaba nada el óxido. Tenía alergia —dijo, encogiéndose de hombros.

Sveta le regaló una sonrisa tensa.

—No tengo nada en contra de las vibraciones. —Levantó la barbilla—. Y no tengo alergias conocidas.

Gor asintió y se arremangó la camisa.

—Evidentemente, cuando representemos este truco en escena, la caja no estará en equilibrio entre dos sillas. Tendré el armario de magia a mi disposición. Es mala suerte que no podamos utilizarlo hoy.

—Sí, es un consuelo. ¿Pero por qué no podemos utilizar hoy el armario? Creo que me sentiría mucho más «metida» en el personaje si estuviera en un armario de magia y no en equilibrio sobre dos sillas. Meterme en esta ha sido complicado. Y me parece poco profesional.

Sveta no se sentía metida en absoluto en el personaje, ni profesional, ni mágica. La verdad es que desconocía por completo cómo tenía que ser el personaje de ayudante de mago, pero de lo que sí estaba segura era de que debía de ser bastante más glamuroso que aquello. ¿Qué sentido tenía pintarse los labios e ir a la peluquería si todo consistía en meterse en el interior de una caja en un húmedo y mohoso apartamento de un barrio periférico, ser objeto de risa por parte de un gato y ser repetidamente observada por un viejo repelente con cara de muerto? Se mordió el labio.

—Ya que me lo pregunta tan directamente, le diré, querida Sveta, que no podemos utilizar el armario porque Dasha, mi estimada gata, lo tiene ocupado con su camada y no puedo sacarlos de allí en unos días. Si lo intentara, lo haría pedazos. Es una madre muy protectora.

Sveta notó que la sangre se le iba de la cara y se quedaba blanca.

—¡Qué poco higiénico!

—Imagino que a Dasha le parece un lugar seguro. Son cosas que no me preocupan. Tanto usted como yo tenemos asuntos más importantes de que preocuparnos. —Le dio a un interruptor y una luz de color limón ácido bañó la estancia—. ¡Así está mejor! ¡Ahora me veo!

Introdujo la sierra en la muesca metálica que había en el centro de la caja y Sveta apretó los dientes. La luz se reflejaba en la hoja y, cuando el ángulo de la sierra cambió, le impactó directamente en los ojos. Le dio rabia, era como si le hubiesen dado un golpe en la cabeza.

—¿No…? —No le salían las palabras.

Gor hizo varios movimientos experimentales con la sierra. El sonido era infernal. Sveta insistió.

—¿No esperará en serio que yo…?

El sonido del metal contra el metal inundó el apartamento, un sonido estridente y penetrante. Sveta tragó saliva.

—… que yo participe en trucos de magia… metida en una caja…

La sierra vibró y Gor murmuró para sus adentros.

—… en la que una gata ha tenido gatitos? —gritó Sveta, y su voz gorjeó por el esfuerzo.

La sierra se detuvo.

—Sí, Sveta, eso es lo que espero, evidentemente —dijo en voz baja. Examinó el trabajo que llevaba hecho y la hoja de la sierra, y añadió—: Pero no tema. La limpiaré y le pasaré desinfectante. Todo irá bien.

Sveta abrió los ojos como platos. Gor empuñó la sierra y volvió a moverla hacia delante y hacia atrás. En su frente empezaban a acumularse gotas de sudor. El sonido raspaba los oídos de Sveta.

Aquello no tenía nada que ver con lo que se había imaginado cuando respondió al anuncio que había visto colgado en la farola. El *glamour* no estaba por ningún lado, allí solo había vibraciones y sonidos estridentes, ojos oscuros y gatos, y la cosa seguía y seguía. Empezaba a sentirse mal y tenía el estómago encogido, como aquella vez que precipitadamente decidió subirse al transbordador para cruzar el estrecho de Kerch hasta Crimea al cabo de poco rato de haberse zampado una cesta entera de cerezas y un litro de *kvas*. Hacía ya tanto tiempo… Empezó a jadear.

—Estese quieta, Sveta. No se mueva.

—Ay, es que… ¡ese ruido! Las vibraciones… van directas… a mi…

Su rostro adquirió un tono oliváceo.

—¿Sveta? —Dejó de serrar—. ¿Va todo…? —Sveta gimoteó y agitó débilmente las manos a través de los orificios que había en los laterales de la caja—. No, de momento nada de mover las manos, Sveta, mueva los pies. Lo que le interesa al público son sus pies.

Gimoteó un poco más y movió muy levemente los dedos de los pies.

—¡Sí, eso es! ¡Menéelos bien! Continúe. ¿Cómo va todo lo demás? ¿Va… normal? —preguntó, con un tono que sugería preocupación. Su expresión, sin embargo, se mantenía inalterable, concentrada en la sierra.

—Uf… sí, no… ¡Yo qué sé! —Apretó los dientes y sonrió, el resultado fue una expresión de maniaca—. ¿Me ha cortado ya por la mitad? ¡Eso es lo importante! —Sus mejillas empezaron a recuperar un poco el color.

—Bueno, más o menos. Necesita usted mucho serrucho.

Sveta no sabía muy bien si aquello era o no un cumplido.

—Entiendo.

—Creo que por el momento es suficiente.

Sacó un pañuelo con una mano algo temblorosa y se secó a golpecitos la frente.

—¡Oh! ¿Ya está? ¿Pero si no ha mostrado las dos mitades separadas?

—No. Si quiere que le sea sincero, no creo que tengamos la estabilidad suficiente como para mostrar las dos mitades separadas. Y, se lo digo también con total sinceridad, no creo que tenga la fuerza suficiente para hacerlo. Hace mucho tiempo que no… Imagino que no se llevará una decepción si hoy nos limitamos a suponer que la he partido por la mitad, ¿no? Al fin y al cabo, aparte de Pericles, no tenemos otro público.

Gor acarició al gato, que se infló bajo la palma de su mano. La expresión de éxtasis felino fue completa cuando una gota transparente de saliva cayó en el parqué proyectada desde su boca abierta. Sveta se estremeció.

La experiencia había sido tan decepcionante que tenía ganas de romper a llorar. La habían partido por la mitad, y había sido de lo más desagradable, ¡y él ni siquiera se había tomado la molestia de mostrar las dos mitades! Aquel mago misterioso, aquella persona sobre la que tantos chismorreos y leyendas había oído comentar, era una rotunda decepción. Tenía el apartamento lleno de libros, gatos y pianos, poseía un carácter malhumorado y los rumores de riqueza y fortuna se habían evaporado por completo: el cuello de la camisa gastado y los pantalones zurcidos hablaban por sí solos. No había rastro del tesoro por ningún lado.

—Muy bien, señor Papasyan —dijo, hablando de forma entrecortada—. Si esto es todo por hoy, ¿podría sacarme de aquí? Tendría que ir marchándome, tengo otras cosas que hacer.

El anciano asintió y se agachó para abrir los cierres de la caja, pero se detuvo en seco cuando alguien llamó a la puerta del apartamento.

—¿Y eso qué es?

—La puerta —le explicó Sveta, sin cambiar el tono.

—Sí, ya lo sé, no… —empezó a decir Gor, pero se lo pensó mejor y no terminó la frase. La mujer se quedó insatisfecha—. Aguante un momento, Sveta. Tengo que ir a ver quién es. Será un momento.

—Pero…

Se meneó levemente dentro de la caja, pero cuando vio que se balanceaba un poco sobre las sillas que la sujetaban, comprendió que era mejor quedarse quieta. Gor se pasó una mano por la cabeza y se dirigió a la puerta.

Acercó el ojo a la mirilla antes de abrir, y no vio a nadie. Era evidente que habían llamado, y era evidente que habían llamado a su puerta. Retrocedió un poco, retiró el pestillo de seguridad y abrió la puerta con brusquedad. Ante él solo vio el vestíbulo vacío, oscuro y silencioso. Miró a derecha e izquierda, olisqueó el ambiente, se rascó la cabeza y se encogió de hombros con perplejidad. No había nadie. Estaba ya a punto de cerrar la puerta cuando detectó un fragmento de algo en el suelo y bajó la vista. Justo en el umbral había un bulto de un color blanco resplandeciente rematado con un toque en tono rojo ciruela damascena. Tocó el objeto con el pie y lo movió un poco para distinguir mejor qué era. Conteniendo la respiración, y haciendo caso omiso a los estertores de contrariedad provenientes del salón, se agachó para verlo mejor. Por fin vio qué era: tenía ante él el cadáver de un conejo blanco y un amasijo pegajoso de tendones señalaba el lugar donde debería estar la cabeza.

Se oyó un portazo en el vestíbulo y se incorporó rápidamente para intentar averiguar quién andaba por allí. ¿Había sido la puerta que daba a la escalera? Forzó la vista para vislumbrar alguna cosa en la penumbra pero no vio nada. Contuvo la respiración y prestó atención al silencio: el golpeteo de la lluvia en las ventanas, alguna que otra nota procedente de la tele del vecino. El conejo decapitado no emitía ningún sonido. Gor se quedó mirándolo y se rascó la barbilla.

—¡Socorro!

El grito de Sveta lo obligó a ponerse de nuevo en movimiento.

—¡Un momento! —gritó, y se agachó para recoger el cadáver.

Estaba todavía caliente. Su nariz debía de estar olisqueando aún hacía menos de una hora. Echó un último vistazo al pasillo, dio media vuelta y cerró la puerta de su casa.

Regresó a paso rápido al salón y enseguida comprendió cuál era la causa del malestar de Sveta. Vio que se agitaba en el interior de la caja y que movía la cabeza, que se retorcía de un lado a otro en un intento de escapar de la atención de Pericles. El ingenuo gato se había sentado encima de la caja y estaba aferrado a ella con las uñas más afiladas de una de sus zarpas mientras que, con la otra, intentaba alcanzar el blanco de los ojos de Sveta. Con el movimiento de ella, la caja traqueteaba y se estaba desplazando hacia el canto de las sillas. Gor maldijo para sus adentros y cruzó la estancia veloz como una flecha.

—¡Pericles! ¡Sal de ahí, caballero!

Gor dio una zancada amenazadora hacia el gato y blandió el cadáver del conejo contra él como si fuera un periódico enrollado. El gato esquivó el golpe y saltó de la caja, arqueó el cuerpo en el aire y aterrizó con un ruido sordo en el umbral de la puerta del salón, desde donde se batió en retirada agitando con indignación su esponjosa cola blanca.

Jadeando, Gor observó a Sveta con sombría desesperación: seguía metida en la caja y la caja seguía sostenida en precario equilibrio sobre las sillas. Pero ahora tenía un hilillo de sangre pegajosa de conejo que se extendía desde la oreja hasta sus labios pintados con carmín y sus ojos, redondos, húmedos y temblorosos, permanecían fijos en el contenido de la mano derecha de Gor. Se produjo un instante de silencio.

—Mi querida Svetlana Mikhailovna... —empezó a decir él con una voz de formal barítono que se vio interrumpida por un agudo chillido.

—¡Sáqueme de aquí! ¡Sáqueme!

—Sí —replicó él, mostrándose de acuerdo. Dejó el cadáver del conejo en el primer lugar que encontró a mano, un frutero que había en el aparador, y se aproximó a la caja—. Lo siento mucho, Sveta. Todo esto es de lo más extraño.

La respuesta de ella fue una combinación de palabras, sonidos y acuosidad, ininteligible e inquietante. Gor abrió los cierres con dedos pegajosos y levantó la tapa. A continuación, le ofreció una mano a Sveta para ayudarla a salir. Sveta miró por un momento los dedos ensangrentados, chasqueó la lengua y rechazó el ofrecimiento para salir por sí sola de la caja y retroceder, caminando de espaldas, tambaleándose, sorbiendo los mocos por la nariz y meneando la cabeza.

—Supongo que querrá... que querrá refrescarse, Sveta. Lo siento, ha sido una mala suerte tremenda. Acompáñeme, por favor, el cuarto de baño está por aquí.

Sveta asintió y él la guio por el pasillo hasta indicarle dónde estaba el cuarto de baño con una mano amable y manchada de sangre. Sveta entró y cerró la puerta con pestillo. Gor oyó el chillido que lanzó cuando se miró en el espejo pero, en cuanto el agua empezó a correr por el lavabo, los gruñidos y los gritos quedaron amortiguados por el sonido de las cañerías. Gor se lavó las manos en fregadero de la cocina y se las frotó repetidamente bajo el chorro de agua fría y la espuma del jabón.

Regresó al salón y, cabizbajo, tomó asiento en el taburete del piano, desde donde observó el pequeño cadáver peludo que había quedado depositado en el frutero. Era un conejo doméstico: la pequeña criatura debía de ser de alguien que la tenía probablemente como mascota, no para comer ni para aprovechar su pelo. La lluvia seguía aporreando las ventanas y se escuchó un trueno a lo lejos. Miró otra vez el conejo y se preguntó por qué no estaría mojado. Oyó entonces movimiento en el pasillo.

—¿Sus gatos llaman siempre a la puerta cuando le traen un trofeo? —preguntó Sveta. Se había puesto ya el abrigo y la bufanda. Era normal que lo hubiese hecho, pensó Gor. Sveta miró el frutero con asco y curiosidad—. ¿No pensará comerse eso, imagino?

—¿Qué? ¡No!, en serio, Sveta, ¿qué tipo de hombre se piensa usted que soy?

—Pues no estoy del todo segura. Se oyen tantas cosas… —Hizo una mueca—. Cada uno extrae sus propias conclusiones, supongo. Ha sido… bueno, tengo que irme. —Se ajustó el pañuelo y añadió—: ¿Dónde está la cabeza?

—Eso es lo más extraño de todo. ¡No tengo ni idea! Mis gatos no salen de casa, son demasiado valiosos. Razón por la cual el perpetrador de este acto no ha sido mi gato. La verdad es que no sé qué hacía esta criatura en mi puerta. Ni quién ha considerado adecuado alertarme de su presencia. Ni qué fin perseguía con esto. Ni dónde podría estar la cabeza.

—Es un misterio —dijo Sveta, cubriéndose con unos guantes de piel falsa de color blanco las manos algo temblorosas y sin apartar aún la vista del conejo.

—Sí. Un misterio que no me resulta en absoluto atractivo. De hecho, últimamente han pasado algunas cosas que...

—Sinceramente, en otras circunstancias, estaría encantada de quedarme y charlar, pero tengo que irme —dijo Sveta, interrumpiéndolo—. Tengo cita en la peluquería.

—Oh, sí, claro. Muchas gracias por su ayuda. Creo que, teniendo en cuenta las circunstancias, ha ido todo bastante bien. —Tosió e hizo una pausa, pero ella no replicó. Tendría que esforzarse más. Pese a estar lejos de la perfección, necesitaba una ayudante y, teniendo en cuenta que pronto empezarían a entrar reservas para Año Nuevo, la necesitaba ya si aspiraba a que todo saliese bien. Tendría que convencerla—. Confío en que haya salido ilesa de la experiencia. Siento mucho lo del conejo y sus consecuencias... Simplemente he intentado impedir que Pericles hiciera alguna cosa de la que luego pudiera arrepentirse.

Sveta hizo un mohín y asintió, pero siguió sin decir nada.

—Tenemos todo el otoño para ensayar y me he quedado muy impresionado con... con... con la determinación de la que ha hecho gala hoy. —Le estaba costando encontrar palabras amables—. De modo que, si está dispuesta a continuar, creo que estaremos listos de cara a Año Nuevo. —Habló despacio—. Creo que, si ensayamos, lograremos sacar adelante un espectáculo de magia convincente. ¿Qué me dice?

Sveta se quedó mirando las lagunas oscuras de sus ojos, unos ojos llenos de tristeza, unos ojos que estaban formulándole una pregunta. ¿Podía? ¿Querría? Aquel hombre la necesitaba, era evidente. Dudó un momento y frunció los labios.

—Muy bien.

Gor sonrió y la piel que cubría sus pómulos se estiró, acentuando con ello su aspecto de cadáver.

—Aunque, tengo que decir, que no estoy para más bromas. ¡Y que la próxima vez insisto en que no haya ni sillas ni gatos!

—Sí, Sveta, muy bien. El martes que viene, hacia las cuatro de la tarde, si le va bien, tendríamos una oportunidad de oro para perfeccionar la... la estupenda actuación que ha realizado usted bajo la sierra. E intentaré asegurarme de que todo el armario de magia esté listo para esa fecha. Pensándolo bien, creo que estoy de acuerdo en que nos meteríamos más «en el personaje», como dice usted, si pudiéramos utilizar el armario completo, y con los gatos encerrados en la cocina, tal vez.

Sveta contuvo un gesto visible de estremecimiento al pensar en el armario con los cachorros dentro, pero no dijo nada. Abrió en cambio la boca, como si fuera a bostezar, y se pasó el pulgar y el índice por las comisuras de la boca, un movimiento originariamente concebido para retirar el exceso de carmín y que se había acabado convirtiendo en un tic nervioso.

—Esperaré con impaciencia ese día —dijo cuando hubo terminado, y su cara de hámster se embelleció con una sonrisa.

Se marchó después de otro grito y de un breve forcejeo al ver a Pericles posado sobre su abultado bolso marrón. Dejó tras de sí un breve rastro de muguete y bolas de naftalina. Gor tomó asiento en su viejo sillón, acarició el cuero gastado de aquellos brazos tan conocidos y fijó la mirada en el cuerpo del conejo. Tendría que deshacerse de él de alguna manera, pero el colector de la basura no le parecía adecuado y, de todos modos, volvía a estar atascado. Se lo llevaría a la dacha y le daría una sepultura adecuada en la tierra blanda de su descuidado huerto. Pero tendría que esperar a mañana. Empezaba a caer la noche y la lluvia aceleraba su descenso.

Normalmente, a Gor le gustaba el clima húmedo y lluvioso. Pero hoy no. El tamborileo del agua contra los cristales de las ventanas le provocaba inquietud y le resultaba imposible escuchar otra cosa que no fuera aquello. El conejo seguía en el frutero; los gatos, en el suelo, daban vueltas en círculo a su alrededor con las colas levantadas como aletas de tiburón y los ojos desaparecidos en unas caras arrugadas por los maullidos silenciosos de deseo. Comprendió que tenía que librarse del conejo cuanto antes. Se levantó del sillón para ir a la cocina y buscar papel para envolver el cuerpo. El cielo se iluminó con un relámpago y contó el tiempo a la espera del trueno:

uno-Yaroslavl, dos-Yaroslavl, tres… El estallido sacudió el bloque de apartamentos. Estaba solo a dos kilómetros de distancia. Era extraño tener tormenta en otoño, sobre todo teniendo en cuenta que el día no había sido especialmente caluroso.

Cogió el cadáver y lo envolvió en papel marrón. Ató el paquete con una cantidad generosa de cuerda que encontró en un cajón de la cocina. Lo guardó a continuación en el congelador, que hacía tiempo que estaba vacío, para apartarlo de la vista de los gatos depredadores y a salvo de los efectos de la descomposición.

De nuevo en el salón, Gor cerró las viejas cortinas amarillas y se sentó en el taburete del piano. Hizo crujir uno a uno sus nudillos, situó las manos por encima de las teclas, cerró los ojos e inició una carrera de dedos subiendo y bajando notas. No era día para música; las escalas eran su presa: cada escala, cada tecla, mayor, menor, arpegios, contrapuntos, dos-tres-cuatro octavas. Había conjuntos de notas que solo podían ir en un sentido. Que no albergaban sorpresas, y cuya belleza estaba en su perfección. Tocó hasta que le dolieron los dedos y hasta que el corazón empezó a latirle con fuerza. Tocó hasta que se olvidó del conejo, del trueno, de la mujer de las mejillas infladas y del carmín. Se olvidó incluso de los gatitos que maullaban en el armario. Los dedos le ardían y las manos empezaron a temblarle de practicar variaciones hasta dominarlas. No oyó que el vecino de abajo, enojado, golpeaba el techo de su apartamento con una escoba: los pianos de media cola estaban hechos para eso.

Ni siquiera oyó que sonaba el teléfono, que trinaba sin cesar mientras la tormenta continuaba. Que sonaba con insistencia. Que sonaba para ser oído. Que sonaba como si alguien estuviera desesperado, desesperado porque sabía que tenía que estar allí.

UN MOVIMIENTO ENTRE LOS ÁRBOLES

Le dejó el té humeante a la altura del codo, como el otro día, pero esta vez Vlad llegó con un paquetito bajo el brazo. Mientras retiraba el papel marrón, al anciano le castañetearon los dientes de impaciencia. Dentro del paquete había varios bollitos de color miel que desprendían un intenso aroma a jengibre y clavo. Brillaban con fuerza bajo el resplandor frío del fluorescente.

—*¡Pryaniki!* —Anatoly Borisovich aplaudió—. ¡Cómo me gustan los *pryaniki*! ¡Muy amable por su parte, Vlad! ¿Puedo?

Sin esperar, cogió un bollito de la parte superior y se lo metió entero en la boca. Sus labios se tensaron para abarcar todos los trocitos de glaseado. Cerró los ojos, extasiado.

—Los hace mi casera —dijo Vlad, incapaz de apartar la vista, asqueado y fascinado a la vez por el éxtasis provocado por el bollito y viendo cómo daban vueltas las migajas en el interior de la boca del anciano—. Los prepara cada noche, para nadie. Yo no me los como. —Se dio unos golpecitos en un vientre perfecto y sonrió, encogiéndose de hombros—. De modo que siempre sobran.

Vlad estaba decidido a ser más formal esta vez. Iría rápidamente a los puntos más relevantes: aquello era una investigación, con un objetivo; y él era un profesional que lo único que necesitaba eran hechos.

—¿Le cuida bien? —refunfuñó el anciano—. La casera, me refiero.

Hechos, hechos, hechos. «No te distraigas», se dijo Vlad.

—Lava y plancha muy bien —respondió—. Y siempre prepara buena comida. Es encantadora, la verdad, pero no dispongo de mucha intimidad. No puedo subir a mi novia, por ejemplo. Veamos…

—¿Y su familia?

—¿Mi familia?

Los ojos de Anatoly Borisovich pasaron del segundo bollo, que se introdujo en la boca, a los ojos grises de Vlad.

—Su familia —repitió con dificultad.

—Oh —dijo Vlad, con un gesto de indiferencia—. En el campo. A unos cuarenta kilómetros de aquí, más o menos. Una madre y una hermana. Las veo en vacaciones. No estamos muy unidos. No son como yo.

—¿No?

Vlad se instaló en la silla destinada a las visitas y golpeó con los talones el gastado linóleo del suelo, impaciente por empezar. Echó un vistazo al sujeto de su investigación. Tenía mejor aspecto: la cara menos hinchada, le brillaban los ojos y los dedos nudosos que asomaban por debajo de las sábanas mostraban un tono rosado. La situación había dado un giro. ¿Le estaría haciendo bien poder hablar con alguien? Con los viejos no se sabía nunca y esa era la razón por la que Vlad los encontraba cada vez más fascinantes. Jamás se habría imaginado que la gerontología le podría resultar interesante. Cuando empezó en la escuela de medicina, su foco de atención era única y exclusivamente lo físico: el cuerpo, su funcionamiento, su fortalecimiento, su decadencia. Pero cuanto más estudiaba, cuantos más pacientes conocía, más seductores le resultaban sus pensamientos, su historial, la suma de su vida. Aún no le había encontrado el tranquillo a cómo funcionaba la cosa, pero le cautivaba la idea de poder llegar a influir de algún modo aquellas ideas, incentivar cambios y alcanzar un objetivo a través de la estimulación. «Hechos, hechos, hechos», pensó Vlad, jugando con el bolígrafo.

—Son campesinas. Viven en una colectividad, en medio de nada. Llevamos mucho tiempo distanciados.

—¿Y cómo es eso?

El anciano tenía hambre. El tercer bollito acababa de desaparecer en el interior de sus mejillas.

—Estudié en un internado: deportes y ciencias. En Rostov. Llevo más de diez años sin vivir en la granja. He tenido suerte.

—¿Lo mandaron a un internado? ¡Fascinante! ¡Y ahora será médico y podrá ayudar a sus conciudadanos!

—Bueno, supongo… Iba para física, pero las chicas de la cola para estudiar medicina eran mucho más guapas.

Anatoly Borisovich sonrió y siguió masticando. Asintió. ¿Lo habría dicho en broma aquel chico?

—Pero ya basta de hablar de mí —dijo Vlad—. Estamos aquí para hablar sobre usted.

El anciano acababa de echarle el ojo a un cuarto bollito glaseado cuando se oyó un sonido hueco en su estómago. La dieta continuada de cosas hervidas de color indefinido había dejado su sistema digestivo poco preparado para aceptar comida sustanciosa y fácilmente identificable.

—Bébase el té, Anatoly Borisovich —le ordenó Vlad con una sonrisa cuando vio que el anciano se llevaba la mano al costado y esbozaba una mueca de dolor—. Le ayudará a bajar eso. No hay prisa. Los *pryaniki* no tienen piernas, no se irán corriendo.

—Me parece un buen consejo, gracias. ¿Seguro que no quiere uno?

—No.

—Los deportistas no comen dulces, ¿es eso?

—Ya no soy un deportista.

—¿Por qué no?

—Por una lesión.

—¡Ah, una lástima! —Anatoly Borisovich lo intentó por otro método—. Si las delicias por vía oral no le van, ¿qué le interesa?

Una mirada fija y verdosa capturó los ojos de Vlad, y todos los demás detalles de la cara del anciano, incluyendo las migas y el entramado de cicatrices, se esfumaron por completo. Vlad tosió.

—Bueno, lo normal: deportes, coches, chicas. Dinero.

—Todo eso suena muy… ¿Cuántos años tiene, si me permite una pregunta tan directa?

—Veintidós.

—¿No está casado?

—¿Casado? —Los rizos de Vlad se movieron de un lado a otro cuando rio a través de la nariz—. No. Como le he dicho, tengo una chica que es muy… muy… Se llama Polly. Es guapa. Y me quiere. Pero lo del matrimonio no es mi prioridad.

—¿Y cuál es su prioridad, cuénteme?

—Bueno, ya sabe: un coche, un apartamento, buenos libros, viajar. Y quiero comprar acciones, meterme en el mundo de la inversión, pero no tengo capital…

—Qué romántico. ¿Y las artes, Vlad?

—¿Las artes?

—¿Qué es lo que le conmueve el corazón? ¿Qué es lo que le hace estremecerse de placer? ¿Qué es lo que lo llena del aliento de los ángeles? Un cuadro, una obra musical, un *ballet* moderno quizá, usted es un deportista, al fin y al cabo…

Vlad se lo pensó unos instantes.

—Un BMW.

—¿Un BM qué?

Vlad resopló y sonrió.

—Es una marca de coches. Con motores formidables, grandes. —Dibujó un coche en el aire—. Asientos de cuero, ingeniería alemana.

—¿Alemán? Entiendo. —Anatoly Borisovich asintió y desplazó la mirada hacia el pino solitario que se alzaba en el horizonte—. El dibujo es mi gran amor. Me resulta tremendamente relajante. Puedo pasarme días con ello… dediqué toda la vida a la ilustración. Cuando me jubilé, me regalaron un reloj precioso, un Poljot, el mejor de la Unión Soviética. Creo que lo tengo por aquí.

Se giró para abrir el cajón de la mesita de noche pero estaba atascado y la mesita empezó a balancearse de un lado a otro con los tirones.

—No se preocupe, Anatoly Borisovich, ya me lo enseñará otro día. Tendríamos que ir...

—Les pido lápices y papel constantemente, Vlad. Sé que eso me haría un gran bien. Usted sabe que me haría un gran bien. Pero me miran con indiferencia y me dicen que a lo mejor mañana. Necesito poner en orden mis pensamientos. Confío en que me den el alta antes de que lleguen las heladas. Tendría que ir al sur, al Cáucaso, tal vez, o más lejos. A un lugar cálido, como Angola o...

—¿Angola? —Vlad disimuló la risa y echó un vistazo al reloj—. Podría ser. Pero la jefa de enfermería no sugerirá a los médicos que le den el alta hasta que reciba «informes buenos de forma regular». Como en la escuela, ¿se acuerda? Y de momento, sus informes no son buenos de forma regular. De modo que debemos trabajar para que lo sean.

—Sí, recuerdo la escuela. ¡Me encanta recordarla! Me dieron una condecoración. Baba la colgó en la pared. Se sintió muy orgullosa. Y yo también. Fue por dibujo.

—Estupendo. Así que si está preparado... El martes me estuvo contando que en Siberia vivía con su *baba*, es decir, su abuela —dijo Vlad, repasando las notas que se extendían en líneas azules por las hojas del cuaderno mientras el anciano empezaba a canturrear—. Me estuvo contando una cosa que le daba miedo. Que los niños de la escuela le decían que cerrara los ojos y cruzara los dedos si oía al niño polilla en la ventana. ¿Lo recuerda?

—¿Baba? —El anciano eructó sin hacer mucho ruido—. ¡Sé lo que le pasó a Baba! ¡No fue por mi culpa! ¡No fui yo! ¡No me culpe por ello! —dijo, levantando la voz hasta convertirla en un grito. Debajo de las sábanas los pies empezaron a patalear.

—¡No lo hago! ¡No se ponga nervioso, querido Anatoly Borisovich! Lo siento. Solo intentaba ir avanzando. No diré nada más. Deje que las palabras fluyan por sí solas. Cuéntelo como guste.

El anciano bebió un poco de la taza pero no dijo nada.

—Su abuela le contó que había visto alguna cosa o soñado con alguna cosa… Le habló del chamán y de un niño que había ido al bosque…

—¡El niño polilla y la luna! —Anatoly Borisovich se inclinó hacia delante, tosiendo por el esfuerzo y esparciendo migajas de *pryaniki* por la cama. Movió un dedo delante de la cara de Vlad, tan cerca que le rozó la nariz—. No fue solo que lo contase, no era ningún cuento. Había de verdad una criatura… en el bosque.

—¿Y la vio usted? ¿Cómo era? —Las juntas de la silla crujieron como el hielo cuando Vlad se inclinó hacia delante para escribir en el cuaderno: *Imaginación o alucinación. ¿Psicosis infantil?* Se olvidó por completo de lo de indagar en busca de hechos—. ¡Adelante! ¡Hable!

La tarea favorita de Tolya era barrer el patio. Aquel día, Baba estaba en la puerta y lo observaba trajinar arriba y abajo, escoba en mano. Lo veía correr detrás de las hojas secas y ennegrecidas y reír para sus adentros cuando el aire las levantaba del suelo y revoloteaban en torno a su cabeza. Tolya intentaba cazarlas, como si las hojas fueran mariposas y la escoba una red, y esparcía por todas partes gravilla y carcajadas. Lev le seguía a un ritmo más lento, meneando la cola y emitiendo de vez en cuando un ladrido. Baba chasqueó la lengua y entró en la casa.

Las hojas bailaban alrededor de la cabeza de Tolya, que soltó finalmente la escoba y extendió los brazos arqueando los dedos sonrosados, sintiendo el ímpetu de la brisa que soplaba desde el bosque de pinos hacia aquel pequeño rincón del mundo. De un mundo que era un misterio. ¿Cuántos miles de kilómetros habría recorrido el viento y hacia dónde iría? ¿Qué transportaba aquella ráfaga de aire? ¿De quién serían aquellas voces, de un animal o de un ser humano? ¿Qué olores se arrastrarían entre los troncos de los pinos, por encima de arroyos y rocas, a través del lecho de acículas marrones y piñas que cubrían el suelo del bosque? Lev levantó la cabeza y olisqueó el ambiente, cegado ante todo excepto las visiones que le comunicaba su hocico negro y húmedo. Tolya siguió su ejemplo.

—¿Qué es, chico? ¿Un oso? ¿Un lobo? ¿Un espíritu del bosque? —Tolya coronó al perro con un puñado de hojas aplastadas—. Tú y yo somos cazadores.

Se imaginó saltando por encima de la valla y corriendo hacia los árboles, saltando desde lo alto de las ramas hasta la olorosa alfombra de acículas y aterrizando en la penumbra boscosa, adentrándose en el bosque, donde los únicos sonidos eran los que uno mismo pudiera emitir y el del crujido de las ramas bajo los pies. Seguiría el rastro de voces, de olores, el rastro de aquella historia. Seguiría el rastro del chamán. Lo seguiría hasta dar con la cabaña que tenía escondida entre las sombras y le explicaría lo de Stalin. «Ya no necesitas tu magia, camarada chamán. Nosotros, tú y yo, somos el comunismo. Poseemos la nueva magia, la palabra de Stalin. Nos curará las enfermedades y nos mantendrá sanos y salvos. Tu bosque nos pertenece ahora a todos». Tolya se agarró a la valla e inspeccionó con la mirada los árboles, en busca de algún movimiento.

—¡Vamos, Tolya! —gritó Baba desde el porche—. ¡Hay trabajo que hacer! ¿Dónde has metido la escoba, eh? Si la has dejado tirada en el suelo, ya sabes que Lev la morderá. ¡Vigílalo!

Tolya sabía que si la escoba sufría algún daño recibiría un castigo, de modo que saltó de la valla para ir corriendo a recuperarla. Los árboles suspiraron y se despidieron de él. Era afortunado por tener aquella vista, por ver árboles y no la casa de un vecino como la del camarada Goloshov, por ejemplo. De haber estado su casa situada enfrente de la del camarada Goloshov, lo único que vería sería un viejo con la nariz roja sentado junto a la ventana todo el invierno y en el porche todo el verano. Y aquella casa, además, tenía un olor peculiar, parecido al del interior de las orejas de Lev.

Volvió la cabeza hacia el pueblo. Las inestables chimeneas lucían un penacho de humo. Chernovolets era poco más que una calle única flanqueada a ambos lados por casas de madera, dispuestas de cualquier manera, sin una línea recta entre ellas. A Tolya le parecía un lugar concurrido y lleno de gente; al fin y al cabo, había una escuela, una tienda, un ayuntamiento, estaban también su tía y su tío, e incluso había un médico. Las casas eran antiguas, de hecho, ninguna tenía menos de cincuenta años. El clima moldeaba las viviendas: con el tiempo, las paredes y los suelos de madera se habían ido combando, doblando y hundiendo, dando como resultado fachadas con rasgos tan individuales como las caras de sus inquilinos. Era su pueblo. Estaba situado a cuatro mil kilómetros al este de Moscú y contaba con quinientos ochenta y nueve habitantes, varios pollos, algunos perros, gatos y ratas, unos cuantos cerdos, un grupillo alborotador de niños y niñas y un montón de historias y mitos. Baba estaba llamándolo. Apoyó la escoba en la valla y corrió hacia el pozo, donde estaba esperándolo.

—¿Cuándo volverá papá? —preguntó mientras sacaban agua.

—Tarde. Anda muy liado. —Resoplaba, y las palabras salieron como hachazos. Cuando hubieron terminado de sacar agua, añadió—: El camarada Stalin necesita más papel para imprimir más información y, para ello, el molino papelero necesita más árboles y, para ello, papá tiene que trabajar más para asegurarse de que los árboles estén listos y se pueda fabricar papel. De lo contrario, tendría problemas. Todo está en el plan y no queremos tener problemas.

—Baba, ¿y yo también trabajaré en el bosque cuando sea mayor? ¿Está en el plan?

Baba rio y se secó los dedos en el delantal.

—Pues no lo sé, Tolya. Tal vez sí —dijo, y sus ojos bondadosos se escondieron cuando frunció el entrecejo.

—Estaría bien. Me gustan los árboles.

—Es un trabajo muy duro. Ya ves cómo está papá cuando llega a casa, apenas puede caminar. Cuando trabajas en el bosque no dispones de mucho tiempo para contemplar los árboles. Lo que haces es talarlos.

—¿Pero es un buen trabajo, Baba?

—Es un trabajo. Pero tú… tú eres diferente, Tolya. Tú no eres como tu papá. Viendo como dibujas, como escribes, y todo eso…

—¡Pero podría hacerlo!

—Seguro, estoy segura, tesoro —dijo ella, sonriéndole de repente, de tal modo que las arrugas se hicieron más profundas—. Pero ya veremos. Están trasladando gente hacia aquí para ayudar. Gente de fuera, de Moscú y de por ahí.

—¿En serio? Pues yo no he visto a nadie, Baba.

Tolya se quedó intrigado con la idea de los forasteros: ¿qué aspecto tendrían? ¿A qué olerían? ¿Qué idioma hablarían? ¿Irían sus hijos a la misma escuela que él?

—No viven en los pueblos. Viven en sus propios campamentos.

—El maestro nos habló sobre los campamentos Pioneros, donde pueden ir los niños de vacaciones si son muy buenos. ¿Son como esos?

—Algo parecido, hijo, algo parecido.

Meneando la cabeza, Baba dio media vuelta para regresar a la casa. Tolya acarició el cuerpo suave y amarronado de Lev y le tiró de las orejas.

—Trabajar duro, Lev-*chik*, eso es lo que se necesita, trabajar duro. ¡Trabajaremos duro y el camarada Stalin estará satisfecho y nos dará las gracias por ello! Haremos que se sienta orgulloso. Es lo que hace papá y es lo que haremos nosotros. —Miró a su alrededor con ojo crítico—. ¿Dónde está la escoba? El patio está lleno de hojas y hay que barrerlas. ¡No quedará ni una hoja!

Cogió la escoba y correteó por el patio persiguiendo las hojas y recogiéndolas en el cubo negro de madera.

El anochecer cubrió los árboles y difuminó sus perfiles mientras Tolya se imaginaba que las hojas eran cabras y él era su pastor. Baba había encendido una lámpara y su resplandor anaranjado iluminaba la ventana, pero Tolya seguía fuera. Estaba agachando, hablando solo y metiendo puñados de hojas en el cubo, cuando un crujido, entre los árboles, lo detuvo en seco. Se había movido algo grande. Miró entre las piernas en dirección a la casa y vio a Lev. El perro había dejado de olisquear su comedero y se había quedado inmóvil, con el rabo entre las piernas. Estaba mirando más allá de Tolya, hacia los árboles. El viento se había calmado y, por un instante, Tolya tuvo la sensación de que lo único que existía en el mundo era el silencio y el latido de su propio corazón.

Un nuevo crujido le heló la sangre en las venas. Tragó saliva y dejó caer en el suelo húmedo los dos puñados de hojas que tenía en las manos. Lev emitió un gruñido. El viento retumbó en los oídos de Tolya con un sonido que le recordó el de las sábanas tendidas a secar, o tal vez el de un aleteo.

Cerró los ojos con fuerza, se incorporó y cruzó los dedos, como le habían dicho los niños. Se dispuso a implorar ayuda a Stalin. Pero antes de que le diera ni tiempo a pronunciar la primera palabra, el sonido del ladrido de Lev rebotó en los árboles y obligó a Tolya a abrir los ojos de golpe. Fijó la vista en la penumbra, palpó a tientas la oscuridad, temiendo lo que pudiera ver pero incapaz de dar media vuelta y marcharse. Sabía que, en cualquier momento, el niño polilla, con su tórax peludo y sus vibrantes antenas, saldría a por él. Durante un instante no vio nada excepto hojas, nubes y sombras. Pero, de pronto, vislumbró una cosa que se agitaba entre las ramas inferiores del pino más próximo a él.

Flotando en la oscuridad había una cara, afilada y pálida, con unos ojos perfilados en negro que brillaban como luciérnagas. ¿Una cara humana? Posiblemente… se entreveían dos brazos, quizá, ¿o eran alas? Se agitaban contra los costados de la figura, que parecía estar planeando por encima de los arbustos. Tolya levantó la barbilla. Tenía que ser valiente. Tenía que proteger a Baba. Cuando se armó de valor para hablar se dio cuenta de que la figura no estaba mirándolo a él, sino que sus ojos reflejaban la lámpara, la casa. Estaba mirando más allá de él. Era posible que ni siquiera lo hubiera visto. Retrocedió un paso, luego otro, y notó que el talón había chocado contra la pared del pozo. La criatura no reaccionó. No podía retroceder hasta casa. Pero si daba media vuelta y echaba a correr, la criatura lo perseguiría y se abalanzaría sobre su cuello con garras afiladas como cuchillos. ¿Qué pasaría si conseguía atraparlo o, peor aún, si lo seguía hasta entrar en la casa? Superado por la tensión, miró hacia la casita entrecerrando los ojos. La cosa que estaba entre los árboles aleteó de nuevo y su boca vomitó un gorgoteo, un sonido que podría situarse entre la carcajada y el ahogamiento.

—¿Qué eres? —le gritó Tolya con una vocecita asustada que luchaba por superar el viento.

No respondió, pero se agazapó y la figura quedó prácticamente oculta por las sombras.

—¡No te escondas! ¡Te he visto! ¡Y… y tengo un perro muy fiero! Baba saldrá en cualquier momento. ¡Sabe lo que se hace y no tiene miedo! ¡Te dará una buena paliza!

No hubo respuesta. Tolya no veía nada, pero Lev sabía que allí había algo y lanzó un gruñido estremecedor. A menos de tres metros de distancia de donde estaba Tolya, se oyó el crujido de una ramita. Dio rápidamente media vuelta y, con piernas tambaleantes, echó a correr como un rayo hacia la casa mientras una tormenta de ladridos le inundaba los oídos.

—¡Baba, Baba, allí en los árboles hay algo! —Irrumpió en la casa—. ¡Un espíritu! ¡El niño polilla! Está volando entre los árboles… ¡lo he visto!

Baba estaba ocupada con el cuchillo y en la mesa, delante de ella, había una montaña de huesos sangrientos.

—¿Pero qué cuentas, niño? ¿Tengo huesos que hervir y me vienes tu gritando no sé qué de los espíritus? —En los fogones había una olla con agua hirviendo—. Y mira toda esa leña… ¡no se va a partir sola! —Baba señaló con el cuchillo la madera acumulada en un rincón—. Tú y tus historias…

—En serio, Baba, es verdad. ¡Lo he visto de verdad! Mira. Lev sigue ahí fuera y no quiere entrar. ¡Está gruñéndole! ¡Está en los árboles! ¡Mira!

Cogió a Baba del brazo y tiró de ella hacia la ventana. Ella se soltó.

—No veo nada, niño. Entra el perro. Si se marcha al bosque, estaremos una semana sin verlo.

—¡Pero si no quiere entrar, Baba! —gritó Tolya, desesperado—. ¡Por favor!

—¡Vale! —espetó. Cogió la linterna que tenía en el alfeizar de la ventana y salieron juntos al patio—. ¡Lev! ¡Ven! —gritó Baba.

El perro estaba plantado junto a la valla, mirando fijamente los árboles, gruñendo todavía, con las orejas hacia atrás y enseñando los dientes. Baba avanzó hacia allí con paso firme pero se detuvo en seco al llegar al pozo. Ladeó la cabeza y olisqueó el ambiente.

—¡Está allí, Baba!

Tolya señaló hacia la oscuridad, hacia el punto donde había visto unos ojos brillantes y unas alas-brazo agitándose. Baba no dijo nada, pero levantó un poco la linterna. Lev seguía gruñendo y levantando las patas delanteras del suelo.

—¡Déjate ver! —soltó por fin Baba—. Sabemos que estás ahí.

No se movió nada, excepto el viento y las hojas.

—Nadie te hará ningún daño, te lo prometo. Somos buena gente.

Tolya se quedó mirándola. Las preguntas le quemaban en la boca.

—¡Silencio! —le ordenó Baba.

Lev gruñó y a continuación rompió la oscuridad con una descarga de ladridos.

Entre las sombras de los pinos se dibujó una cosa grisácea que agitó el aire como un espejismo. Emergió de pronto una figura tambaleante, vestida con harapos, que recordaba un espantapájaros; una aparición fina como el papel, vaporosa como la bruma en un estanque. Baba se quedó mirándola, frunció el ceño y entrecerró los ojos, chasqueó la lengua y murmuró alguna cosa para sus adentros.

—Acércate, acércate aquí a la luz… ¡despacio, si no te importa!

La figura titiló y fue cogiendo forma al separarse de lo verde y lo gris, solidificándose y pasando de ser una aparición a…

—No eres ningún espíritu. Aquí no hay nada mágico —le dijo a Tolya y a continuación, alzando la voz—: No eres una polilla, ¿verdad? ¿Quién eres?

La aparición se aproximó y, bajo la luz cálida de la linterna, Tolya vio que, en realidad, no era más que un chico. Mayor que él, más alto, de unos dieciséis o diecisiete años, pero flaco y extraño. El chico permaneció unos instantes inmóvil y luego levantó lentamente los brazos y los agitó delante de su cara, arriba y abajo, arriba y abajo. Su boca se abrió para esbozar una curiosa sonrisa y mostrar unos dientes amarillentos que parecían menhires.

—¡Oye, tú! —gritó Baba, y el movimiento de brazos se detuvo. El chico se estremeció y sus ojos redondos sobresalieron de una piel blanca como la leche, blanca como la luna. Extendió entonces una mano, esquelética y sucia, como si quisiera tocar los rayos de la linterna que Baba sujetaba—. ¡Acércate! —le dijo—. ¡Acércate para que te veamos! No te haremos daño.

El chico avanzó entre la hierba amarronada hasta llegar a la valla que limitaba el patio. Extendió de nuevo la mano hacia la linterna y esta vez dio unos golpecitos al cristal.

—¡Baba! —susurró Tolya, con los ojos como platos.

—¿Quién eres? —le preguntó Baba.

—Yuri —respondió el chico, con una voz que emergió muy despacio de entre sus labios, forzada y ronca, acompañada por un suspiro.

—¿De dónde vienes, Yuri?

El chico no dijo nada y se limitó a señalar por encima del hombro en dirección al bosque.

—¿Dónde está tu gente?

El chico se encogió de hombros y miró fijamente la linterna.

—¿Tienes hambre?

Extendió de nuevo la mano esquelética e hizo un gesto afirmativo con la cabeza. Su mirada no se había apartado de la linterna, pero Tolya se dio cuenta de que sus ojos no paraban quietos, que iban sin cesar de un lado a otro pese a estar mirando la luz.

—¿Está caliente en vuestra casa? —preguntó de repente Yuri, esbozando de nuevo aquella extraña sonrisa dentada y moviendo los ojos en el interior de sus cuencas.

Sin cerrar la boca, Lev olisqueó las pantorrillas del chico pero no emitió más sonidos.

—Está caliente. Y eres bienvenido en ella.

—¡No, Baba! ¡Me da miedo! —gritó Tolya, tirándola del brazo, pero ella se lo quitó de encima y le lanzó una mirada airada.

—¡Calla, Tolya! Ven, te prepararemos un caldo y podrás entrar en calor al lado de los fogones, Yuri.

En estado de alerta, mirando hacia todas direcciones, Baba emprendió camino de vuelta a casa. Una luna plateada, resplandeciente como un sol helado, iluminaba ya el patio y bañaba con su fría luz azulada a los chicos: uno continuaba con su aleteo, el otro arrastrando los pies de mala gana.

El bosque suspiró y el humo de la chimenea se elevó en busca del cielo.

—¡Anatoly Borisovich!

El susto retumbó en su pecho. Unas manos fuertes lo agarraron por los hombros y la cabeza bamboleó de un lado a otro.

—¿Qué? ¿Quién? ¡Oh!

El zarandeo se detuvo. Unos ojos verdes miraban sus ojos grises.

—¿Me he quedado dormido? —preguntó. Las alas seguían batiéndose en su cabeza, agitando recuerdos igual que el viento agita las hojas.

—Sí —respondió Vlad, aflojando la presión. Volvió a tomar asiento en la silla—. Pensaba que tal vez… Me ha dado un buen susto. Ha dejado de hablar y ha emitido un sonido como si se hubiera atragantado, como si no pudiera respirar. Como si estuviera…

—Dormido, Vlad. Cuando se está dormido no hay nada que temer. Es un consuelo. Ya lo entenderá, cuando se haga mayor.

Vlad resopló y alisó las sábanas de la cama del anciano.

—Tal vez. Pero me alegro de que haya sido tan solo una cabezada.

—Tendría que dormir más. Me parece que hemos hecho avances, ¿verdad?

—Bueno… —Vlad apoyó la silla sobre las dos patas traseras y miró al anciano con una sonrisilla—. La verdad es que no lo veo. Oírle hablar sobre su infancia en Siberia es muy interesante y me doy cuenta de que el mero hecho de hablar, el mero hecho de revivir cosas, le hace sentirse mucho mejor. ¡Esas mejillas han recuperado el color, Anatoly Borisovich! —El anciano le devolvió la sonrisa con una mueca de agradecimiento—. Pero necesito saber detalles sobre la crisis que sufrió en septiembre y sigo interesado en estas cicatrices, para mi caso de estudio. Tengo que escribir un informe sobre usted… tanto para mi licenciatura como para usted. —Se inclinó para acercarse a la cara del anciano y poder mirarlo a los ojos—. Y mi informe no puede girar en torno a su *babuskha* y Lev, y aquel niño polilla. ¿Me explico?

—Ah. —Anatoly Borisovich se llevó la mano a la cara y los dedos encontraron el relieve de la mejilla, resiguieron las grietas y las zonas suaves: el mapa de su pasado—. Lo que pasa es que todo está relacionado… tiene que entenderlo… la familia…

Mientras el anciano hablaba, la auxiliar amable asomó la cabeza por la puerta.

—Le buscan —le dijo a Vlad con una sonrisa coqueta—, en el despacho. Vuelve a ser su chica. ¡Y me parece que está de mal humor!

—*Blin* —dijo Vlad, mirando el reloj. Se levantó de la silla y los pies rechinaron contra el suelo—. Voy a llegar tarde.

—¡Vaya! ¿Incluso con ese reloj de importación tan elegante? —replicó la auxiliar, que meneó la cabeza, riendo, y desapareció por el pasillo.

Anatoly Borisovich cerró los ojos y adquirió una expresión de seriedad.

—Su chica se ha enfadado. Eso no está bien.

—¡Creo que es por el estrés! Pensé que organizando una cita sería distinto, pero está… —Vlad suspiró y recogió el bolígrafo y sus papeles.

—¿En algún sitio agradable?

—En el Palacio de la Juventud.

El anciano refunfuñó.

—Pues mejor que vaya tirando. —Le temblaron los hombros de reír para sus adentros—. Pero vuelva —borboteó por fin—, en cuanto pueda, y se lo contaré todo. ¡Todo lo que quiera oír! ¡Trabajaremos en su caso de estudio para completarlo!

Se dejó caer entre los cojines, con la sensación de haber estado barriendo el patio todo el día, cazando hojas en el aire y partiendo la capa de hielo del pozo con los nudillos: eufórico y agotado.

—Muy bien. Pero escúcheme, por favor —dijo Vlad, con prisas—. La próxima vez le traeré más *pryaniki*, o una tarta si lo prefiere. —Anatoly Borisovich abrió un ojo—. ¿Una tarta? ¿Le gusta la tarta? Estupendo, pues la próxima vez le traeré tarta y usted irá al grano, responderá a mis preguntas y ambos estaremos felices y contentos. —Se dirigió hacia la puerta y se giró un momento antes de irse—. Se ha pasado casi toda la sesión hablando sobre hojas y árboles, Anatoly Borisovich, y esto no funciona así. Eso no fue lo que le provocó la crisis, ¿verdad? Necesito conocer cosas sobre usted. Volveré cuando pueda.

La puerta se cerró de un portazo.

Las persianas estaban aún subidas. A lo lejos, al otro lado de la valla, Anatoly Borisovich vislumbró el árbol solitario agitándose a merced del viento. Sus ramas se estremecían.

Una llamada en la puerta, acompañada por el sonido de la madera al raspar contra el suelo al abrirse.

—¿Necesita ir al baño?

Era la auxiliar gruñona.

—No, gracias. Pero lo que sí me gustaría sería tener papel y lápices de colores.

—La supervisora ha dicho que no, que podría excitarle. —La auxiliar avanzó pesadamente hacia él y le acercó un vasito metálico que contenía un líquido verde y viscoso—. Bébase esto y se calmará. No tiene que excitarse. Ese Vladimir no tendría que andar por aquí excitándole. No es más que un estudiante.

—Tal vez. Pero hablar es una medicina mucho mejor que esto.

Cogió el vaso y removió el contenido. La auxiliar bajó las persianas con gran estruendo.

—¡Vamos, bébaselo! Tengo más pacientes además de usted —le espetó, colocándose a su lado con las manos en las caderas.

Anatoly Borisovich se tapó la nariz, le guiñó el ojo a la auxiliar y se tragó el medicamento.

—Me lo he bebido todo. —Sonrió—. ¿Tengo algún premio? No es necesario que me lo arranque de las manos de esta manera —susurró, después de que ella saliera de la habitación dando un portazo.

EL PALACIO DE LA JUVENTUD

—¡Mi querido Gor!

—Buenas tardes, Sveta.

—Siento molestarle —dijo, aunque no parecía sentirlo. Su voz sonaba cálida y ronca, como pan de centeno recién hecho.

—No pasa nada —replicó Gor, mirando el auricular con mala cara.

—Es que quería saber cómo estaba.

—¿Qué cómo estoy? Estoy bien.

—¿No se ha encontrado mal, entonces? Por lo de la polilla de la otra noche, me refiero.

Gor reflexionó un momento la respuesta y se pasó la lengua por unos dientes limpísimos.

—No —dijo con firmeza—. Eliminé todos los residuos en cuanto llegué a casa. No tuve ningún problema, ni de estómago ni de nada. Todo va bien.

—Me alegro. Quiero decirle que Albina insiste en que no tuvo nada que ver con ella.

—Por supuesto.

—Y la creo.

—Por supuesto. Tenemos que creer lo que diga. Es una niña.

—Sí. Tenía curiosidad. Bueno, no curiosidad. Estaba preocupada por si le había pasado alguna cosa, desde el martes.

—¿Desde el martes?

—Desde, desde lo del incidente de la polilla.

—He seguido mi vida con normalidad.

—¿Con normalidad?

—Con el teléfono sonando por las noches. Hacia medianoche, más o menos, a veces un poco antes y otras un poco después.

—¿Y lo coge? —preguntó Sveta apresuradamente.

—De vez en cuando. No sé por qué.

—¿Y?

—Nada. Nadie.

—Qué raro. ¿Y algo más? ¿Alguna otra cosa comestible que haya desaparecido?

—Por suerte, no. —Hizo una pausa—. Pero he recibido una carta.

—¿Una carta?

—Una carta.

—¿De quién? ¿Qué decía?

—No la he leído.

A Gor no le apetecía hablar sobre la carta que habían echado en su buzón de la entrada. ¿Cómo habría llegado hasta allí? No había llegado a través del correo ordinario, eso era evidente. Alguien había entrado, a pesar de que la puerta de abajo estaba cerrada con llave, había dejado la carta y se había ido. Las plantas decorativas llenas de polvo y las baldosas marrones del suelo no le habían dado ninguna pista. Baba Burkinova se había limitado a asentir detrás de su mostrador y tampoco había podido decirle nada, aparte de que una carta entregada a mano no podía haber llegado hasta allí sin que ella se enterase. El patio vacío, reluciente por la lluvia de la noche anterior y por los mil rastros dejados por los caracoles, tampoco le había dado pista alguna. Había abierto la carta en el mismo vestíbulo, recostado contra la masa sólida del radiador, calentándose la parte posterior de los muslos. Su nombre y el número del piso estaban escritos con mano infantil, sin duda para camuflar la identidad del autor. En el interior, seis palabras garabateadas con una caligrafía espantosa.

—¿No la ha leído? ¡Pero si podría habernos dado pistas, Gor! ¡Podría ser la carta de un espíritu!

—Demasiado tarde, me temo. Se ha ido por el colector de la basura.

—¡Qué lástima!

—No estamos ante una investigación criminal, Sveta. No es más que gamberrismo del malo.

—Que, sin duda alguna, lo tiene a usted muy inquieto. Pero tengo buenas noticias. He llamado a mi contacto.

—¿Qué contacto?

—La médium. ¿Se acuerda que el martes le hablé de ella?

Gor cerró los ojos y tragó saliva antes de responder.

—¿Y?

—Puede verlo en una semana.

—Ah.

—¿Le parece demasiado tarde? Me temo que lo tiene todo lleno hasta entonces. Por algo relacionado con un combate de lucha grecorromana en el local de los jubilados. La verdad es que no lo sé muy bien, por teléfono es algo difusa.

—No, no, ya me va bien. Entonces sería el viernes que viene. Espero que no se haya metido en ningún problema por mi culpa, Sveta, la verdad es que yo no…

—¡Ningún problema! Lo que quiero es ayudarle. Y *madame* Zoya nos ayudará a comprender qué pasa aquí. Tiene un don maravilloso.

—Ya.

Hubo un momento de pausa.

—Lo veo un poco bajo. Creo que necesita que lo animen.

—Estoy animado.

Esbozó una mueca ante el espejo que había al lado de la mesita del teléfono, mostrando los dientes en un intento de sonrisa. Parecía más bien un gruñido. Con aquellos ojos y aquellos dientes se daba casi miedo a sí mismo.

—¡Venga con nosotras al teatro!

La voz de Sveta le resonó en el tímpano. Se quedó mudo por unos instantes.

—¿Q… qué?

—Es que… lo veo triste, Gor, y solo, y resulta que Albina hace una función de baile, con los niños y las niñas de la escuela, y me ha preguntado si usted podría ir a verla y me he dicho: ¿por qué no? ¡Será divertido! Y en el vestíbulo han montado además una feria de artesanía. Y los pensionistas entran gratis. —La voz fue desmoronándose hasta alcanzar el silencio al final de la frase.

Se produjo un largo silencio.

—¿Hola? —musitó Sveta.

—Es usted muy amable, Sveta, por haber pensado en mí.

—Es lo mínimo que puedo hacer, después de haberlo asustado de esa manera con aquel bocadillo asqueroso. ¿Vendrá?

—De acuerdo: estaré encantado de acompañarlas al espectáculo. ¿Qué día y a qué hora?

—¡Hurra! ¡Albina se pondrá muy contenta! De hecho, es esta misma noche. A las siete en el Palacio de la Juventud.

—¿Esta noche?

—¿Sí?

—¿En el Palacio de la Juventud?

—¿Sabe dónde está? Justo pasado el circo, y la estación de autobuses, pero antes de llegar a la fábrica de ladrillos. Delante de la librería Número Tres.

—¿La Número Tres? ¿Dónde venden material de papelería y discos?

—Esa misma. —Sveta inspiró hondo—. ¿No tendrá algún compromiso, no?

Gor miró a los gatos, las partituras, la bandeja de la comida que seguía aún junto al sillón.

—No, no tengo ningún compromiso. Aunque no puedo prometerle ser muy buena compañía.

—¡Con su presencia ya basta! ¡No le agobiaremos con conversación si no le apetece hablar, mi querido Gor! Albina estará encantada. ¡No está muy confiada con eso del baile y le irá muy bien contar con un poco más de apoyo!

Gor asintió, se despidió y, cuando volvió a mirarse en el espejo del pasillo, vislumbró una vaga sombra de sonrisa paseándose por su cara. El calendario colgado en la pared de detrás le guiñó el ojo. La sonrisa se esfumó, se quedó de nuevo serio y se dirigió a su habitación, procurando no pisar ningún gatito por el camino, para seleccionar una camisa limpia para la velada.

No le apetecía conducir, de modo que decidió coger un trolebús hasta el centro de la ciudad y luego seguir andando.

Sus zancadas lo transportaron rápidamente desde el cruce central hasta el ancho bulevar que llevaba el nombre de Mayakovsky, donde las granjas y las tiendas de muebles dirigían sus ojos hambrientos hacia los compradores y los trabajadores que pasaban por delante. Apartó la vista de los escaparates y los precios. Aceleró el paso para alejarse del centro y pasó por delante del circo, que resplandecía como una joya falsa en medio de la ladera. Redondo, casi majestuoso, sus muros curvos de hormigón estaban bañados por los reflejos irregulares y multicolores que proyectaban los cristales de las ventanas. Parecía un Coliseo de la era espacial, con un plato volador gigante a modo de tejado. Sin dejar de andar, Gor reflexionó sobre sus curvas y su permanencia. Había oído decir que, años atrás, los circos eran ambulantes, que se albergaban en tiendas enormes que *troupes* de gitanos transportaban de ciudad en ciudad. Entretenían a las masas, llevaban de un lugar a otro historias y personajes, fertilizaban la cabeza y el corazón de la gente con ideas y personajes que capturaban y difundían por todo el continente, desde el Báltico hasta el mar de Okhotsk. Durante generaciones, los circos ambulantes habían funcionado así, lanzando ideas al viento como si fueran semillas. Pero a Stalin no le gustaban. Los circos ambulantes eran equivalente de peligro. Ordenó que los circos se instalaran de manera permanente en las principales ciudades y que trabajaran en ellos *troupes* entrenadas en las escuelas de circo estatales. Y así fue como los circos acabaron domesticados: anclados en un solo lugar, relatando una única historia, la del estado, y representando una única función, la que le gustaba a Stalin. Quedaron desprovistos de magia y de misterio y se transformaron en un espectáculo seguro para las masas. Se acabaron las tiendas y las ideas diseminadas por el viento; se acabó la transigencia. El circo quedó castrado y se convirtió en un eunuco inofensivo que no representaba un peligro para nadie.

A Gor no le gustaba el circo. No soportaba ni los payasos con la cara pintada de blanco, ni las miradas lascivas, ni los leones atontados con drogas. Todo era falso, todo era prefabricado y tenía una predictibilidad que le dejaba rígido.

Resopló al pasar junto a la cola que serpenteaba delante de la puerta. Meneó la cabeza y chasqueó la lengua aunque, sin poder evitarlo, recordó una noche, más de veinte años atrás, en la que estuvo allí, en aquel mismo edificio, y rio. Cómo había reído. No por los pobres animales y sus payasadas, no por los payasos lacayos del régimen, sino por su hija, que estaba sentada a su lado y cuyo rostro resplandecía de alegría con cada número. Una vida joven, una niña feliz. Aquella noche le había gustado el circo porque a ella le había gustado, a la pequeña Olga. En aquel momento, le llamó la atención una cara sonriente en la cola y la fulminó con la mirada antes de apartar rápidamente la vista. Hundió más si cabe los hombros en el abrigo y aceleró el paso. El circo era podredumbre.

Se detuvo al llegar a lo que imaginó que era el Palacio de la Juventud. Era un lugar donde nunca había estado. Desde el pavimento en mal estado se alzaban grandes columnas que sostenían una marquesina de hormigón de color verde oscuro, instalada sobre ventanas que resplandecían con un burbujeante brillo anaranjado por encima de la juventud de Azov. Una enorme abundancia de niñas con moñito y enormes pompones, escoltadas por sus ansiosas mamás, pululaba bajo la luz de las farolas de delante del edificio, bloqueaba la puerta de acceso y retenía el tráfico al salir en tropel de autobuses y taxis compartidos. Había allí una infinidad de polluelos cubiertos todavía con plumón, chillando y correteando, disparando palabras con un constante «pi-pi-pi», entrando y saliendo por unas puertas combadas de tanto uso. Gor se quedó inmóvil, sobresaliendo por encima de las hadas y sus madres, silencioso, gris, oscuro. Pegó los brazos a los costados y se limitó, solo de vez en cuando, a dar un saltito hacia uno y otro lado para intentar evitar una colisión. Seguían llegando en manada y alguna que otra madre se lo quedó mirando con perpleja preocupación al apartar a su protegida de sus espinillas y sus codos. Bullían y revoloteaban a su alrededor, una muchedumbre de niñas vestidas de rosa y blanco, parloteando como gaviotas. Notó que la frente le empezaba a sudar.

—¡Gor! ¡Hooo-laaa! ¡Ya ha llegado!

Sveta surgió de entre la muchedumbre como un barco de vapor, arrastrando tras ella a una larguirucha Albina, con actitud en absoluto dispuesta. La niña iba tropezando con cualquier superficie disponible, enredando brazos y piernas con sus compañeras de *ballet*, provocando la caída al suelo de aquellas criaturas esqueléticas y pecosas, dando saltos con sus sórdidas botas de color gris morsa. Llevaba el pelo recogido en un sofisticado moño, que más bien parecía un nido. Gor sonrió al verlas y les tendió la mano para saludarlas. Se apiñaron entre aquel mar de plumón.

—Buenas tardes, Sveta. Buenas tardes, Albina. ¡Me alegro mucho de verlas! ¿Pero qué pasa?

—¡No quiero hacerlo! ¡No me obligues! ¡Por favor!

Se abrieron paso entre las bailarinas y se dirigieron hacia las congestionadas puertas. A codazos, llegaron hasta el guardarropa.

—Pero si he venido especialmente para verte, Albina —dijo Gor con cierta preocupación mientras se despojaban de los abrigos y los entregaban a la adusta mujer que había detrás del mostrador—. Estoy seguro de que estarás… espectacular —añadió, y su perilla se movió con el intento de esbozar una sonrisa amable.

—Lo odio, y no me encuentro bien —dijo Albina, llevándose

las manos a la barriga, que quedaba oculta por una chaqueta de color azul eléctrico.

—Tranquila, tranquila, *petuchka*, ya lo hemos hablado todo en casa. Gor ha venido especialmente para verte bailar y no puedes decepcionarlo. Nadie se reirá de ti. ¡Te lo prometo!

—¡Pero si ni siquiera veo bien! ¡Se me mete todo el pelo en los ojos! —dijo la niña, arrugando la cara para forzar la vista y mirar a su alrededor.

—Mira, Albina, pequeña, allí está la profesora, saludándote con la mano, ¿la ves?

La niña fingió que no veía nada y chocó estrepitosamente con otra ninfa bailarina.

—¡Ya basta, Albina! Ve a ver a *madame* inmediatamente o me enfadaré. Necesita que vayas al vestuario.

Sveta tenía el ceño fruncido y los ojos salidos de las órbitas. Gor observó, no sin cierta preocupación, que se había maquillado con sombra azul y grandes cantidades de rímel.

—Te odio —dijo entre dientes Albina.

Sveta parpadeó, respiró hondo, esbozó una luminosa sonrisa y, sin miramientos, le dio un empujón en la espalda a la niña y la impulsó hacia donde estaba la profesora de baile.

—Se alegra de que haya venido, Gor. Y yo también. Cuando no hay un hombre en la casa, las cosas son complicadas. —Le sonrió, con los ojos muy abiertos, y se limpió las posibles manchas de carmín de las comisuras de una boca de color frambuesa—. ¿Nos sentamos? Estamos en el anfiteatro. ¡Me muero de impaciencia!

Gor se quedó mirando cómo se alejaba y empezaba a subir la reluciente escalera de hormigón. Frunció el ceño. No tenía muy claro si había hecho bien aceptando la invitación.

La Fila 2B estaba muy llena. La breve batalla por hacerse con los asientos combinada con el calor húmedo del auditorio iluminó las mejillas y la nariz de Sveta. Una vez instalada en el lugar que le correspondía, sacó del bolso la polvera para reparar los daños y, al colocar en ángulo el espejito para conseguir mejor luz, visualizó al hombre más guapo que había visto en su vida, sentado justo detrás de ella. Un joven con el pelo castaño rizado, labios carnosos y mandíbula fuerte y marcada. Movió un poco más el espejo. Se fijó en el cuello, en la piel suave y de tono claro que se tensaba por encima de la musculatura y en lo que parecía, a todas luces, un chupetón. Forzó la vista y enfocó el espejo una vez más: tenía los ojos de un tono gris clarísimo, enmarcados por largas pestañas oscuras, tan delicadas que resultaban casi femeninas. La mirada de él se topó con la de ella en el espejo, y Sveta lo cerró tan de golpe que a punto estuvo de que se le escapara una risilla. Allí, justo detrás de ella, tenía una escultura de carne y hueso extraída directamente de los olivares de la antigua Roma: una combinación de David con Hércules. Guardó el espejo y, después de dejar pasar unos segundos, volvió la cabeza para poder mirarlo bien. Sí, allí estaba, a pocos metros de ella, un dios viviente enfundado en un jersey de cuello alto en tonos beis y gris. Debía de ser nadador, pensó, o gimnasta, quizá. Estaba leyendo el programa mimeografiado y dándole la mano a una chica morena, acariciándole la parte interior de la muñeca con el pulgar. La chica miraba hacia el otro lado y sus rizos oscuros le ocultaban la cara, aunque Sveta alcanzaba a ver una nariz potente y la mandíbula, cerrada con firmeza. Por instinto, se llevó la mano a su pelo encrespado y a la barbilla, pequeña y suave. El hombre estaba hablando y, mientras tanto, tocaba las puntas del cabello de la chica, como si quisiera poder verle la cara.

—Lo siento —murmuró—. Sé lo mucho que significa para ti.

—¿En serio? Pues yo no estoy tan segura. ¡No te esfuerzas lo suficiente! —replicó la chica, alzando la voz.

—Estoy haciendo todo lo que puedo —dijo él.

—Pues tienes que hacer más.

El programa del chico cayó al suelo y Sveta recuperó la postura normal. Sonrió para sus adentros: el amor joven podía llegar a ser muy complicado. Y le resultaba creíble que aquel chico tan guapo no se estuviera esforzando lo suficiente.

Gor se volvió entonces hacia ella, canturreando una cancioncilla, unos confusos «pom-pom-pom». Se le veía un poco menos serio de lo habitual.

—¿Verdad que es bonito? —dijo Sveta, retirándose de las comisuras de la boca un carmín imaginario.

—La verdad es que es distinto —replicó él, asintiendo y observando el auditorio—. ¡Tanta excitación! ¡Tanto follón!

La pareja de detrás seguía discutiendo y se había embarcado ahora en un intercambio de susurros apresurados. Sveta suspiró con satisfacción y volcó su atención en el escenario.

Cincuenta minutos más tarde, Gor miró el reloj por sexta vez. Hasta el momento habían tenido que aguantar *ballet*, bailes folclóricos, una actuación de canción folk, otra de folk rock, una especie de número de expresionismo moderno y una cosa ruidosa y enérgica que, según Sveta le había informado, era «disco», un estilo que adoraban los negros norteamericanos. Gor carraspeó y expresó su esperanza de que los negros norteamericanos lo interpretaran con más aplomo que los niños de la Escuela Número Dos de Azov. Cuando dijo aquello, Sveta le dio un codazo en las costillas y chasqueó la lengua con exageración.

Albina había estado penosa durante los ocho minutos que había durado su número de expresionismo moderno. Le había tocado representar a la «tecnología». Se había pasado toda la actuación agitando las manos y tropezándose con los pies en su intento de transmitir los resultados positivos globales de la mecanización. La cosa había ido a peor cuando se había pillado un dedo del pie con un hilo que le colgaba del disfraz. Se había tambaleado hasta acabar cayendo y aplastando la paloma blanca confeccionada con papel maché que estaba colocada en el centro del escenario para representar la paz mundial.

—Oh, eso es un mal presagio —dijo Sveta—. La tecnología no tendría que hacer esas cosas, ¿verdad?

Esbozó una sonrisa valiente y saludó con la mano a su hija

cuando abandonó el escenario dando un traspié, sorbiendo los mocos por la nariz y llevándose algunos fragmentos de la paloma aplastada.

Durante la media parte, Sveta empujó a Gor hacia la cola de los helados, donde su paciencia estoica se vio recompensada con un par de robustos cucuruchos. Estaban aplastados, lucían un aspecto gomoso y tenían un pequeño disco de papel pegado encima, como una capa de permafrost que ya formaba parte del helado. Sveta chupó rápidamente el suyo y le dio un mordisco mientras que Gor se quedó dubitativo, perplejo, y decidió utilizar sus largos dedos para retirar el disco con muchísimo cuidado. Sveta, extrañamente embelesada, vio que, acto seguido, Gor sacaba del bolsillo una minúscula espátula de madera, retiraba las virutas de hielo y los cristales empezaban a volar hacia los peldaños de la escalera donde se encontraban, al lado de un vestíbulo cada vez más concurrido.

—Mi dentadura —le explicó Gor al ver cómo lo miraba—. Es totalmente mía, lo que a veces pienso que es una desventaja. Tanto lo caliente como lo frío es un problema.

Se levantó el labio superior y mostró unos colmillos que no se acababan nunca y se prolongaban hasta la base de la nariz, casi como los de un caballo. Sveta se estremeció y apartó la vista. Su mirada fue a recaer en los ojos oscuros de la chica del dios romano, que estaba mirándola, mirándola de verdad, con el fantasma de una sonrisa dibujado en sus labios.

—Esa espiritista… —empezó a decir Gor.

Sonó el timbre que anunciaba el inicio de la segunda parte y Sveta se sobresaltó.

—Cuéntemelo más tarde —dijo en voz baja, y dio media vuelta para subir corriendo la escalera y recuperar la comodidad de sus asientos.

—¡Dame fuerza! —murmuró Gor, limpiándose el bigote y echando a andar lentamente detrás de ella.

Se abrieron paso de nuevo entre la multitud hasta salir de allí igual que la pasta dentífrica sale del tubo. En el asiento de Gor había un ejemplar arrugado del programa, impreso en papel rosa. Lo cogió, tomó asiento y se lo ofreció a Sveta.

—No es mío —dijo ella—. No lo he comprado.

—Yo tampoco.

Gor lo abrió, se quedó mirándolo unos instantes y lo soltó como si le estuviera quemando los dedos.

Sveta miró a Gor, miró el papel, y repitió el movimiento. Vio que a Gor le temblaba el ojo. Se agachó para recogerlo del suelo y lo abrió. Allí, en la parte central, escrito por encima de las curvilíneas letras moradas, había un mensaje destinado única y exclusivamente a Gor.

¡HABRÁ VENGANZA, PAPASYAN! ¡EN NUESTRA CASA NO ESTÁS A SALVO!

EL ACRÓBATA DE SVETA

—Pues ya estamos aquí, y ahora siéntese y tómese un coñac. De hecho, creo que lo acompañaré. Ver la actuación de una hija siempre resulta estresante. —Empezó a andar de un lado a otro buscando copas—. Y con lo de la paloma y todo lo demás... ¡Sí, un poquito de coñac nos irá muy bien a los dos! ¡Ha sido una velada complicada! —Sveta tiró con fuerza para destapar la vieja botella que Gor guardaba en el aparador y sirvió dos copas generosas—. ¡Tenga, un recuerdo del viejo país para usted! —dijo, pasándole la copa con una sonrisa.

—Sveta, en realidad no soy armenio, soy...

—¡No se preocupe! —dijo en tono alegre—. ¡Arriba, abajo, al centro y adentro! —A pesar de que le temblaban las manos, apuró la copa de un solo trago sin siquiera estremecerse o atragantarse—. ¡Oh! ¡No hay nada como el coñac armenio!

Gor bebió un traguito y tosió cuando la intensidad del líquido le calentó la parte posterior de la nariz y se deslizó como ascuas garganta abajo. Fue una sensación bienvenida que sustituyó el frío de la calle y el traqueteo infernal del autobús. Se alegraba de estar en casa, se alegraba de estar lejos del Palacio de la Juventud, de las multitudes, de las caras y de la amenaza que se escondía y acechaba detrás de ellas. Aquel mensaje, y cómo había llegado hasta él, le había alcanzado hasta lo más hondo.

—¿Está seguro de que pasará bien la noche, Gor? ¿Nos quedamos aquí con usted? Podría preparar camas —dijo Sveta, que estaba sentada delante de él, acurrucada en el sofá.

—No, no, Sveta. No se preocupe.

—Podemos quedarnos todo el rato que quiera —insistió, mirándolo a la cara con expresión decidida, tanteándolo.

—No, no, de verdad. Albina necesita dormir en su cama, lo veo. También ella ha tenido una velada agotadora.

La niña estaba tumbada al lado de su madre con un montón de gatitos blancos amontonados sobre la barriga. Se había dormido, pero de vez en cuando se movía un poco, se restregaba la cara.

—Sí, es como un bebé cansado. Pero teníamos que acompañarlo a casa para asegurarnos de que llegaba sano y salvo. Se ha llevado una sorpresa muy desagradable.

—Sí, cierto. Pero ya está todo bien y usted tiene que volver a casa. Sveta... —Frunció el ceño y se calló.

—Sí.

Gor estaba buscando las palabras más adecuadas.

—Veamos... si... mmm... ¿No tiene un hombre en casa? ¿El padre de Albina, me refiero? ¿Alguien que cuide de ustedes? —Tosió para aclararse la garganta y poder seguir.

—No, no, Gor. Nunca hubo un padre.

Sveta acarició los pies de Albina.

—Ya. ¿Nunca?

—Bueno, ahora no, Gor... —Sveta emitió una risilla y cogió la botella de coñac para rellenarse la copa. Borboteó entre sus manos. Bebió un trago, suspiró y dejó vagar la mirada hacia las pulcras estanterías atiborradas de libros—. No era de los que se casan —dijo por fin, esbozando una amplia sonrisa.

—¿Por qué?

Sveta se encogió de hombros.

—Era artista. Hoy aquí, mañana allí. Aunque yo ya lo sabía, de entrada.

Gor se puso serio.

—¿Pero la quería?

—Oh, sí, me quería mucho. Por él se habría quedado. —Bebió otro trago—. Pero le dije que se marchara.

—¿Se lo dijo?

Sveta movió afirmativamente la cabeza, sin dejar de sonreír.

—Sí. Yo no era ninguna jovencita, Gor. Era una mujer, ya era maestra. La decisión fue mía. Sabía que saldría adelante, y sabía que con él la cosa no funcionaría. No estaba hecho para vivir en un piso en Azov. Necesitaba que le diera el aire.

—¿Qué tipo de artista era, si me permite la pregunta?

Sveta volvió a sonreír.

—¿No lo adivina?

—Mmm…

—¿No?

Gor notó un nudo en la boca del estómago.

—¿No sería mago? —se aventuró a decir, arrugando la frente.

Sveta echó la cabeza hacia atrás y rompió a reír, un sonido metálico que sonó como una trompeta en el silencio del piso. Albina murmuró en sueños porque uno de los gatitos se acababa de instalar en el hueco de su cuello y le daba golpecitos en la cara con una patita blanca y minúscula.

—¡Ja! ¡No, Gor! ¿De dónde ha sacado esa idea?

Gor se encogió de hombros con incomodidad y notó que se le encendían las mejillas.

—¡Era acróbata, claro está!

—¿Acróbata?

—¡Sí! ¡Había que ver cómo volaba por los aires! —Levantó la vista hacia el mugriento techo, como si pudiera ver a su amante volando por allí—. Así fue como nos conocimos.

—¿Cómo? ¿Por los aires?

—¡Oh, Gor, no diga tonterías! —Rio y bebió un trago más de coñac—. Acompañé a un grupo de la escuela a una representación de tarde. De cuarto curso, creo que eran. Él era un artista invitado, no de los que normalmente tenemos por aquí a diario. Era especial, estaba aquí solo aquella temporada. Cuerda floja, trapecio… Llevaba un atuendo de cosaco maravilloso, lo recuerdo a la perfección: botas altas negras, chaqueta militar con botones brillantes de latón, un gorro alto de piel… de piel auténtica, ¿sabe?

—¿En la cuerda floja?

—¡No! ¡Ay cómo es usted, Gor, de verdad! Escúcheme bien: saltaba al centro del escenario, es como si estuviera viéndolo ahora mismo, una joya oscura del Cáucaso. ¡Los pómulos, los ojos brillantes, aquella barbilla, aquella nariz! ¡Ay! Lo supe desde el primer instante… y después de aquello fui cada día al circo. No tardó mucho en percatarse de mi pasión, la percibía viéndome allí sentada. Y me la correspondió… ¡multiplicada por cuatro! ¡Mi corazón iba como loco! Se colocaba a los pies de la escalera de cuerda y se quitaba la ropa, muy lentamente. ¡Eso, por sí solo, ya era todo un espectáculo, Gor! Iba dejando caer las prendas sobre el escudo, que había depositado previamente en el suelo. ¿Y sabe qué? —Se inclinó hacia delante, sus ojos echaban chispas—. Lo hacía también en la alcoba, solo para mí.

—No me diga, Sveta, ¿en serio? —Gor se agitó en su asiento y se derramó el coñac en la camisa—. ¡Mire qué me ha pasado ahora!

Sveta rio entre dientes e hizo caso omiso a la turbación de Gor, puesto que siguió hablando con un tono de voz melodioso.

—Caí bajo su hechizo, el hechizo del amor. ¿Sabe eso que cuentan tantas canciones? Pues es cierto. Era asombroso… no solo bello de mirar, sino también tierno, divertido y tan… —Suspiró—. Pero yo ya sabía que no podía durar. Ese fue el trato: felicidad suprema durante unos meses. Y mereció la pena. Al final, tuvo que marcharse. Lo despedí en la estación. Regresó a Leningrado. Hubo lágrimas, evidentemente, a él también le costó mucho separarse de mí. Pero fue lo mejor. Y ahora, tengo a mi Albina: la miro a diario y recuerdo el día que Bogdan y yo nos conocimos. Y recuerdo cómo la creamos, en ese caldo mágico de nuestro amor, cuando…

—Calle —murmuró Gor, y bebió un trago de coñac—. Ya sé que…

—¿Y de usted qué me cuenta? —replicó ella, interrumpiéndolo con una sonrisa inquisitiva iluminándole el rostro.

Gor levantó las cejas pero no dijo nada.

—¿Ha conocido el amor, Gor? ¿Tiene familia? No he podido evitar darme cuenta de que... no tiene fotografías por ningún lado... ¿Hay alguien? ¿O al maestro mago le basta con su piano o sus gatos? —Extendió una mano hacia Pericles, que la ignoró y siguió lamiéndose su esponjoso trasero blanco.

—Es... es una larga historia, Sveta.

—Tenemos toda la noche —replicó ella con voz cantarina y ladeando la cabeza.

—Bien... yo...

Sonó el teléfono en el pasillo y sus «ring» resonaron en puertas y ventanas. Por una vez, Gor se sintió aliviado al oírlo.

—Tengo que responder —dijo, levantando los brazos y utilizando las manos como si fueran pinzas de cangrejo para agarrarse al sillón y coger impulso para levantarse; estaba agarrotado, como un motor oxidado.

—No, no, Gor. Ya voy yo. Si es el de las llamadas fantasma, hablaré con él.

Habló con determinación y se levantó de un brinco del sofá. Las piernas cubiertas con medias se enredaron ligeramente entre sí, pero consiguió ponerse en marcha y dirigirse hacia el pasillo con paso rápido e irregular.

Gor oyó que cogía el auricular y se quedaba a la escucha, que vociferaba al no obtener respuesta. Siguió un silencio, y luego otra vez la voz de Sveta, potente y dura, como si estuviera en un aula o en un terreno de juego, devorando la distancia, estruendosa en ambos oídos. El sonido que emitió el auricular cuando Sveta colgó retumbó en todo el piso.

—¿Alguien? —preguntó Gor, levantando la vista hacia el techo.

—Nadie. Pero le he pegado la bronca —respondió ella, guiñándole el ojo al entrar.

—Bien. Gracias por intentarlo. Tendría que llamarle un taxi, Sveta. Se está haciendo tarde.

—Se le oía respirar. Es lo que más miedo da. Estaba escuchando, respirando, a la espera de oír qué le decía.

—Lo habrá dejado sorprendido. —Esbozó una leve sonrisa—. Es usted una mujer valiente. Voy a llamar el taxi.

—Si se siente seguro... —dijo Sveta, dulcificando de nuevo la voz y adormilándose en cuanto se acurrucó en el sofá al lado de su hija.

—Me siento seguro.

—¿Pero sabe qué? —dijo Sveta, subiendo de nuevo el tono de voz—. He oído algo más, en el fondo.

—¿Sí? ¿Qué ha oído?

Gor hojeó la agenda para buscar el número de los taxis.

—No sé. Ha sido justo en el momento de colgar. Como si fuese viento.

—¿Viento? ¿Quiere decir que quien quiera que sea estaba llamando desde la calle?

—Es posible. Aunque era un sonido raro... como si llamaran desde el bosque.

—¿El bosque?

Gor dejó la agenda en la mesa.

—Lo he oído: el viento, soplando entre los árboles.

FUEGO DESCONTROLADO

Estaba recuperándose físicamente. Sentía que controlaba el cuerpo, que dominaba las extremidades. Pero seguía durmiendo mal. Era como si el clima se hubiera filtrado en su interior: el viento le ahuyentaba los pensamientos y presagiaba el hielo que acabaría solidificándole las venas, la ciénaga que se formaría allí donde el corazón seguía todavía latiendo. Sus sueños iban acompañados por el rugido y la agresividad del aire del bosque, por el crujido de las ramas y, siempre, por el olor que desprendía la leña al quemarse.

Vlad reapareció después de dos malas noches y de un día vacío y solitario. Irrumpió en la habitación un domingo por la tarde, todo energía y músculo, oliendo íntegramente a algo recién horneado y a detergente de la lavadora. Sus ojos grises brillaron bajo la mata de pelo oscuro. Se quedó un instante en la puerta, observando el trasero de la auxiliar amable, que estaba inclinada ordenando el dosier médico colgado a los pies de la cama.

—¡Pase, pase! ¡Nada de formalidades!

Vlad depositó delante de él un periódico doblado sobre el cual reposaba una voluptuosa ración de cremosa tarta Napoleón. Anatoly Borisovich se relamió.

—¡Qué maravilla! —La excitación hizo que las palabras salieran solas—. ¡Qué regalo!

—Mi casera se ha pasado media noche trajinando por la cocina. Le hablé de usted, ¿sabe? Y no he podido ni dormir, con todo el ruido que hacía. ¡Por lo visto, esto da mucho trabajo!

Rodeó la cama, hablándole a Anatoly Borisovich aunque sin apartar los ojos de la auxiliar. Y cuando ella pasó por su lado para salir, le clavó la mirada en el pecho.

—Bonito jersey —comentó ella.

—De lana italiana. Se nota.

Le ofreció el brazo para que lo tocase y ella lo acarició con la punta de los dedos. La piel áspera se enganchó con el fino tejido.

—Es precioso. Debe de haberle costado caro —dijo, haciendo una mueca mientras empujaba la puerta para salir sin esperar la respuesta.

Sin saber por qué, el anciano se descubrió frunciendo el entrecejo, boquiabierto. Vlad se volvió hacia él y tensó las mejillas para forzar una sonrisa.

—¡Se lo agradezco! ¡Mire qué preciosidad! —Se acercó el periódico a la cara para poder inspeccionar mejor el contenido y con el dedo rebanó las capas de hojaldre frágil y esponjoso envueltas en suculenta crema pastelera. Se introdujo en la boca aquella delicia y la saboreó con los ojos cerrados, disfrutando de su dulzura con todas y cada una de las células de la lengua, dejando que el azúcar saturase su ser y le provocase dolor en los dientes. El sonido de las persianas al subir le devolvió a la realidad—. Hoy tenemos el clima en contra, Vlad. Pronto empezarán las heladas. Pero la calefacción vuelve a funcionar. He oído el gorgoteo.

Vlad no tomó asiento, sino que siguió deambulando de un lado a otro de la habitación y, cada vez que cambiaba de dirección y giraba sobre sí mismo, los talones chirriaban en el suelo. Se detuvo junto a la cama.

—¿Pasa algo?

Anatoly Borisovich detuvo el movimiento de la mano cuando estaba a medio camino de la boca.

—¡No! —chilló.

Siguió caminando nervioso al otro lado de la cama mientras Anatoly Borisovich masticaba. Volvió a pararse y miró su reloj, cuya esfera era del tamaño de un champiñón silvestre.

—Coma lo que le apetezca. Estoy simplemente un poco... bueno...

Cogió la silla y le dio la vuelta para sentarse en ella al revés, con los brazos sobre el respaldo. Dejó caer con fuerza las nalgas sobre el plástico gastado.

El anciano hizo una mueca.

—¡Gracias, Anatoly Borisovich!

—¿Gracias por qué? ¿Por comerme la tarta?

—Por acceder a participar en mi estudio. Es bueno para usted. ¡Empecemos!

—¡Pero si aún estoy comiendo! —El anciano disparó migas cuando habló y se fijó entonces en el jersey de Vlad, una medianoche con un centenar de estrellas de color beis—. ¡No se puede ir por la vida regalando platos de tarta Napoleón y esperar que se produzca un milagro! Esto está buenísimo. ¿Seguro que no quiere probar? —Le tendió el papel a Vlad y este retrocedió—. Felicite, por favor, a su casera porque es un auténtico talento culinario. ¡Es usted un chico afortunado!

Dejó de hablar un momento para relamerse y limpiarse con los dedos un hilillo de baba. Vlad miró otra vez el reloj, se pasó la mano por la cara para limpiarse las motitas de crema y, chasqueando la lengua con fastidio, se lo quitó y se lo guardó en el bolsillo del pantalón.

—Muy bien, Anatoly Borisovich. Hablaré yo y usted escuchará. Sí, y coma, no pasa nada. Aunque me gustaría recordarle que esta es nuestra tercera reunión. Tengo que empezar a redactar mi caso de estudio. Y para ello necesito saber qué le pasó para acabar ingresado aquí. ¿Entendido? Esto es todo. Necesito una indicación clara de cuál fue el desencadenante de su... ¿Colapso? ¿Crisis? ¿Demencia? ¿Qué término considera que encaja mejor con sus síntomas?

—Me da completamente igual.

—Perfecto. Pues yo tengo una teoría, mejor dicho, varias teorías, si quiere que le sea sincero, sobre lo que le sucede, pero necesito más hechos. Y cuando los tenga, confío en poder ayudarle a volver a casa. Eso es lo que quiere, ¿no?

Anatoly Borisovich no podía recordar aún dónde estaba su casa, pero asintió con entusiasmo de todas formas.

—Así que empecemos.

Vlad tosió un poco antes de comenzar a hablar y se enderezó en la silla, bolígrafo en mano y con expresión seria.

Anatoly Borisovich suspiró.

—Lo veo raro —dijo por fin—. ¿Qué le pasa?

Vlad clavó la punta del bolígrafo en la hoja en blanco.

—No pasa nada, yo...

—¿Y por qué tantas prisas?

Se metió en la boca más tarta Napoleón y se lamió a continuación los dedos, uno a uno.

El bolígrafo salió volando por los aires y luego aterrizó en la cama.

—Es... es que... —Vlad se rascó con ganas la cabeza—. Se acercan los exámenes y estoy preocupado. Tengo aún muchos trabajos que terminar.

—¿Exámenes? ¿Es eso? —Anatoly Borisovich masticó pensativo mientras el viento aporreaba los cristales de la ventana.

—No son solo los exámenes. —Vlad se levantó de un brinco de la silla y reanudó sus paseos—. Polly y yo...

—¿Polly?

Se detuvo a medio camino de la boca otro trozo de tarta.

—Mi novia.

—Ah, oh, sí.

—Seguramente no lo entenderá. También es estudiante. Y está muy estresada. Y por eso está muy exigente. Creo que es un poco... da igual, el caso es que no sé qué hacer.

—Tiene usted razón, no lo entiendo —concedió el anciano,

trasladando el trozo de tarta al interior de la mejilla—. Esto está delicioso de verdad. ¡Exquisito!

—¿En serio?

Vlad estaba empezado a respirar de forma irregular, su expresión era de dolor. Sus miradas se cruzaron.

—Haga lo que considere correcto, Vlad. Es muy sencillo. Confíe en su corazón.

—Claro. —Fijó la vista en el pino solitario mientras Anatoly Borisovich seguía masticando—. La vida moderna, Anatoly Borisovich, no es tan sencilla. Si usted supiera… —Se estremeció y esbozó una sonrisa deslumbrante—. Tenemos que acabar hoy. Veamos, su historia…

—Sí, mi historia. ¿Por dónde íbamos? A ver, recapitulemos.

—Oh…

Vlad tomó asiento de nuevo y apoyó la cabeza entre las manos.

—Sí, sí, creo que ya he hablado de mí y hemos conocido a Lev, a Baba…

—Y al niño polilla —añadió rápidamente Vlad, sin levantar la cabeza.

—¡Sí! Oh, sí. ¡Yuri, el niño polilla! ¡Créame, se lo digo de verdad! —Anatoly Borisovich rio entre dientes y miró el horizonte—. Salió del bosque. Era real, ¿sabe?

—Si usted lo dice. ¿Ha recordado alguna cosa más?

—Oh, lo recuerdo todo. El día que me trajeron aquí. Estaba todo ahí, en fragmentos, como una carta hecha pedazos. Lo he cuadrado de nuevo todo, hablando con usted.

—Eso está muy bien, Anatoly Borisovich. —Vlad movió afirmativamente la cabeza y la esperanza iluminó su mirada—. ¿De modo que ya se acuerda del día que lo trajeron aquí? ¿Qué pasó antes?

—En realidad, no. Mire, el niño polilla… eso es lo que ha hecho salir todo lo demás.

—No entiendo nada.

—Tampoco yo. Pero ¿y si fingiéramos que lo entendemos?

—Termine su historia, Anatoly Borisovich. Limítese a terminar su historia —dijo Vlad, pasándose una mano por los ojos.

Yuri siguió a Tolya y a Baba y entró en la casa, dubitativo al principio, nervioso ante las muestras amistosas de atención de Lev. Permaneció acurrucado junto a la cocina durante más de una hora, recostado contra el calor que desprendía, y la piel, que parecía sobrarle por todas partes y estaba marcada por la viruela, fue pasando lentamente del hielo a la leche y de ahí a un claro tono miel. Cada vez que Lev pasaba por su lado y le olisqueaba las botas, cruzaba los brazos sobre el pecho y murmuraba un poco. Al final se levantó, como si se sintiera atraído por la luz de las lámparas, decidido a acercarse a ellas, agitando los brazos como si aleteara y moviendo las manos. Durante todo el rato, y a pesar de que le castañeteaban los dientes, había estado sonriendo para sus adentros, esbozando una sonrisa secreta, creía Tolya.

Tolya ayudó a Baba a preparar la sopa antes de tomar asiento al otro lado de los fogones para poder observar a la nueva criatura desde una distancia de seguridad.

—¿Eres un espíritu? —le preguntó en voz baja.

La curiosidad le podía más que el miedo. Deseaba poder ver bien la cara de Yuri, comprender qué misterios ocultaba, pero le resultaba imposible sostenerle la mirada. Los ojos del niño giraban constantemente en sus órbitas y no se posaban en ningún objeto que no fueran las lámparas. No era un niño normal. Aunque tampoco era una polilla. Fuera lo que fuse, Tolya llegó a la conclusión de que Yuri no mostraba el más mínimo interés hacia él. Yuri no era su amigo. Igual que los niños de la escuela.

—¡Oye! —Tolya volvió a intentarlo, hablándole con vehemencia pero sin levantar la voz y dándole golpecitos en la pierna con el atizador—. ¿Eres una polilla? ¡Dilo!

—¡Polilla! Polilla… polilla —repitió el chico con voz ronca, sin mirar a Tolya y agachándose para fijar la vista en el fuego de la cocina.

—¡Es una polilla! ¡Lo ha dicho!

Tolya se apartó del niño y Baba rio entre dientes, con indiferencia. Yuri seguía agitando las manos, aleteando delante de su propia cara, aún con aquella sonrisa.

—Tolya, ven a ayudarme con los cuencos. ¡Yuri! —Baba esperó a ver si el niño de más edad levantaba la cabeza. Por el rabillo del ojo, Yuri inspeccionó la mesa, Baba y los cuencos, y una y otra vez—. Aquí tienes un poco de caldo. ¡Ven a la mesa! ¡Vamos, ven! —dijo, levantando la voz y haciéndole gestos con las manos para que se acercara.

Yuri se pegó al calor de la cocina durante un segundo y se puso acto seguido en movimiento para instalarse en el banco de madera, justo delante de Tolya. Sin esperar a que Baba acabara de servir la sopa, cogió con ambas manos el cuenco que le quedaba más cerca y se lo acercó a los labios. Tolya lo miró con incredulidad.

—¡Oye tú! ¡Tranquilo, chico! ¡Te escaldarás el gaznate! ¡Utiliza la cuchara, chico, la cuchara!

La voz de Baba estalló en la cabeza de Yuri, que se quedó perplejo. No soltó el cuenco, que seguía a medio camino de la boca. Sonrió.

—Cucharo —repitió con un acento muy marcado y la mirada perdida, y a continuación, como si reconociese la palabra, exclamó—: ¡Cucharo!

—Cuchara —dijo Tolya, arrugando la frente—. ¡La palabra correcta es cuchara!

—Así.

Baba dirigió un gesto hacia Tolya para que le hiciese una demostración. Tolya se llevó la cuchara a los labios y sorbió ruidosamente la sopa.

Yuri soltó una carcajada, fuerte y descontrolada, llena de alegría.

—¿De qué se ríe?

—¿Así que en ese lugar de donde vienes no utilizáis cucharas, eh? —dijo Baba, riendo e ignorando la pregunta de Tolya.

—¿De dónde viene, Baba?

—¡Chitón!

—¿Pero dónde está la gracia?

El chico cogió una cuchara y, con gran concentración, la sumergió en el caldo y maniobró para llevársela a la boca. Lo repitió dos veces más. Yuri sorbió y empezó a toser. La sopa se derramó por la mesa formando charcos y los granos de cebada volaron por los aires. Rio y se atragantó de tal manera que la sopa le salió disparada por la nariz.

—Mira, Yuri, tal vez será mejor que lo hagas a tu manera. Pero espera a que se enfríe un poco.

Baba le retiró la cuchara. Y cuando Yuri mostró intenciones de volverse a llevar el cuenco a la boca, Baba le posó la mano en el brazo para indicarle que esperase.

—¡No! —gritó el chico, soltándose, mirándola fijamente por un instante con unos ojos redondos y desafiantes, antes de volver a fijar la vista en el cuenco.

—¡Ibas a quemarte!

Baba meneó su cabeza canosa y chasqueó la lengua, pero no se lo tomó a mal. Tolya miró con el ceño fruncido su caldo mientras Yuri lamía lo que había derramado en la mesa emitiendo extraños sonidos de alegría que parecían aullidos, medio animales medio humanos.

—¡Ja! Vaya elegancia que nos gasta este Yuri —murmuró Baba mientras iba a buscar un trapo—. ¡Si sigues así te clavarás astillas en la lengua! ¡Y eso sí que no te gustará!

Tolya miró al chico con ojos entrecerrados. Yuri empezó a agitar de nuevo las manos delante de la cara.

—No hagas eso. En esta casa tenemos buenos modales. ¡Y nos gusta la tranquilidad!

Se quedó mirando el caldo y vio su cara reflejada, nariz grande y ojos saltones. ¿Por qué lo habría invitado Baba a entrar en casa? Todo aquello resultaba muy extraño, fuera de lugar. Revolvió el caldo; los granos giraban y flotaban como hojas a merced del viento. Tuvo que hacer esfuerzos para no echarse a llorar.

—No me gustas —dijo en voz baja, levantando la vista hacia el chico que tenía enfrente.

La mirada de Yuri cayó sobre él un instante y sonrió. Al parecer, le daba igual ser o no del agrado de Tolya.

—Y ahora, Yuri, será mejor que te vayas. Has entrado en calor y has comido un poco. Tolya y yo tenemos que terminar nuestras tareas antes de acostarnos —dijo Baba, jadeando.

Estaba intentando alcanzar alguna cosa que había debajo de la cama, y con el movimiento había levantado una nube de polvo.

Yuri repasó con los dedos las paredes del cuenco y se los chupó para limpiarlos. Se levantó entonces y asintió, cambió el peso del cuerpo de un pie al otro y sacudió las manos. Tolya empezaba a enfadarse con tanto movimiento. Se moría de ganas de que Yuri se fuera.

—Puedes llevarte esto. No lo necesitamos.

Baba le hizo entrega de una vieja chaqueta acolchada, zurcida infinidad de veces y con una manga por donde asomaba el relleno blanco.

—¡Pero si es para mí, Baba! —chilló Tolya con indignación, soltando la cuchara y levantándose de un brinco—. ¡Papá me prometió que me la daría! ¡Cuando creciera! ¡Es mía!

—Tolya, te faltan años para caber en ella y Yuri la necesita ahora. Te confeccionaremos una nueva cuando llegue el momento. Deja que se la lleve Yuri, ¿entendido?

Habló con firmeza y el chico, con su sonrisa, se había instalado ya a su lado.

Tolya se sentó de nuevo de mala gana y pataleó con las piernas debajo de la mesa mientras Yuri se despojaba de sus harapos y se ponía la nueva chaqueta. Exageró su sonrisa dentada y acabó riendo.

—¡Bueno! ¡Mmm! —Se abrazó a sí mismo y se balanceó de lado a lado—. ¡Bueno!

—Te ayudará a proseguir tu camino. —Baba retrocedió un poco para mirarlo y le dio unos golpecitos en el brazo—. ¡Buen viaje, Yuri! —Lo acompañó hasta la puerta—. ¡Buenas noches!

Se quedó mirando cómo cruzaba el patio plateado por la luz de la luna, cómo saltaba la valla y se adentraba en el ondulante bosque, hasta que su figura desapareció en la oscuridad y se dejaron de oír los pasos aplastando la hierba y las hojas caídas. Era una noche muy fría.

—Le has dado mi chaqueta —dijo Tolya furioso. Cuando Baba hubo cerrado la puerta con llave, se levantó para llevar el cuenco al cubo—. ¡Era mi chaqueta y se la has dado a un… a un niño que ni siquiera sabe hablar bien ni utilizar una cuchara!

—La necesitaba más que tú, hijo. Ahí fuera hace mucho frío y él no tiene casi nada.

—¿Y por qué no tiene casi nada? A lo mejor es que no necesita nada, Baba. A lo mejor es un espíritu del bosque y no necesita ni nuestra ropa ni nuestra comida. ¡A lo mejor es el niño polilla y no tiene por qué venir aquí y sentarse al lado de nuestra cocina! —gritó Tolya, cerrando las manos en puños.

—Por última vez —dijo Baba, exasperada, mientras aclaraba los cuencos—, no es ningún espíritu, es un chico. No sé por qué no tiene nada y tampoco voy a ir a preguntárselo.

—¿Por qué no?

—¡Porque a veces es mejor no saber nada! ¡Y ya basta!

Se giró y levantó la mano por encima de la cabeza de Tolya, como si fuese a pegarlo. Tolya se apartó, sorprendido y jadeante.

—¡No me gusta! —gritó—. ¡Y no lo quiero en mi casa!

Rabioso, aporreó la pared de madera con los puños.

—Vaya buen comunista me has salido —dijo Baba, meneando la cabeza.

—¡Stalin también odiaría a ese niño! ¡Es débil y flaco y tonto y ríe por nada y encima roba cosas que son mías!

Baba permaneció junto al cubo, sacándose del pelo granos de cebada con movimientos espasmódicos y rápidos.

—No todo el mundo es como nosotros, Tolya; no todo el mundo es igual. Los hay que no tienen familia ni amigos: son personas débiles. Y debemos cuidar de esas personas. Es nuestro deber.

—¡No! ¡Se ha llevado mi chaqueta! ¡Es tonto y sucio y yo no quiero cumplir con mi deber!

—Pues no te queda otro remedio, ¿entendido? Hemos hecho lo correcto. Tu conciencia acabará dándotelo a entender. Y cuando llegue su momento, tendrás una chaqueta nueva.

Tolya se apartó de ella y apoyó la cabeza en la madera de la pared, que siempre olía a moho. Cerró los ojos mientras Baba guardaba los cuencos y barría debajo de la mesa. Hundió los dedos en los nudos de la madera y sorbió los mocos por la nariz. Baba no comprendía la sensación que tenía en la boca del estómago, que le estaba consumiendo. Que le decía que Yuri no era de su mundo. Que le decía que tuviera miedo.

—Vamos, sé buen chico y no estés enfurruñado. Ha sido una jornada muy larga y has trabajado duro fuera en el patio. Ayúdame a preparar la cama y lávate la cara y las manos. ¡Y ya basta!

Baba sonrió cuando Tolya se apartó por fin de la pared y, en silencio, se acercó para ayudarla con la cama.

—¿Dónde se ha ido mi encantador Tolya, eh? ¿Se lo ha llevado un desagradable espíritu del bosque? ¡No me lo creo! ¡Está por aquí, por alguna parte!

Baba lo estrechó en un abrazo que acabó transformándose en cosquillas cuando sus dedos empezaron a buscarle las costillas.

—¡No! ¡Para!

Tolya rio aun sin tener ganas, incapaz de estar enfadado con su abuela. Jugaron a pelearse junto a la cocina, sin parar de reír, de perseguirse, de tropezar el uno con el otro. Lev se puso a saltar, a ladrar y a mordisquearles las botas, intentando sumarse a la fiesta. Baba siempre sabía hacerle reír, por crueles que pudieran llegar a ser los niños de la escuela o por mucho que echara de menos a su madre y a su padre. Baba siempre conseguía que se sintiese a gusto. Y ahora que aquel niño imbécil se había ido, volvía a ser toda para él.

—No le cuentes a nadie lo de Yuri —le alertó Baba antes de acostarse.

—¿Por qué no?

—Explicártelo sería complicado. Hablar siempre trae problemas. Y no necesitamos problemas. De modo que mejor que lo guardemos solo para nosotros. Que sea nuestro secreto —dijo, pellizcándole la mejilla.

Le habría gustado fanfarronear delante de su primo y de los demás niños y explicarles que había domesticado al niño polilla. Le habría gustado hacerse el importante. Le habría gustado que viesen que podía ser también uno de ellos. Pero, aun así, asintió.

Yuri no solo se presentó aquella noche. Empezó a aparecer muy a menudo, materializándose de repente desde el bosque y apareciendo cuando caía la noche y se encendían las luces. Se plantaba allí, agitaba delicadamente las manos sin separarlas de los costados y esbozaba una enorme sonrisa sobrenatural, les reía al viento y a la nieve, golpeaba la ventana y esperaba a que Baba le abriese y le diera algo de comer. Se sentaban en la mesa y contaban historias: al principio jugaron a las cartas, pero Yuri era incapaz de cogerlas y las cartas acababan volando por los aires y caían en el suelo dibujando estampados otoñales. Yuri se ahogaba de la risa. De modo que pensaron en otro tipo de juegos, como el de adivinar la primera letra de las cosas que veían o turnarse para esconder un objeto y que lo encontraran los demás. Baba se las apañaba para tener siempre a punto un poco de fruta en conserva que degustar o un pedazo de pan negro untado con miel. A medida que fueron pasando las semanas, Tolya se olvidó de desconfiar en Yuri, se olvidó de que era un desconocido. El nudo de miedo que se le formaba en el estómago cuando lo veía aparecer en la ventana desapareció por completo. Y empezó casi a esperar con impaciencia las visitas de Yuri.

Una noche, hacia Año Nuevo, Tolya llegó a casa de la escuela, congelado y hambriento como era habitual, y encontró la casa con todas las luces encendidas y la cocina funcionando a toda máquina. Baba y Yuri estaban esperándolo en la puerta con las mejillas ruborizadas y los ojos brillantes.

—¡Sorpresa! —exclamó Baba, estampándole un beso a Tolya en cada mejilla—. ¡Mira lo que te ha preparado Yuri! ¡Mira!

—¡Ja, ja! —gritó Yuri—. ¡Mira!

Guiaron a Tolya hasta la mesa, donde había una cuchara de madera, irregular y tosca. En el mango, dibujados burdamente con el atizador, adivinó los contornos de una luna y una estrella y las palabras *Tolya*, *Yuri* y *Amigos*.

—¡Lo ha hecho solo! —dijo Baba, radiante de orgullo.

—¡Amigos! —exclamó Yuri, aplaudiendo.

Tolya cogió la cuchara y acarició con los pulgares las palabras.

—Amigos —repitió, asintiendo y sonriendo para sus adentros.

Baba le apretujó las mejillas.

—Mi niño bueno. Tolya, eres mi tesoro.

El anciano se interrumpió, se llevó una mano temblorosa a la frente, que estaba húmeda. El pasado le pesaba sobre los hombros como si fuera un saco de leña. Era casi como si pudiera olerlo.

—No sé muy bien si…

—¡Anatoly Borisovich! —Vlad le cogió la mano y lo miró con ojos suplicantes—. No se eche ahora atrás. Relájese un momento y ponga orden a sus ideas y siga, por favor.

Los ojos verdes de Anatoly Borisovich capturaron la esperanza y la frustración que emanaban todos y cada uno de los poros de la cara de Vlad, atractiva y con expresión contrariada. Asintió.

Bebió un poco del vaso que tenía en la mesita de noche y se secó a golpecitos con la manga de la bata.

Todo tenía un final, incluso la historia más feliz, un final que a veces llegaba sin previo aviso.

—¿Sí? —dijo Vlad, inclinándose hacia él.

—Fue unas noches más tarde. Yo estaba acostado, durmiendo junto a los fogones, en la estantería alicatada que había allí al lado. Era una noche gélida y aquel era el lugar más caliente, más caliente incluso que la cama grande al lado de Baba. Recuerdo…, bueno, no es un recuerdo. Es solo una sensación: un olor como a hoguera, o a *shashlik* asándose en el patio. Un olor a peligro.

Se calló y se pasó la mano por la nuca. Tiró de los pelos desgreñados y grises que le colgaban allí.

—Estaba sumido en la oscuridad, en las profundidades del sueño. Había un olor y había también un ruido, asaltándome. Crujiendo, con fuerza y violencia, taladrándome los oídos, y un hedor que me estallaba en la nariz. Lo sentía aquí. —Anatoly Borisovich se presionó la frente con dos dedos—. Mi cerebro estaba a oscuras, como si fuera el fin del mundo. Algo iba mal, pero era incapaz de moverme.

»Mamá me estaba llamando. Oí su voz y me estremecí. Sabía que estaba muerta. Me hablaba al oído, me hablaba diciéndome que fuera con ella. Cuando abrí los ojos, todo a mi alrededor era negro y anaranjado… había formas que saltaban, que se estremecían, que se quebraban. ¡Fuego! Me senté, pero solo se veían llamas, el fuego estaba devorando nuestra casa, había llamas que consumían la mesa, que corrían como ratas, que caían de las cortinas al suelo, que se encaramaban por las vigas del techo. Los pulmones se me encogieron. Grité e intenté bajar de la estantería situada sobre los fogones, pero se me enredaron las piernas con las sábanas y las mantas y caí al suelo como un saco.

»Mis ojos se habían convertido en torrenteras de lágrimas. Cuando conseguí abrirlos de nuevo, solo vi negro y naranja, negro y naranja saltando, crujiendo, rasgando el tejado. Las pestañas me crepitaban y tenía los pelillos de la nariz chamuscados. Me incorporé, pero el humo y el calor me tumbaron al suelo antes de que pudiera siquiera dar un paso. Permanecí allí, agazapado, llorando en el suelo.

»No sabía qué hacer. Me estaba asfixiando. Era como si hubiera metido los pulmones en un horno. Cuando el humo me alcanzó la garganta, tosí y escupí. Intenté llamar a Baba, pero las palabras salieron de mi boca transformadas en un alarido. Chillé como un cerdo en el matadero.

»Lloré. No me quería morir oyendo el sonido de mis chillidos. Entonces cayó una viga del tejado y me golpeó en la espalda. Tendido en el suelo, abrí los ojos dispuesto a ver mi final y vislumbré el cielo nocturno, frío y remoto como el bosque. Me pregunté por Stalin, por el cielo y por todas las estrellas, que tenían que ser, a buen seguro, las almas de los niños nuevos. Pedí ayuda a Stalin con el método que solíamos emplear –cruzando los dedos, cerrando los ojos y cogiendo aire para pronunciar aquellas palabras– y tragué una bocanada de aire fresco y limpio. El humo empezaba a escaparse por el boquete abierto en el tejado. ¡A lo mejor conseguía salir con vida!

»La adrenalina se apoderó de mí y superó el terror. Me incorporé de un salto. La puerta de entrada estaba bloqueada por la parte del tejado que se había derrumbado, pero la cocina… la valiente cocina se mantenía firme como una piedra al fondo, apuntalando el tejado, ofreciéndome una escapatoria. Por atrás había una salida, una portezuela por donde Baba hacía entrar los cerdos, antes de que se los llevaran. Me encaramé a la cocina para salvarme.

»Pero entonces pensé en Baba. Miré su cama y entre las llamas vi unos brazos: unos brazos, Vlad, que se extendían hacia mí, con unos dedos que se movían, que daban zarpazos en el aire. Unos dedos. —El anciano se miró las manos; sus dedos se retorcían como si fuesen garras—. No podía escabullirme. Corrí a salvarla. ¡Lo hice! Salté entre las llamas y me lancé a por ella. Pero empezó a llover fuego. Miré hacia arriba y…

Anatoly Borisovich miró hacia arriba. Sus ojos infantiles y luminosos estaban llenos de lágrimas.

—Miré hacia arriba y las llamas me cayeron encima. Los ojos se me pegaron a las mejillas. Oí un grito, pero era yo. Empecé a apartar escombros y hollín para huir de allí. Solo sentía dolor, no era un ser humano. ¡No tenía control de mí!

»Cuando recobré el conocimiento, estaba rodando por el suelo del patio helado, restregándome la cara contra la tierra. Vi que por el camino estaba llegando gente que había salido corriendo de sus casas. El primero que llegó fue el camarada Goloshov, luego mi primo y mi tío. Yo estaba en el suelo del patio cuando se arrodillaron a mi lado y vi sus caras iluminadas por el resplandor del fuego. Todos lloraban, mi primo gritaba... vi el horror reflejado en su rostro: el horror que le provocaba mirarme. En aquel momento, se derrumbó la totalidad del tejado y las llamas ascendieron hacia las nubes. Nadie pudo salvar a mi Baba. No sé si ni siquiera lo intentaron. Se quedaron todos allí mirando, gritando y rascándose el culo sin hacer nada.

»Me envolvieron en una manta que me arrancó toda la piel. Y se me llevaron de allí. Se me llevaron y no recuerdo qué pasó. Sé que tuve fiebre. Que creían que me iba a morir. Pero sobreviví.

Vlad cogió la jarra de plástico y llenó de nuevo el vaso de Anatoly Borisovich. El anciano lo cogió y bebió otro poco.

—Así fue como me hice estas cicatrices. —El anciano se pasó la mano por las mejillas y sonrió para sí mismo mientras sus ojos mantenían una mirada dura—. Iba a salvar a Baba, pero no pude evitarlo. No pude cumplir con mi deber. Me escaqueé. —Exhaló un suspiro tembloroso.

—Lo siento, Anatoly Borisovich. Es... es una historia muy triste. ¡Pero fíjese cuántas cosas ha recordado! —Vlad posó una mano cálida en el antebrazo del anciano—. ¿Y recuerda qué sucedió después?

—¿Que qué sucedió después? —El anciano refunfuñó—. Cribaron bien los escombros, para recoger los huesos antes de que se los llevaran los animales. Eso fue lo que sucedió después.

—Y... me refiero a qué le sucedió a usted.

—¿A mí? ¿Al pequeño Tolya? Enterraron a mi Baba al lado de mi madre en el cementerio que había en el camino de salida del pueblo. No hubo ni sacerdote ni funeral. Yo estaba tan mal que no pude ir y papá tampoco pudo asistir. Estaba trabajando para cumplir su cuota. De hecho, creo que nunca más volví a ver a papá. Las cosas fueron así. Mi tío, mi tía y mi primo sí fueron, le presentaron a Baba sus respetos junto con Goloshov... ¡ja! Unos meses más tarde, fui a visitar el lugar y vi el rótulo de madera, allí clavado en el suelo... ¡doblado!

»Me fui a vivir con la familia de mi primo y nos trasladamos a Krasny Bor, a unos kilómetros de mi pueblo. Ya nada volvió a ser igual. Yo no era como ellos. Mi primo se pasaba semanas llorando como un bebé cada vez que me miraba y luego, bueno, luego me evitaba. Tanto en la escuela como en la habitación que compartíamos. Nuestras madres eran hermanas, pero mi madre ya no estaba y su madre… era una mujer graciosa. Decidió casarse con un armenio. Lo cual no era malo de por sí, pero son gente muy reservada, ¿sabe? Van a lo suyo. Y yo me sentía… completamente aparte.

—Todo esto es muy interesante, de verdad —dijo Vlad, tomando nota en su cuaderno.

—No pretendo decir con esto que me maltrataran, pero… —Anatoly Borisovich sorbió los mocos y se pasó un dedo por la parte inferior del ojo derecho—. Me mandaron a la escuela militar. Imagínese, ¡yo en la escuela militar! ¡Ja! Me arrancaron del bosque y me enviaron a los barracones, donde intentaron enseñarme a seguir órdenes y a montar un arma. A mí, que era un artista. Estuve allí mucho tiempo, pero al final se dieron por vencidos. —Sonrió y permaneció un rato en silencio con la mirada perdida en el aire, sin mirar a nada en concreto—. Cuando volví, mi primo había ocupado toda la habitación. No había espacio para mí.

—¿Así que tiene usted parientes vivos, Anatoly Borisovich? No he visto ningún tipo de historial familiar en su informe. Este primo…

—Sí. Mi primo Gor. Sigue vivo… por aquí, en algún lado.

—¿Gor? —Vlad dejó de escribir y se quedó boquiabierto—. ¡Es un nombre poco común!

—Goryoun Tigranovich Papasyan: un buen nombre armenio, hijo mío. Recuerdo… sí, que ambos nos mudamos a Rostov. Él fue primero y yo le seguí. Yo seguía confiando en poder conectar bien con él… por nuestros lazos familiares, supongo.

Vlad había soltado el bolígrafo y volver a cogerlo le estaba costando un esfuerzo.

—Parece que tenga usted hoy dedos de mantequilla —observó

el anciano, cerrando los ojos a la vez que su pecho exhalaba un exagerado suspiro.

—¡Sí! —Vlad se mordió una uña y frunció el ceño—. Es asombroso… pero, no… ¿está usted seguro de que es su primo?

Anatoly Borisovich abrió bien un ojo.

—¿Es esto una pregunta? ¿En serio?

Vlad se mordió otra uña.

—No. Lo siento. Es solo que… nada, no tiene importancia. —Se rascó la cabeza—. Nada de lo que tenga que preocuparse. ¿Y Yuri? —dijo por fin—. ¿Qué fue del niño polilla? ¿Volvió a verlo alguna vez después de lo del incendio?

Anatoly Borisovich abrió el otro ojo y dirigió una luminosa mirada verde hacia los ojos expectantes de Vlad.

—¿Yuri? —dijo, con una sonrisa de perplejidad—. Desapareció. Nadie volvió a verlo nunca más. Él fue quien inició el incendio, chisporroteó entre las llamas. Se chamuscó, como les sucede a las polillas. ¿Es así, no? —De repente se inclinó hacia delante, tirando de las sábanas—. Se mueren si se acercan demasiado a la luz. ¿Qué otra cosa pudo pasarle?

Vlad siguió mirando boquiabierto al anciano y hojeó sus notas.

—Pero ¿cómo lo sabe? No ha mencionado que Yuri estuviese allí cuando usted se despertó. ¿Lo vio?

Los ojos de Anatoly Borisovich chamuscaron en silencio los de Vlad y, al sonreír, sus mejillas se agrietaron como pintura vieja.

—Estoy confuso: por eso estoy aquí. No sé qué… ¿Pretende echarme la culpa? ¡Claro! ¡Sabía que lo haría! Pero lo hizo él: ¡Yuri, el niño polilla! Fue él quien inició el incendio. El que mató a mi Baba. No era su intención. Pero siempre estaba intentado acercarse a la luz. ¡Tiene que creerme!

Anatoly Borisovich se tapó con la colcha hasta la barbilla, cubierta con barba de algunos días y llena de migajas.

—Aún lo oigo a veces dando golpecitos en la ventana, al pobre Yuri, muerto. Dando golpecitos en las ventanas para entrar. Estuvo días llamando cuando yo… cuando yo…

El anciano dejó de hablar y se secó los ojos con una mano.

—¿Dando golpecitos en las ventanas?

Vlad miró al anciano y a continuación la ventana, y luego volvió a mirar al anciano. La triste desesperación de su rostro le provocó un escalofrío. Se bajó las mangas del jersey hasta casi cubrirse las manos y volvió a mordisquear la punta del bolígrafo.

Repasó las notas que había tomado: *Recuerdos intensos de la infancia, sumados a posible psicosis temprana, producen alucinaciones y proyección de sentimientos y miedos. La historia de Yuri, el niño polilla, es evidentemente una invención/alucinación: el personaje ficticio, un amigo invisible.* Añadió lo siguiente: *En retrospectiva, tras recordar estos acontecimientos después de un largo periodo de lo que podría calificarse de ¿Trastorno por Estrés Postraumático?, AB lo considera culpable del incendio y de la muerte de su abuela. Hay que estudiarlo bien. ¿Fue un incendio provocado o un accidente? ¿Un asesinato o un homicidio imprudente? La conclusión es que probablemente sea el desencadenante del colapso físico/mental sufrido alrededor del 8 de septiembre de 1994: alucinaciones provocadas por la fiebre y el brote de gripe diagnosticado en el momento del ingreso, a lo que vino a sumarse la desnutrición y un recuerdo repentino y descontrolado de un suceso traumático acontecido en su infancia, debido a lo antes mencionado y...* Dio unos golpecitos en el papel con la punta del bolígrafo.

—¿Fueron esos golpecitos lo que provocó... el recuerdo y la crisis, cree usted? ¿Los oyó justo antes de que le trajeran aquí? ¿Fue ese el desencadenante? —preguntó por fin—. Necesitamos un desencadenante.

—Ah... ¡Sí! ¿Podría ser? —Los ojos del anciano se iluminaron—. No estoy seguro. Es todo muy confuso. Recuerdo un árbol... no podía dormir. ¡Con tantos golpes!

Vlad sonrió para sus adentros y anotó: *... un desencadenante: los golpes repetitivos de un árbol contra la ventana, un eco de los golpecitos que daba en la ventana el mítico niño polilla. Resultado: un frenesí de conciencia de sí mismo, culpabilidad y negación, que dio* *como resultado una pérdida de todas las facultades y la imposibilidad de cuidar de sí mismo.* A continuación, añadió un asterisco y unas palabras subrayadas: *Una coincidencia maravillosa. ¡¡¡Papasyan es su primo!!! Aunque están distanciados.* Se enderezó en la silla e intentó contener su sonrisa triunfante.

—¡Magnífico, Anatoly Borisovich! ¡Es justo lo que necesitaba escuchar! ¡Ya lo tengo todo claro!

Le estrechó la mano al anciano y se la sacudió arriba y abajo con fuerza.

—Imagino que se sentirá aliviado si le digo que con esto podemos dar por terminadas las visitas. Ya me ha explicado lo que le provocó la crisis y ahora lo redactaré todo y... estará todo arreglado. Me llevará un tiempo, tengo que consultarlo con mi tutor y todas esas cosas, pero ¡buen trabajo! ¡Buen trabajo! Volveré, en algún momento...

Canturreó y salió de la habitación dando un portazo, sin dejar de sonreír y sin volver la vista atrás. Se moría de impaciencia por poner en marcha el caso de estudio. Todo había quedado muy claro. Y tendría que contárselo a Polly. Seguro que se llevaría una sorpresa. ¡Y que incluso se quedaría impresionada! Miró el reloj y pensó en sus nalgas de melocotón.

Anatoly Borisovich se tapó la cara con las manos.

—¿Qué he dicho? —murmuró— ¿Lo habrá entendido de verdad?

ENELDO Y ROSQUILLAS

Un agradable aroma a eneldo y rosquillas impregnaba el ambiente de la cafería la Hoz Dorada, situada cerca del centro de la ciudad. Una mujer bajita y rechoncha de mediana edad, con el pelo naranja y encrespado, una cara cuadrada de un color similar y ojos diminutos como pepitas de manzana, disfrutaba de una pasta rellena de dulce de leche y correosos pedacitos de nuez. Sentada delante de ella, su acompañante suspiraba ante un plato de col insípida cortada a tiras... y eneldo.

—Sinceramente, Valya, esta dieta vegetariana me matará.

—No, Alla, te salvará. Ya sabes lo que dijo el doctor. La presión arterial mata. La carne mata. Los lácteos matan. —Valya se relamió los labios y siguió con la labor de quitarse los restos de nuez que le habían quedado adheridos a los dientes de atrás—. Has estado envenenándote toda la vida y ha llegado el momento de entrar en vereda. Cómete esa col y te sentirás mejor. —Una vez tuvo los dientes limpios, pasó un dedo por el plato para recoger las migajas que pudieran quedar y se lo chupó con sonoro gusto—. Podría comerme otra igual. Aunque no estaba tan buena como las que yo preparo. El sábado por la noche preparé una tarta Napoleón, para Vlad. Estaba magnífica. —Se relamió de nuevo los labios.

—¿Vlad? —preguntó Alla, levantando de golpe su cabeza gris.

—La tarta. Él también, claro, pero eso ya lo sabes. —Cuando sonrió le desaparecieron los ojos. Se recostó en el asiento y estiró los brazos—. Ay, me duele todo. ¡El domingo me pasé seis horas seguidas trabajando en la dacha! Pero ya está: todo listo para el invierno. Supongo que quieres vivir otro invierno, ¿no?

Alla bajó la vista hacia la ensalada de col y empezó a dar vueltas a las hojas, pálidas y moteadas, con un tenedor combado.

—Pues claro que sí —murmuró—. Pero...

—Entonces, cómete la ensalada y deja ya de quejarte. ¿Quieres té?

Las facciones de la cara de Alla cayeron de golpe, como si boca, nariz, ojos y cejas fueran a fundirse con el charco grisáceo del plato. Un sollozo le hizo un nudo en la garganta.

—¡No puedo tomar! —Casi se ahoga al hablar—. Puedo tomar zumo o agua de abedul. Pero nada de estimulantes.

—¡Je, je! —Valya rio roncamente y le dio una palmada en la espalda—. Tienes que considerar todo esto como tiempo adicional para ti, un regalo solo para ti. Un regalo de verdad. Enseguida vuelvo.

Corrió hacia la barra para ir a buscar las bebidas.

Alla preferiría no haber ido nunca a ver al médico. Pero en cuanto empiezas, y te descubren que algo va mal, cuesta quitarse de encima la costumbre. Una cosa lleva a la otra, te sientes en deuda con ellos y, sin que te des ni cuenta, pasa a formar parte de tu rutina semanal. Cuando no eran más que pastillas que había que tragar aún era soportable, pero ahora su vida entera giraba en torno a mantenerse con vida. Ensartó con el tenedor un trozo de col y se lo llevó a la boca. En la mesa contigua, una niña estaba devorando un hojaldre con salchicha. Desde donde estaba, Alla alcanzaba a oler todas y cada una de sus moléculas, cargadas de grasa y empapadas en sebo. El estómago le aulló.

Valya reapareció con un vaso de té humeante para ella y un vaso de agua caliente para su amiga.

—¡*Na zdarovie*! —dijo riendo, haciendo chocar los vasos y acomodando de nuevo su generoso trasero en la pequeña silla de madera. Bebió un sorbo y frunció la cara entera, enseñando con el gesto todos sus dientes de oro—. ¡Oh! Eso está mejor. Lo siento, no tenían ni abedul ni zumo, así que… —Se inclinó hacia delante—. ¿Vas a ir el viernes?

—¿Ir adónde?

—A casa de *madame* Zoya.

—¿La de las hojas de té? ¡Nadie me ha dicho nada!

—No trabaja con hojas de té, es una vidente —dijo en voz baja Valya—. Yo acabo de enterarme hoy.

—¡Oooh! Me pregunto si… —Alla sacó del bolso una agenda muy sobada y la hojeó—. Sí, me iría bien, tengo el primer turno. Me pregunto si podría invitar a Polly.

—¿A Polly? ¿Y por qué? —Valya flexionó los hombros bajo el gigantesco jersey verde y chasqueó la lengua—. No es amiga tuya, ¿no?

—No… pero su madre sí, y le dije que la vigilaría. Y… —Alla sorbió por la nariz y examinó un trozo de col—… la semana pasada solo pude ir a la farmacia una vez y no estaba. Necesito hablar con ella sobre mi estómago. Di tú lo que quieras, pero ella siempre me puede suministrar los medicamentos, incluso cuando están, ya sabes… —Lanzó una mirada conspiradora por encima del hombro— … oficialmente fuera de existencias. Cuando el mes pasado tuve aquel problema con lo que tú ya sabes, ella dio justo en el blanco, su respuesta fue un éxito. Es la mejor de la farmacia.

—Yo no tengo ni idea de esas cosas. No me encontrarás nunca en ese lugar.

—No, claro, porque estás sana. Basta con verte con ese color que luces en las mejillas.

Las mejillas de Valya resplandecían con un tono que rozaba el carmesí.

—Es lo que dice todo el mundo. Llego a trabajar el lunes por la mañana y todos están sentados detrás del mostrador como si fueran limones anémicos. Pero entro yo, y el local se ilumina.

—Es un banco, Valya. E iluminar un banco no es muy difícil.

—¡Mira quién habla, la que trabaja en los grandes almacenes

más oscuros del mundo! ¡Son como una cueva! ¿Cuándo piensan comprar algunas bombillas? ¡Ya no estamos en 1991, lo sabes bien! ¡Díselo, diles que os pongan luz! Bueno, vamos al grano, es el viernes a las ocho de la tarde.

—¿Y quién es el invitado? ¿Lo sabemos?

—Jamás lo adivinarías.

—Imagino que no.

Alla clavó el tenedor en un pedazo de col y apartó la vista de la cara fastidiosamente sana de su amiga.

—¡Vamos, inténtalo! —vociferó Valya después de una breve pausa.

—No tengo ni idea.

—¡Papasyan, el mismo que viste y calza!

—¿Y ese quién es?

—Oh, sí lo sabes... —La frente de Valya se frunció hasta tal punto que casi le rozó los labios. Le echó un poco más de azúcar al té—. El jefe del banco.

—No creo que lo...

—Trabajé para él en Rostov. Te hablé sobre él mil millones de veces. Lo conoce todo el mundo: esnob, miserable, mago, alto, oscuro, feo.

—¡Ah, sí, espera un momento! ¿No será ese que dicen que tiene oro...?

—¡Escondido en el lavabo! Ese mismo. Un miserable de toda la vida.

—Sí, pero si ha sufrido una muerte en la familia...

—No es el caso. No tiene familia; no tiene excusa para ser tan miserable. Es así.

—Parece interesante. Me pregunto por qué querrá entonces visitar a una vidente. Recuerdo cuando...

—No son más que tonterías, de todos modos —dijo Valya, interrumpiéndola y dando un puñetazo a la mesa.

—¿El qué?

—Lo de las videntes. A mí nunca me han ayudado.

—No, claro, tu marido siempre fue un hombre muy callado…

—¡Tonterías, eso es lo que son!

Dio otro puñetazo sobre la mesa y apuró con determinación el té. Alla bebió un sorbito de agua caliente y miró fijamente a su amiga.

—La última vez te asustaste.

—¡No es verdad!

—A mí me pareció que estabas asustada. Estabas temblando.

—Estaba incubando alguna cosa. Me encontraba fatal. No paraba de sudar.

—¡Pero si tú no te pones nunca enferma!

—¡Pues aquel día lo estaba! Bueno, da igual, el caso es que será interesante ver al viejo cabrón y averiguar qué es lo que le preocupa. Siempre lo consideré un escéptico, como yo.

—Le daré un toque a Polly. Ya vino una vez, ¿verdad? Y considero que es mi… deber invitarla de vez en cuando. Me brindará una oportunidad excelente para poder hablar sobre mi…

—A ver si tienes suerte. Sé que últimamente ha estado muy «ocupada»… —Valya pronunció la palabra con énfasis— con mi Vlad.

Alla arrugó la nariz.

—¿Crees que está evitándome? Siempre solía pasarse los viernes por los almacenes para saludar, de camino a su puesto de *souvenirs* de artesanía…

—¡Artesanía!

—A cada uno lo suyo, Valya.

—¡Chorradas! Si piensas invertir, hazlo en algo con cara y ojos: diamantes, oro o aceite, como yo. He comprado cuatro toneles y los tengo almacenados en la dacha. ¡Ja! ¿Qué sentido tiene invertir en esos cachivaches? ¿En cajitas de Palekh lacadas? —Valya agitó una mano regordeta—. ¿Miniaturas? ¡Vaya tontería!

—¡Es una buena inversión! ¡Y es encantadora!

Valya se atragantó y duchó a su amiga con té.

—¿Encantadora? ¿Polly?

—¡Al menos esas cajas son algo sólido que puedes tener en la mano, una muestra auténtica de la tradición rusa! No como esas… ¿Cómo lo llaman? ¿Acciones? ¿Qué son las acciones? ¡No son más que un papel sin valor! —Alla retiró el plato con lo que quedaba de col—. ¿Te has enterado de que la totalidad de la Escuela Número Cuatro fue invertida en PPP?

—¿En ese esquema piramidal? ¿Lo dirás en broma?

—El director pensó que podría triplicar el presupuesto si invertía… y el viernes pasado encontraron su cuerpo en el río. Se tiró desde el puente.

—Vaya estúpido, descanse en paz. —Valya puso los ojos en blanco, todo lo que su minúsculo tamaño les permitía, y se secó la frente con un pañuelo arrugado—. A lo mejor Vlad podría venir también. Me sentiría más segura con él allí.

—¿Más segura?

Detrás de la barra, una mujer robusta con un delantal blanco manchado y gorro de cocinero empezó a gritar a los clientes a la vez que blandía una espumadera.

—¿Hora de irnos? —preguntó Alla.

—Hora de irnos —confirmó Valya—. La cocinera tiene que largarse a preparar cerveza artesanal. Nos vemos el viernes… si vives para contarlo.

Rio con todas sus ganas y le dio un palmetazo a Alla en la espalda. Alla tosió y no rio.

—Llamaré a Polly.

—Sí, por favor. Intenta alejarla un poco de mi pobre Vlad. Es una mala influencia para él. Empiezo incluso a notarlo distinto. Lo cual no es bueno. —Introdujo unos brazos cargados de carne en las mangas de su pesado abrigo de otoño—. ¡Me va estrecho!

—Las mujeres siempre estropean a los hombres, te lo digo yo.

—No digas tonterías, Alla. Yo no estropeé a mi marido: lo mejoré.

—Lo mejoraste hasta llevarlo a la tumba.

—¡Calla ya! ¡No tenía ni idea de que tuviera un corazón tan

débil! Pero Vlad… es un chico encantador. Sé que no lleva mucho tiempo conmigo, pero era tan atento, tan parlanchín. Pero ahora… se pasa el día al teléfono, apenas come, no para de entrar y salir. ¡Y tantos pares de calzoncillos que me gasta! ¡Tienes unas ojeras impresionantes, de verdad!

—Es joven, Valya. A lo mejor tendrías que hablar con él en plan maternal —dijo Alla, sonriendo, mientras se ponía los guantes.

—¿En plan maternal? ¡Creo que no!

Valya, con las mejillas encarnadas, se abrió camino hacia la puerta, abanicándose.

Alla se cubrió la cabeza con un gorro con borla.

—Entonces, a lo mejor tendrías que preguntarle a *madame* Zoya, ya sabes, decirle que pregunte a los espíritus. Los que no están suelen tener su punto de vista, ¿no es eso? Pueden saber si un romance va o no por buen camino.

—¿Romance? Es pura lujuria, ¡eso es lo que es! Tenlo muy claro, Alla. A ese pobre chico solo le guía su…

La puerta se cerró con fuerza y engulló sus palabras cuando las dos mujeres salieron a la calle. Alla se dirigió a paso ligero hacia la parada del autobús, ansiosa por llegar a casa y emitir su invitación, satisfecha ante la perspectiva de poder comentar su digestión con un oído más cualificado que el de Valya.

Valya la siguió con sus andares de pato, un poco rezagada. La pañoleta azul eléctrico cubría en parte su cabello naranja. Rememoró la época que había pasado trabajando en el banco en Rostov y aquel día en que su malhumorado jefe sacó de su fiambrera un huevo hervido y lo hizo desaparecer. Había restado importancia a la cara de asombro con que se habían quedado todos y había dado la espalda a su deseo de ver más trucos. Era un hombre tremendamente introvertido, encerrado siempre en su caparazón. ¿Se estaría abriendo ahora? A saber qué perlas podía esconder su viejo interior. Se relamió solo de pensarlo.

EL AMOR NO SE GUARDA EN CONSERVA

Gor se dio cuenta de que era martes cuando el día ya estaba avanzado. Se había quedado extasiado escuchando a Mussorgsky en el tocadiscos. Mussorgsky siempre le revolvía el alma; era tanto un placer como un dolor. Y lo que emergió a la superficie aquel martes, luminoso pero gélido, mientras intentaba recordar un truco conocido como Arenas del Nilo, fue remordimiento.

Era un buen truco, cuando funcionaba. Consistía en introducir la mano en un recipiente gigante lleno de agua turbia y agitada, y con un elaborado gesto triunfal, extraer del interior montones de arena de colores completamente seca. A los niños les encantaba. Recordó de repente que Olga solía meter también la mano en el recipiente cuando él ensayaba. Le parecía increíble haber olvidado cómo lo hacía.

Cuando Olga se fue, él aún era él, tenía cuarenta y cinco años de edad y seguía abocado al éxito. El negocio había ido viento en popa y era un hombre gordo y ocupado, obsesionado por las comodidades materiales. Había saboreado los frutos de su cosecha y se había limitado a recostarse en su asiento para disfrutar tranquilamente de los días de otoño que tenía por delante, satisfecho con la idea de que había almacenado suficiente para cuando llegaran las vacas flacas y de que tenía todo lo que necesitaba bien guardado, en conserva, en el fondo del armario. Pero se había olvidado por completo del alma. Y mientras permanecía sentado tan satisfecho y seguro de sí mismo, las posesiones materiales que con tanto esmero había almacenado se habían ido consumiendo en silencio, como si se las hubieran comido los ratones. Y no había sido hasta entonces que había caído en la cuenta de que la felicidad no podía meterse en un frasco, que el amor no podía guardarse en conserva. Y por eso ahora se encontraba así, removiendo entre la basura, buscando restos… completamente solo.

La vejez lo tenía bien agarrado por el pescuezo: apenas podía caminar sin toser, las piernas se le iban. La edad madura, tan importante, tan ocupada, había desaparecido como si fuera nieve fundida y ahora no era más que un charco en el sucio suelo de su vida. ¿Dónde estaba el tiempo? ¿Dónde estaban las risas? ¿Dónde estaba, más concretamente, su familia? ¿Marina, su esposa; Olga, su hija; incluso el gracioso de Tolya? Había concentrado toda su energía en estimaciones y activos fijos, en presupuestos y burocracia. Se mordió el labio, y se fijó en que el viento seguía aporreando las ventanas mientras el lápiz dormitaba sobre el papel. Qué distinta podría haber sido la vida, susurraba.

Miró el calendario: martes 11 de octubre. Esbozó un gesto de inquietud y se levantó de un salto del asiento. ¡Día de ensayo! Sveta tenía que ir a su casa. Estaría al caer. Tenía que preparar la caja, y preparar también algo de picar. Acalló a Mussorgsky y entró corriendo en el dormitorio para cambiarse. Iría al mercado. El martes era un buen día de mercado, por lo que sabía. Invertiría en alguna exquisitez, como reconocimiento al espíritu de camaradería de Sveta.

Mientras decidía si se ponía dos jerséis o un jersey y una chaqueta, oyó un sonido. Se filtró en su oído: poca cosa, unos golpecitos, unos dedos contra un cristal, leves, insistentes. Contuvo la respiración y permaneció a la escucha. El sonido resonó en el piso vacío. Era poco amenazador, sigilosamente suave, pero le encogió el corazón.

«Tap tap tap».

Era el sonido de la soledad, el sonido de las noches frías. El tictac del reloj, el latido del corazón; el «tap» del tiempo, en su continuo avance. La frente se le llenó de gotas de sudor. Como si no hubiesen transcurrido sesenta años desde entonces, percibió el olor a agujas de pino y a barro, a aceite industrial y a humo de leña. El viento soplaba entre los pinos.

«Tap tap tap».

Gritó, pero no una palabra, sino únicamente un sonido, una súplica entrecortada dirigida a nadie. Conocía aquel sonido, le resultaba familiar, como un sueño recurrente que solo se recuerda a medias.

«Tap tap tap».

Dasha, la gata, cruzó silenciosamente la puerta y cuatro gatitos blancos y esponjosos maullaron para darle la bienvenida. Roto el hechizo, Gor cogió aire y cerró el armario. Mientras se calzaba a patadas las botas, se maldijo por ser tan tonto. ¿Cómo era posible que se asustara de aquella manera por unos simples golpecitos? ¿Dónde había ido a parar su lógica? ¿Se le había quedado el cerebro hueco? ¡Lo sobrenatural no existía! ¡Los fantasmas no existían!

Los gatitos estaban observándolo, con sus ojos azules muy abiertos, haciéndose los valientes con el lomo arqueado y las garras amenazantes. Les pidió perdón por hacer tanto ruido, se alisó un poco el pelo rizado y salió del apartamento dando un portazo.

Sabía que necesitaba un poco de compañía y que pasear por las calles concurridas le iría bien.

El mercado de Azov era una estructura moderna: sólida y sin complicaciones por el exterior, y cálida, oscura y olorosa por el interior. Los paneles de plástico transparente que cubrían el tejado inclinado filtraban la luz hacia el centro del espacio, pero los laterales quedaban sumidos en la sombra; si querías ver qué comprabas y si te daban bien el cambio, era mejor visitarlo en plena luz de día. El aroma a fruta madura impregnaba con su dulzura el ambiente. Había resplandecientes caquis y espléndidas granadas colocadas en pirámides junto a tarros de miel local y bolsas de cereales de invierno, mientras, en el suelo, los sacos de patatas y nabos holgazaneaban con un esplendor digno del lumpen. Gor se abrió paso por el estrecho pasillo, haciendo oídos sordos a los tenderos de piel curtida que lo llamaban para mostrarle el género y exponer sus dientes de oro, que blandían cuchillos con los que cortaban cubos de melón y burbujas de semilla de granada. No necesitaba fruta.

Se detuvo en un puesto de productos lácteos para comprar un poco de queso. Era más blanco que la nieve, duro y salado, con la textura dúctil y gomosa que a él le gustaba. A continuación compró perejil, un poco de pan negro muy aromático y un pedacito minúsculo de mantequilla blanda y sin sal que iba envuelta en papel marrón. Tenía en la despensa de casa pasta de berenjena para untar y tomates en conserva, el resultado de los sudorosos esfuerzos de verano en la dacha. Serviría un tentempié consistente y modesto. Obligatoriamente sabroso. Pensar en la calidez que Sveta había mostrado hacia él, en su alegre franqueza, le hizo sudar las manos. Hoy no podía haber el más mínimo indicio de intimidad, razón por la cual quedaba excluido todo tipo de dulce así como cualquier producto rosa, rojo o amarillo. Con pan y queso bastaría: la suya tenía que ser una amistad para hacer frente a la adversidad, y nada más. No podía, y no debía, animar más acercamiento que aquel.

La vieja cesta de redecilla de Gor estaba casi llena y le empezaba a pesar en el hombro. Estaba oliendo una muestra de té, tenía la nariz prácticamente enterrada en las ásperas hojas negras, cuando tuvo la sensación inequívoca de que alguien lo estaba mirando. Se giró hacia la izquierda, con la lata de té todavía en la mano, y examinó el batiburrillo de caras y gorras: morenas, rosadas, cetrinas, encendidas, de lana, de tejido, con visera; no había nadie conocido y tampoco lo miraba nadie. Cuando se disponía a cerrar la tapa, notó un codazo en las costillas. El golpe le hizo soltar la lata. Las hojas se derramaron sobre el puesto, sobre el abrigo y en el suelo y la caja cayó con un estrepito metálico. La tendera se abalanzó sobre él y, con cara de fastidio, le indicó con señas que se marchara. Oyó entonces una risilla y se giró de inmediato dispuesto a desafiar al culpable, pero detrás de él no había ni gente ni caras carcajeándose. No había nadie, de hecho. Se sacudió el abrigo y prosiguió lentamente por el pasillo, repasando con mirada inquieta los huecos que se abrían entre los puestos.

Cuando pasó por delante de la carnicería, las cabezas de los cerdos, que goteaban sangre sobre el serrín del suelo, se rieron de él desde los ganchos que colgaban de las vigas. Una jaula albergaba media docena de conejos con naricillas rosadas que no paraban de olisquear. Lo miraron con temblorosa intensidad; eran conejos blancos, exactamente iguales al que había encontrado en la puerta de su casa. Justo en aquel momento, una máquina de cortar empezó a separar con contundencia un codillo de cerdo de su pie, proyectando esquirlas plateadas de hueso y glóbulos de grasa. Gor dio un brinco. El carnicero rio y le gritó alguna cosa que Gor ni siquiera entendió. Meneó la cabeza y aceleró el paso para adentrarse en un pasillo donde los ojos vacíos de un centenar de peces lo observaban desde recipientes marrones cubiertos con una especie de limo salado. Una anciana con solo dos dientes apareció de repente delante de él y le puso justo debajo de la nariz una ristra de huevas de bacalao. La bilis le subió a la garganta y corrió todo lo deprisa que pudo hacia la salida.

La puerta que encontró daba a un callejón. Se recostó momentáneamente contra un cubo de basura y respiró hondo, con los ojos cerrados. Cuando los abrió, se encontró delante de un chucho callejero, gruñendo y con una cola de pescado atrapada entre las mandíbulas. Empezó a caminar. Sabía que no tenía que demostrar miedo, y descubrió enseguida que eso era algo más fácil de decir que de hacer. Con la sensación de que los dientes del perro estaban a punto de arrancarle los tendones, aceleró la marcha hasta ponerse a andar al trote, con la bolsa de red dándole molestos golpes en la cadera. El sonido de sus propios pasos resonaba en el callejón, pero siguió esquivando las pilas de hojas secas que se acumulaban con formas diversas sobre los adoquines. Oyó un silbido detrás de él, una melodía conocida: Mussorgsky, las mismas notas que tanto había disfrutado en casa aquella misma mañana. Miró a su alrededor y se le torció el tobillo al resbalar con las hojas. El único movimiento que vislumbró fue el del perro cojo y tuerto. Emergió por fin a la calle principal y se sintió aliviado al sumarse a los cuerpos que iban y venían por ella.

Pasó junto a una cola de gente que daba la vuelta a la esquina. Las caras lo atormentaron, igual que las voces que hablaban a gritos con nadie, que escupían esquirlas de palabras duras que hablaban sobre atracadores, sobre ladrones, sobre el gobierno, sobre estómagos vacíos y sobre desesperación. Nadie las escuchaba, ni siquiera las otras personas que estaban también en la cola. Gor siguió caminando.

La cola terminaba delante de una puerta cerrada: las oficinas de PPP Invest. Un portero en forma de bala permanecía inmóvil detrás del cristal. Alguien le arrojó una cartilla de ahorros y rebotó con un sonido sordo en el cristal, justo a la izquierda de su cabeza. El hombre introdujo la mano en la chaqueta, a la altura del corazón, y la multitud retrocedió un poco, sofocando un grito colectivo. Gor aceleró el paso y cruzó la calle, mirando continuamente hacia uno y otro lado de forma inconsciente.

Intentaban aún recuperar su dinero. Los ahorros de toda una vida invertidos en una estupidez: PPP Invest, un clásico esquema piramidal. La gente que invertía era cada vez más; gente que invertía la totalidad de la paga de la semana, o la pensión de un mes, o los ahorros de toda una vida o, incluso… y obtenía dividendos ridículos, semana tras semana. Pero en algún momento tenía que estallar la fiebre, ¿no? Así era como funcionaban esas cosas: en un momento dado, se alcanzaba la máxima capacidad y el dividendo prometido se convierta en algo inimaginable, en algo tan grande como la luna. Era el momento en que los jefes cruzaban la frontera con carretadas de dólares y los inversores se quedaban tirados con solo papel mojado y desesperación. Papel, nada más, que se les escapaba de las manos junto con sus planes para disfrutar de una jubilación feliz, de construirse una casa propia de fin de semana, de comprar una nevera y un televisor nuevos, transformados en las lágrimas saladas que resbalaban por sus mejillas.

Se paró para taparse la cara con el pañuelo y toser. Miró la cola por el rabillo del ojo y notó algo moviéndose con lentitud a sus espaldas. Alguien estaba siguiéndolo. Se giró y barrió la multitud con la mirada: vio una cabeza que se volvía rápidamente, una mujer que se alejaba. Gor verificó los bolsillos, los palpó para comprobar si la cartera y las llaves seguían allí y resopló con alivio: no faltaba nada. La mujer serpenteaba ahora entre la muchedumbre, la imagen le resultaba vagamente familiar. ¿Conocía de algo a aquella chica? ¿Lo conocía ella a él? A lo mejor era que simplemente le recordaba a alguien. Estaba rodeado de gente, de un bosque de caras.

Bajó la vista hacia las botas y tiró de la bolsa de red para situarla más alta. Necesitaba un huevo duro, un crucigrama, un té y Tchaikovsky. Y tal vez, sí, tal vez, un poco de charla con Sveta. Tal vez no fuera necesario esperar a que llegara la hora del ensayo. Tal vez podía llamarla un momento por teléfono. Y hablar con ella sobre el buen tiempo que hacía, el orden del ensayo, la situación en Chechenia o pedirle una receta para preparar *borscht*. A lo mejor haría eso. Aceleró el paso para llegar lo antes posible a la parada del trolebús.

LA PRINCESA

Polly estudió el reflejo de su imagen en la ventana. Debajo de sus grandes ojos negros había machas grisáceas y los pómulos resplandecían blancos y afilados en contraste con el cabello. Se había acostado tarde y se había levantado temprano. No le sorprendería acabar pillando un resfriado; el año empezaba a estar demasiado avanzado para montárselo hasta medianoche en los bancos del parque.

Pero no le había quedado otro remedio. Vlad estaba pletórico y había pasado la velada dándose importancia con palabras larguísimas, pavoneándose con exclamaciones, soltando fanfarronadas médicas; y ella había tenido que seguir allí. Vlad le había repetido, casi palabra por palabra, la historia que aquel anciano le había contado y las conclusiones que había extraído sobre cómo había influido aquello en su actual estado de salud. Ella no le había formulado preguntas. El niño polilla, el incendio de la casa, las chispas iluminando el cielo nocturno, los rostros devastados de familiares y vecinos; se lo había expuesto todo como si fuera un cuadro y ella lo había contemplado sin parar de tiritar. Cuando la gente decía que el vodka te calentaba por dentro, se equivocaba por completo.

—Y resulta que su primo, ya sabes, el que disfrutaba asustándolo, el que le contaba todas aquellas viejas historias, ¡es ese viejo armenio! ¿Qué probabilidades hay de que no sea así? Anatoly Borisovich está allí, completamente solo en el Vig… y no ha ido nunca a visitarlo, ¡ni una sola vez!

Polly dio un trago a la botella y se la pasó a Vlad.

—¿Y eso te sorprende? A mí no me sorprende. Está mucho mejor sin él.

—Tal vez tengas razón en lo que dices. Pero aun así… —Vlad le dio también un trago e hizo una mueca—. Uf, la próxima vez creo que podríamos añadirle un poco de Coca-Cola, ¿no?

—¡Tú y tu Coca-Cola! —Se inclinó hacia él y le pasó la lengua por unos labios con sabor a alcohol—. Sabes que está llena de azúcar y de productos químicos.

Vlad rio entre dientes y deslizó la mano hacia la parte posterior del pantalón de ella.

—¿Crees… crees que puedes curarlo, Vlad?

La mano le apretó las nalgas.

—No creo que «curar» sea la palabra más adecuada, princesa. Ha recordado muchas cosas, pero es viejo, frágil… y tiene la mente totalmente en blanco en cuanto a su pasado reciente. Emitiré un diagnóstico, unas recomendaciones… nunca se sabe, pero dudo que vuelva a casa. —La otra mano se metió también dentro del pantalón—. El doctor Spatchkin está además preocupado por el estado de su corazón.

—¡En sus notas no menciona nada sobre el corazón!

Las manos se quedaron paralizadas y Vlad se apartó un poco para quedarse mirándola.

—¿Y cómo sabes tú lo que hay en sus notas?

Polly lo miró a los ojos, levantó la barbilla y decidió contarle la verdad.

—He leído su expediente.

Vlad casi se cae del banco.

—¿Qué quieres decir con eso de que has leído su expediente?

—¡No me mires así! Fue cuando vine a verte, la otra semana. Te quedaste dormido. Y me aburría. Y, por si no lo sabes, yo también estoy estudiando gerontología. Leo muchos expedientes. Dormías con toda la boca abierta —añadió. Imitó un ronquido, se encogió de hombros y le pasó la botella.

Había tenido que trabajar duro para hacerle olvidar aquello. Lo cual era excepcional. Vlad se había comportado como el perro que mordisquea la pierna de Baba, distinto al macho cabrío que solía ser, al que guiaba fácilmente tirándolo por los cuernos. Al final, se metió en la cama con los dedos de manos y pies completamente entumecidos. Pero había valido la pena.

Y ahora seguía allí, contemplando su imagen reflejada en los cristales llenos de polvo del escaparate de la farmacia, donde normalmente tendría que haber fichado aquella mañana. El sombrío aburrimiento del primer turno le había arruinado el día durante todo el verano, la había reducido a casi nada. Por eso hoy estaba disfrutando tanto haciendo novillos. Resistió la tentación de escupir en la puerta y se concentró en lo positivo: su inteligencia, su belleza y sus recursos. Se colocó bien el sombrero, cuya lana roja complementaba a la perfección el brillo azabache de su pelo. Les había dicho que estaba enferma, pero le traía sin cuidado que la vieran.

Sonrió con serenidad y siguió andando. Resultaba gracioso lo fácil que era aguantar todo lo que te cayera encima, cualquier tipo de trabajo rutinario, deserción o desesperación, cuando veías claramente una salida, reunías el coraje suficiente y dabas los pasos necesarios para lanzarte a por ella.

Se detuvo al llegar ante un panel de teléfonos públicos grises que brillaban bajo el sol otoñal como si fueran babosas gigantes. Tendría más intimidad aquí que en la residencia de estudiantes. Eligió un teléfono capaz de realizar llamadas interurbanas y sacó la cartera, cargada con fichas telefónicas de plástico de color marrón. Sacó a continuación la agenda, donde había escrito rápidamente el número y la dirección del piso la misma noche que leyó el expediente. La misma noche que cogió la llave. Volvió a sonreír al pensar en lo inteligente que era y marcó el número. Se oyeron todos los «pips» de rigor e introdujo las monedas de juguete.

—Hola, ¿es Babkin? Sí, soy Polina. Quería… sí, no se preocupe por eso… si las losetas de moqueta se levantan, ya las sustituiré. No pasa nada. —La voz de Babkin se arrastraba con dificultad entre sus encías curtidas. La verdad es que no le apetecía entrar en detalles. Decidió levantar la voz e interrumpirlo—. Mire, tengo buenas noticias: el problema por mi parte está totalmente resuelto y puedo prolongar el alquiler con carácter indefinido. —Hizo una pausa a la espera de que los balbuceos de agradecimiento del otro lado de la línea se apaciguaron—. Estoy segura de que lo entenderá, pero el caso es que ahora las circunstancias han cambiado para mejor, necesito tres meses de alquiler, por adelantado… en efectivo, en dólares.

A Babkin no le gustó la propuesta. Chilló ferozmente. Ella siguió impertérrita.

—Se lo explicaré otra vez. Cuando era un alquiler de corta duración, podía ir pagando semana a semana, pero ahora que será un alquiler largo, me veo obligada a pedir el precio de mercado. No iré a robarme a mí misma, ¿no le parece? Y en Rostov, el precio de mercado implica una fianza de tres meses.

Esperó a que se hiciera el silencio y dejó que la pausa se acomodara.

—En este caso, no me deja otra elección. Si no piensa pagar, tendrá que irse. En dos semanas; lo pone en el contrato…

La réplica de Babkin fue subiendo de tono, pero Polly supo enseguida que se marcharía. No tenía permiso de residencia, no se atrevería a ir a la policía. En realidad, no tenía dónde agarrarse. Le recordó aquellos detalles y colgó. Le salieron de la nariz dos columnas gemelas de humo.

Babkin podía irse. Si el anciano se quedaba ingresado para tiempo en el Vig, encontraría un inquilino más solvente, alguien con carácter semipermanente, que pudiera pagar por adelantado. Alguien con dientes y con trabajo. Una familia obrera, quizá. Sus mejillas se iluminaron con una sonrisa. Tal vez debería aconsejar al buen doctor Vlad sobre el tratamiento a aplicar al viejo. Utilizar un poco de psicología… Y asegurarse de este modo de que nunca jamás volviera a su piso de Rostov.

Siguió dándole caladas al Pall Mall mientras andaba. Limpiaría como es debido en cuanto Babkin se hubiera ido: hasta el momento solo había tenido tiempo de meter un par de cajas en armarios. El inquilino estaba acampado entre colecciones de cuadros y papeles, montañas de libros, una alfombra medio podrida de pelo de oveja, un feo maniquí y a saber qué más cosas. El piso había sido del estado, por eso aquel hombre tenía un alquiler tan bueno. Polly vio su imagen reflejada en el cristal de un escaparate y contuvo la respiración: su sonrisa era preciosa, audaz incluso. La sonrisa de una triunfadora.

Siguió andando, de camino a la parada de autobús pero incapaz de resistir la llamada de los almacenes Flamenco Blanco y sus piezas de artesanía. Durante gran parte de su juventud, las estanterías habían estado medio vacías y le habían parecido poco atractivas. Odiaba aquel establecimiento. Pero las cosas estaban cambiando: los emprendedores empezaban a tomar ventaja, tanto en el comercio como en todas las demás áreas de la vida. Habían cambiado los neones del rótulo y el Flamenco Blanco se había encontrado a sí mismo. Dentro de sus paredes, reemplazando los polvorientos libros de texto y productos checos de maquillaje que solo podías mirar pero no comprar, resplandecían numerosos oasis de interés. Incluso los maniquíes asexuados que montaron guardia durante la caída de la Unión Soviética habían renacido y esbozaban ahora un rictus resplandeciente vestidos con polos de origen lituano de colores estridentes, pantalones estilo Capri recién llegados de Turquía y braguitas chinas de encaje.

Había una sección que fascinaba a Polly, y en la que no había ni un único producto de importación. Empujó la puerta metálica ligeramente abollada y pasó de largo el Mostrador Número Uno, «Productos escolares y de papelería», que para ella siempre había sido como un desierto, y llegó a su tesoro escondido, su Shangri-La: el Mostrador Número Dos, «Regalos y *souvenirs*».

En una vitrina de cristal, con una parte superior rallada en la que no estaba permitido apoyarse, destellaban todos los colores del arcoíris, formas brillantes y figuritas relucientes. Cristal, porcelana, madera pulida y laca: trabajos complejos, bellos, minúsculos y valiosos. Polly acercó las manos al cristal impenetrable y observó. Fue como si sus ojos negros enmudecieran y empezaran a tomar nota de cada curva y de cada muesca de aquellas piezas de artesanía. Sus favoritas eran las piezas de Palekh: cajitas que servían a modo de joyero, lacadas en negro y cada una de ellas decorada con una escena distinta del folclore ruso representada mediante diminutas pinceladas. El valor de esas cajas se situaba por encima de los ciento cincuenta dólares. Eran una inversión segura, eso sí que era oro negro. Contó las cajas, reconociendo con facilidad las escenas de cuento de hadas representadas: el pájaro de fuego y el lobo gris; Ruslan y Ludmila; una troika tirada por tres caballos de largas patas, cuya crin recordaba la cresta de las olas; el pico mágico; el Rey del Frío, con su abrigo de pieles y sus botas; y su favorito, la valiente e intrépida Princesa Rana. Observó las diminutas imágenes que decoraban los laterales de una caja, dejando volar la imaginación, como una niña. Allí estaba la princesa Vasilisa la Sabia, con la piel de rana después de haberla mudado; Vasilisa haciendo magia; su esposo el príncipe buscando cómo salvarla del maleficio de Baba Yaga y la derrota final de su malvado enemigo, Koschei el Inmortal. Polly levantó la cabeza, insensible a los empujones de los compradores y con los sentidos impregnados por el olor del pantano, el jadeo del bosque negro, la choza sostenida por unas patas de pollo y el poder de la magia.

Se sentía reconfortada: en armonía con la madre Rusia, aunque no con su progenitor. ¿Acaso no estaba siguiendo los pasos de sus ancestros? ¿Quién necesitaba familia cuando existían antepasados?

La princesa del cuento se había aferrado a la felicidad, se había creado su propio destino. Vlad la llamaba su princesa. Y lo sería. Pero las princesas necesitaban dinero.

Solo mirando aquellas cajas notaba que se le relajaba el alma, que la expresión se le serenaba, porque sabía con toda seguridad que pronto, muy pronto, serían suyas. Aquellas cajitas le decían que no era una estúpida. Aquellas cajitas le decían que todo saldría bien. Aquellas cajitas eran sus amigas, y su seguridad. Nunca se cansaría de ser propietaria de cajas de Palekh.

—Chica, apártate, ¿quieres? ¡No me dejas ver la porcelana!

Un hombre desnutrido, con nariz afilada y los ojos planos y grises de un tiburón, le echó en la cara el aliento con olor a tortilla del desayuno cuando se acercó para examinar una representación en cerámica del héroe popular Sadko, que parecía un helado fofo y glaseado en comparación con la oscura delicadeza de las cajas de Palekh. Se apartó del sobaco de la chaqueta de cuero del hombre, que tenía un aspecto frío y ligeramente baboso.

—Es encantadora —observó el hombre en voz baja, pasándose la lengua por los labios—. Tal vez para una inversión, pensando a largo plazo. ¿Cuánto vale, lo ves? Me cuesta contar los ceros.

El hombre arrugó la nariz para enfocar de nuevo sus ojos mortecinos y Polly miró a su alrededor, confusa.

—Dime, chica, ¿cuánto vale? —dijo con más insistencia, mirándola directamente por fin. Tenía la boca con hilillos de saliva y, en su interior, una dentadura avariciosa—. ¿No sabes leer?

Polly no miró el precio, sino que lo miró a los ojos y dijo:

—No se preocupe. No puede permitírselo.

Antes de salir, se paró en la cafetería, como siempre, solo para mirar, y recordar. Aquella cafetería: su padre solía llevarla a ella y a su hermano como un regalo, años atrás, cuando ella era tímida e inmadura y él era un payasito de mejillas sonrosadas. Su padre les pedía una galleta y un vaso de *kvas* y les decía que esperaran allí mientras iba a buscar bombillas, o bragas, o vodka o lo que quisiera que no había conseguido permutar o pedir prestado. Petya cantaba canciones sin letra, sin soltar su mano pegajosa de la de ella, y la miraba con los ojos muy abiertos, con confianza. Cantaba y cantaba, feliz de estar en aquel lugar tan caliente, feliz con su *kvas* y su galleta. Siempre estaba contento. Al cabo de un rato, ella le decía que parase. Lo hacía callar y lo amenazaba con quedarse con la galleta. Ella intentaba hacerse la finolis y él era un fastidio. Tendría que haberle dejado cantar. Lo que daría por oírle cantar de nuevo. Lo que daría por oírle reír. Hacía muchísimo tiempo que no escuchaba su voz. Y ahora odiaba el *kvas* y las galletas.

Dio media vuelta, salió cerrando la puerta con fuerza y echó a correr hacia la parada del 8A para regresar a la residencia de estudiantes. Ni el olor a perro mojado ni las miradas de los desconocidos lograron hacer estallar su burbuja. No estaba dispuesta a permitir que la residencia, la habitación compartida, la basura amontonada en las cocinas y los gatitos tullidos atrapados en la escalera la deprimieran. El autobús, la residencia, la universidad, la espantosa jefa de la farmacia, Maria Trushkina; todo era temporal. Se abriría camino y saldría de aquello.

Diez minutos más tarde enfilaba ya el camino de acceso. Los ventanucos negros la miraban amenazadoramente desde los cuatro pisos de altura, con sus bandadas de bolsas de plástico anidando en los alfeizares: las «neveras» estudiantiles, aleteando como grajos anclados allí. Sonrió, y se preguntó si se permitiría comprar una mininevera en cuanto tuviera su nuevo inquilino.

En cuanto accedió al vestíbulo, una forma encorvada y huesuda salió disparada de detrás del mostrador y le llamó la atención blandiendo un papel por encima de la cabeza.

—¡Oye, oye! —gritó la forma.

—Elena Dmitrovna, ¿tiene algún mensaje para mí?

Sabía que le esperaba una función, como siempre. Intentó no poner mala cara.

—Así es, y parece interesante —respondió una voz que parecía madera astillada.

—¿En serio?

—Sí.

—¿Puedo verlo?

La anciana retuvo el papel pegado a su pecho y se colocó a la distancia adecuada para poder ver bien a Polly. Carraspeó, infló de aire las mejillas y a continuación las hundió, frunciendo el entrecejo.

—¡Ay, esta ciática!

—Le prometí unas pastillas, ¿verdad? No lo he olvidado. Pero es que hay tanto trabajo en la farmacia que no tengo ni tiempo para mí. Se las traeré. Esta semana. Segurísimo.

Polly sonrió y entrecerró los ojos. Elena Dmitrovna tamborileó con los dedos el papel que seguía sujetando.

—¿Mañana?

—¡Por supuesto!

—Muy bien.

La anciana le entregó el papel y se quedó donde estaba, bloqueándole a Polly el paso hacia las escaleras.

—¿Y? —dijo.

Polly leyó el mensaje en silencio.

—¿Lo ves? ¡Una vidente! ¡Muy interesante! ¡Ya te lo dije!

La anciana se puso a dar saltitos y el cargado llavero que llevaba en la cintura tintineó.

Polly la miró con exasperación.

—La que ha llamado ha sido tu amiga Alla.

—Sí, eso ya lo veo.

Dio un paso hacia la izquierda. La portera la imitó, y siguió bloqueándole el paso.

—Parece que quiere verte.

—Sí —dijo Polly.

Dio un paso a la derecha. La anciana volvió a bloquearla.

—Ha dicho que hacía tiempo que no os veíais.

—No…

—Y se ve que no ha está muy bien.

—¿Ah sí?

Polly asintió y rodeó corriendo a la mujer en dirección a la escalera.

—Y tu Vladimir también ha llamado.

Se detuvo con el pie izquierdo en el segundo peldaño. Cerró las manos en puños en ambos costados. No se giró.

—¿Y?

—Piensa que deberías ir a lo de la vidente. Dijo que podría… no, que te valdría la pena; sí, eso fue justo lo que dijo. —Elena Dmitrovna se retiró hacia la penumbra del mostrador y de la maltrecha silla que había detrás—. Ha dicho que lo llames lo antes posible.

Polly dio un puntapié al peldaño y bajó de nuevo la escalera en dirección a las puertas dobles de la entrada.

—Hemos estado charlando un poco. Es un joven encantador, ¿verdad? ¡Un médico! Puedes llamar desde aquí si quieres. ¡Te prometo que no escucharé!

La risa de la anciana silbó entre sus dientes podridos como el viento entre los árboles cuando Polly cerró de un portazo la puerta de la residencia para salir en busca de un teléfono. Cuánto aborrecía a la vieja.

COLORES Y LÁPICES

La auxiliar gruñona llenó de polvo y ruido la habitación cuando las lamas metálicas de la persiana chocaron contra la parte superior del marco. Los ojos de Anatoly Borisovich, deteriorados por el tiempo, se abrieron de golpe. La luz de día inundó la mesita de noche e iluminó los lápices y el papel de dibujo, casi como si fueran reales. Forzó la vista y se impulsó para incorporarse un poco y extender la mano hacia las láminas; cuando notó que el papel se doblaba con el contacto, emitió un grito de alegría.

—¡Esto es maravilloso! —exclamó por fin, temblando de impaciencia al acariciar los suaves cilindros de los lapiceros.

Era capaz de percibir los colores sin mirarlos: sabía que ese era azul, aquel rojo, este amarillo. Desprendían energía, una frecuencia que le producía un cosquilleo en la punta de los dedos, que latía brazo arriba hasta alcanzar el corazón. Rio y, excitado, palmeó las sábanas.

—¡Esto me salvará la vida! ¡Claro que sí!

—¿Piensa entonces dibujarnos alguna cosa? —preguntó la auxiliar de espaldas a él, mientras llenaba a cucharones un cuenco abollado de aluminio con gachas de alforfón.

—¡No, esto es para comérmelo! —replicó Anatoly Borisovich con una carcajada que le salió del estómago y bailó por toda la habitación.

La auxiliar resopló. Anatoly Borisovich se disculpó y le confirmó que, naturalmente, alguna cosa dibujaría.

La auxiliar dejó el cuenco y una cuchara en la mesita de noche y bufó.

—¿Y qué piensa dibujar, si no es ningún secreto?

—Pues no lo sé, tendremos que esperar a ver. Cuando coja los colores, me dirán qué dibujar. Planificar estas cosas es imposible… tienes que ir allí donde te lleven.

—¿Podría dibujar ese árbol? —La auxiliar miró hacia la ventana con las manos posadas en las caderas—. Es el último. Los demás acabaron pudriéndose.

—Si todo lo demás falla, sí, podría dibujar ese árbol —respondió Anatoly Borisovich. Acarició el lápiz amarillo, luego el rojo—. ¿Me los ha regalado Vlad? Le dije que quería dibujar. Ha sido Vlad, ¿no? Él me entiende…

—¿Vladimir? ¿El estudiante? Bromea. Anda demasiado ocupado con esa chica suya tan sofisticada. ¿Sabe? La semana pasada los pillé en el despacho. Está obsesionado… —Se calló y se alisó el delantal al ver que Anatoly Borisovich la estaba mirando, boquiabierto—. Bueno, da igual. Se los ha traído el doctor Spatchkin, desautorizando las órdenes de la supervisora. Cree que dibujar le ayudará a aliviar su confusión. Y también las pesadillas.

—¿Pesadillas?

—Por las noches se le oye gritar. Monta usted mucho escándalo. Y debemos informar al respecto. —Se cruzó de brazos y suspiró—. Diría que ha dado un vuelco hacia peor. No quiere comer —dijo, mirando el cuenco.

Anatoly Borisovich dejó los lápices y miró las gachas con una falta total de interés.

—Mi apetito no tiene ningún problema que una comida razonable no pueda solucionar.

El repentino subidón de energía empezaba a esfumarse. Se recostó sobre las almohadas, demasiado cansado para poder moverse, demasiado cansado, casi, para respirar. Tenía razón con lo de las pesadillas.

Pero con todo y con eso, como si fuera una voz muy lejana, oyó que el lápiz de color verde estaba llamándolo.

—Siento las molestias. A veces tengo la sensación de que he recordado demasiadas cosas y todo se me echa encima… me asusta, me confunde. —Levantó una mano para cosquillear el lápiz verde y después acariciar el papel de dibujo—. El dibujo es mi gran amor. A lo largo del caótico recorrido de la vida, siempre me ha ayudado a poner orden a mis pensamientos. Con Vlad, el otro día, recordé muchas cosas. Tal vez demasiadas. No ha vuelto a visitarme y desde entonces…

—¡Olvídese de ese Vladimir! ¡No sé quién se cree que es, diciéndome que tengo que lavarme las manos entre paciente y paciente! Es un sabelotodo. No debería comer queso antes de irse a dormir —dijo la auxiliar, e hinchó el pecho, pegándole la barbilla, para empujar el carrito de las gachas hacia la puerta.

—En eso lleva usted razón —dijo Anatoly Borisovich, con una sonrisa amable, pasado un momento—. Aunque, la verdad, no es que el queso sea muy habitual por aquí. Pero me gustaría que volviese.

La auxiliar se encogió de hombros y volcó su atención en el carrito, cuyas ruedecillas traquetearon en cuanto empezó a empujarlo.

—Anda por aquí. Imagino que habrá terminado con usted de momento. Qué disfrute con sus dibujos.

Las ruedecillas rodaron con fatiga bajo el peso de las gachas hacia la siguiente habitación: la llamada de rigor a la puerta, el sonido vago de la voz de dentro, la entrada de la auxiliar. Anatoly Borisovich no conocía a su vecino. Y seguía sin recordar cómo había llegado hasta allí. No recordaba ni el trayecto ni cómo debía de ser el edificio visto desde el exterior. No recordaba ni siquiera el verano. Lo sucedido sesenta años atrás, sí, eso lo recordaba con bastante claridad, ¿pero lo de hacía seis meses? ¿Tres meses? Aún tenía pendiente encajar todas las piezas. Observó el horizonte gris, las marismas, el árbol y empujó hacia un lado las asquerosas gachas. Colocó en su lugar cuatro láminas de papel y todos los lápices de colores. Empezó con círculos, cuadrados, formas geométricas, concentrándose en pensar y a la vez sin pensar en nada, con la mano temblorosa por el esfuerzo.

Empezó con lo fácil: recordando dónde vivía. Que no era precisamente allí, junto al mar. Era en la ciudad. ¡En Rostov! Naturalmente, ¿cómo había podido olvidarlo? ¿Rostov era ahora su ciudad? Cerró los dedos alrededor del lápiz azul. Recordó poco a poco su apartamento, el que había sido su hogar durante muchos años, y todas las cosas bonitas con que lo había decorado. Sobre su cabeza empezó a verterse un batiburrillo de muebles y objetos olvidados desde hacía muchísimo tiempo, como la lluvia que cae en un cubo, cada vez con más fuerza, hasta que la superficie del agua empieza a bailar. Lo veía todo: la alfombra de pelo de oveja, el maniquí con su sombrero de chamán, los libros en la estantería, su caballete, los mapas y los papeles esparcidos por encima del escritorio y, lo mejor de todo, su caja de zapatos, donde guardaba los tesoros especiales, escondida bajo el sillón. Recordó la vista sobre los árboles del jardín: una arboleda, justo al lado de la ventana. Recordó su quietud. Gatos y cuervos, piezas de ajedrez y naipes; lo recordó todo, pieza a pieza, y empezó a cuadrar el rompecabezas. La mano siguió en movimiento: más figuras, más grandes, más perfiladas. Empezó a capturar el olor del papel pintado, a percibir el cosquilleo de la moqueta bajo los pies. Percibió el rechinar del zapatero en el recibidor y el zumbido perezoso de las moscas en la cocina. Acarició el maltrecho auricular de plástico del teléfono que nunca sonaba y oyó el ronroneo del ascensor en el vestíbulo.

Todo estaba allí. El tictac de la calefacción, el chisporroteo de la radio. La lata de caramelos de limón al lado de sus bastones para caminar. Pero algo no encajaba. Intentó pensar y dibujó círculos grandes, círculos sobre círculos, ondas en un estanque. Recordó que los mapas se habían transformado en cárceles, las piezas de ajedrez en sus enemigos. Se reían de él, lo torturaban; las líneas sinuosas y las facciones duramente perfiladas le habían devorado el cerebro. Había un medicamento. Lo recordó de pronto, el sabor amargo del jarabe, la botella rota en el suelo. ¡Había tenido fiebre! ¡Eso era! Había estado enfermo en el apartamento, pegado al sofá, incapaz de andar, había sufrido sudores y temblores. Había mirado el calendario, aquellos dígitos severos y distantes, y lo había sabido… había sabido alguna cosa. Tenía expectativas, y esperó y esperó. Tenía que llegar alguien. Pero…

Al final, un vecino había pensado que allí había algo extraño: no había ido a buscar las verduras que le había prometido, no había recogido el correo. Había oído que llamaban a la puerta, golpes insistentes, pero no había podido ir a abrir. Deliraba, nada más. Tenía miedo. Solo y olvidado, sintiéndose abandonado, se había quedado esperando a la muerte mientras el sol salía y volvía a ponerse, mientras los árboles golpeaban la ventana.

Pero en vez de la muerte, había llegado un funcionario, con los zapatos sucios y un gran maletín negro, seguido por el portero. Habían entrado y le habían hablado tapándose la nariz. Habían llamado al médico, al sindicato, y a más gente.

Las hojas seguían en los árboles, el aire era cálido, se oía el sonido de las abejas…

Y había dejado que lo cogieran, como a un niño. Le habían colocado en la muñeca una pulsera de papel marrón y se lo habían llevado, sin ni un hola ni un adiós, a un lugar con fango y viento y marismas, y con un solitario pino. Durante el trayecto se había dejado ir, como una hoja arrastrada por el viento. El lápiz rascó el papel. Se olía incluso la cera.

Poco antes de cenar, soltó lo poco que quedaba de lápiz, agotado. Tenía ante él el mapa de su pasado reciente. Era fácil seguirlo, recorrerlo con el dedo, hasta su encuentro con Vlad.

Vlad, que lo había dejado hablar, que asentía, sonreía, preguntaba y, sobre todo, escuchaba.

¿Cuándo volvería Vlad? Notaba un hormigueo en los huesos, unos zarpazos en el cerebro, algo que intentaba salir. La historia no estaba acabada; no encajaba del todo. ¡Ojalá pudiera cuadrarla!

Había alguien en la puerta.

—¿Necesita ir al baño?

Anatoly Borisovich ni siquiera volvió la cabeza.

ME LLAMO SVETA

Sveta estaba mirándose en el espejo de cuerpo entero del cuarto de baño mientras el horizonte engullía el sol. Supuestamente, la luz eléctrica era favorecedora, pero el vestido negro de poliéster parecía adherirse a todos sus huecos y protuberancias. Tendría que ponerse una combinación debajo, era inevitable.

—¡Mamá! ¡Sal ya del lavabo! ¡Llevas ahí encerrada una eternidad! —gritó Albina, aporreando la puerta con los puños.

Sveta sonrió: llevaba menos de veinte segundos con la puerta cerrada. Aquella niña era puro nervio. ¡Todo un carácter!

—Sí, pequeñuela, ya voy.

La dulzura de Sveta en casa, con Albina, era un secreto que protegía como un tesoro. Durante el resto del día, en su personaje de Svetlana Mikhailovna Drozhdovskaya, profesora de inglés a tiempo parcial, era estricta, exigente, bendecida con una vista de águila y una buena mano para los castigos, capaz de poner firme hasta a una cabra. Al fin y al cabo, los años entre segundo y sexto curso constituían una fase crítica para el desarrollo de los alumnos; era un periodo en el que aún se les podía animar, durante el cual podían expandir sus horizontes. De vez en cuando, asustaba a los más tímidos con su pasión: veía cómo les temblaba el labio inferior, cómo se les fundía el cerebro hasta transformarse en mantequilla cuando les exigía más de lo que estaban acostumbrados. Pero sabía que se lo agradecerían de mayores si solo un granito de aquella pasión quedaba impreso en su alma. Sveta sabía que estaba haciendo un buen trabajo. Era la que recibía los ramos más grandes el día de la graduación, así como las mejores frutas al final de cada curso. Y, naturalmente, un gran cantidad de respeto por parte de los niños, lo cual era, como mínimo, igual de importante.

Se acercó al espejo y se aplicó una buena capa de lápiz de labios. Observó el efecto, ladeando la cabeza, y decidió que quedaba muy bien. En el fondo sabía que su talento estaba desperdiciado. Que estaba muy bien hacer que futuros fontaneros y contables recitaran a Shakespeare con algo que se aproximase a un acento británico, pero que aquello no era un reto. En su vida había un agujero. No un agujero en forma de hombre, pero un agujero. Tal vez por eso le gustaban la mística y lo paranormal, y tal vez fuera eso lo que la llevó a responder el anuncio de Gor. La excitación que podía provocar… otra cosa. Se miró en el espejo y se imaginó el corpiño arrapado, las plumas en el hombro, el brillo de la diadema. La ayudante del mago, o la ayudante del acróbata: era la vida que no había vivido, por el momento.

No le había mentido cuando le había dicho a Gor que fue ella quien invitó a su acróbata a que se marchara. No se arrepentía de ello. Pero necesitaba incorporar en su vida una pizca de algo extraordinario, una oportunidad de sentirse valiente y vivir el misterio, independientemente de que ese misterio estuviera en el fondo de una taza, palpitara alrededor de una vela o encerrado en un armario de magia.

Se empolvó la nariz mientras Albina descargaba una tormenta de golpes contra la puerta. El ensayo del jueves había sido muy raro. En primer lugar, Gor la había llamado a media tarde para recordarle la cita, algo que era a todas luces innecesario. En segundo lugar, y a pesar de que ella estaba inmersa en un intento de hacer alguna cosa con su pelo, él había insistido en seguir hablando durante diez minutos más para ofrecerle una conferencia sobre la sequía en Asia Central. Y en tercer lugar, cuando ella había llegado a su casa, lo había encontrado distante e irritable, habían ido pasando rápidamente de un truco a otro, de habitación en habitación, corriendo entre luces y atrezo siempre con manos temblorosas. De vez en cuando, había apreciado un toque de color en sus mejillas. Pero lo más extraño de todo era que había intentado sonreír, varias veces. Aún no conocía a Gor como un hermano, pero sí lo conocía lo suficiente, y sabía que su sonrisa era mala señal. En los días siguientes había tenido tentaciones de llamarlo, solo para comprobar que seguía vivo. Pero era poco probable que respondiera al teléfono, o incluso a la puerta. Confiaba en que *madame* Zoya fuera capaz de proporcionarle esta noche el consuelo que necesitaba.

Abrió la puerta del cuarto de baño.

—No sé por qué te molestas con ese lápiz de labios, mamá. Sigues pareciendo vieja —dijo la niña, abriéndose paso para ocupar su lugar frente al espejo.

—Albina, eso que dices no es nada amable. Tengo cuarenta y tres años, y aparento cuarenta y tres, eso es todo.

—Se te ve vieja. ¡Mírame a mí! Yo soy joven y... y... —Albina contempló el reflejo de su cuerpo en el espejo, girándose y volviéndose—. ¡Y... gorda! —Le sacó la lengua a su imagen e infló las mejillas—. No me alimentas bien, mamá. Me estás poniendo gorda. ¡Tendríamos que comer yogur danés a diario! ¿Por qué no tenemos yogur danés? Es lo que comen las otras niñas.

Sveta sonrió de camino a su habitación.

—No necesitamos comida de importación. Esos yogures están llenos de químicos. Y piensa en la de kilómetros que tienen que recorrer.

—¡Eres una anticuada! —Albina salió del baño para seguirla—. Que sea de importación no significa que sea malo.

—Pero tampoco significa que sea bueno, *malysh*. Cuando yo era pequeña...

—¡Qué aburrimiento! —vociferó Albina—. ¡Me tienes aburrida! ¿Por qué siempre hablas solo de ti? ¡Yo no te importo nada de nada! ¡Ni siquiera me compras yogur! —Salió furibunda de la habitación, pataleando en el parqué en dirección a su guarida—. ¡No me compras nada! —añadió, dando un portazo.

Sveta miró a la niña y soltó lentamente el aire. Nunca había pensado que tener una hija sería así. Apenas recordaba sus fantasías antes de que Albina naciera; se había imaginado una compañera, con gustos similares a los de ella, que la ayudaría en la cocina, iría a clases de *ballet*, adoraría la poesía de Pushkin y el pop de Alla Pugachova. Una hija que la quisiera y a la que pudiera leer por las noches. No una niña que enseñara a un periquito a soltar tacos. Sonrió y se meneó en el interior de la combinación, recolocándosela por un lado y por el otro. En la vida nunca sabías dónde acabarías. Y esa era, en parte, su gracia.

Se repasó el lápiz de labios y fue al recibidor a buscar las botas de agua. Oyó que Kopek decía alguna cosa desagradable y que su hija tarareaba la música de un anuncio de queso procesado que salía en televisión.

—¡Hasta luego, cariñito! —gritó—. Tía Vera pasará por aquí a las siete, así que no estarás mucho rato sola. Y báñate.

Albina asomó la cabeza por la puerta del final del pasillo. Kopek estaba instalado en su pelo.

—Dile al señor Papasyan… dile que espero que se encuentre mejor.

El apartamento de *madame* Zoya ocupaba el último piso de uno de los edificios más antiguos de Azov, en el centro mismo de la ciudad. Las escaleras de los cuatro tramos para acceder a él eran de madera, empinadas e irregulares. Sveta pasó por delante de puertas tapiadas y de oscuros recovecos y rincones. La barandilla le hizo pensar en una sinuosa serpiente. Resopló y maldijo la combinación que se le pegaba a los muslos y amenazaba con enredarse entre sus piernas con el movimiento, hasta que, con mano temblorosa, pulsó el deteriorado timbre del Piso Trece. Después de una larga espera, completamente en silencio con la excepción del sonido de su respiración trabajosa, la puerta se abrió un poquito.

—¿Qué desea?

—¡Vengo por lo de los espíritus!

La puerta se abrió unos centímetros más. Apareció ante ella, en la penumbra, una mujer menuda y apergaminada, con un cuerpo esmirriado envuelto por completo en tela morada, incluyendo la cabeza, coronada por un intento de turbante. Se asentaba sobre un cabello curiosamente sólido como una gallina morada en un nido azul y oscuro. Sus ojos negros, de mirada penetrante y resaltados mediante lápiz de color violeta, la observaban por encima de una nariz larga y afilada.

—*Madame* Zoya. —Sveta la saludó con una pequeña reverencia—. Gracias por preparar todo esto.

La mujer repasó de arriba abajo a Sveta con la mirada. Hubo a continuación una especie de gruñido y un bostezo, y cuando estiró la cabeza hacia delante, la luz de la escalera puso de relieve su contorno, el de una cara vieja y agrietada, como el monte Elbrus.

—Mi querida, mi querida… querida mía. Acabo de despertarme de mi siesta de preparación. ¿Y usted es?

La confusión y la indignación bamboleó las mejillas de Sveta, que se presentó y añadió:

—Estoy con Gor Papasyan, evidentemente. ¿No se acuerda? Hemos hablado por teléfono. Nos hemos visto ya muchas veces, *madame*.

—¡Por supuesto! Me acuerdo de todo, criatura, no es necesario que me des explicaciones. Es un honor poder ser de alguna ayuda al caballero y, también, a tu buena persona. He oído hablar mucho sobre ese caballero, en la biblioteca, en el teatro, cuando voy a cobrar mi pensión y, claro está, en el local de los jubilados. Es una pena que no sea socio. Estoy emocionada, la verdad. El caballero es de una calidad muy interesante en comparación con lo que suele frecuentar mi mesa. —Soltó una risotada e hizo una pausa, moviendo entre tanto la cabeza hacia uno y otro lado, provocando un precario temblor en el turbante—. ¿Y dónde está, por cierto?

—Dijo que vendría por su cuenta, *madame*. Me ofrecí a acompañarlo, pero dijo que prefería estar solo. —Se inclinó hacia su interlocutora—. Es por orgullo, imagino. Supongo que habrá oído usted hablar de lo orgulloso que es.

—Sí, y también he oído decir que es muy introvertido. —Medio cerró un ojo, mirando a Sveta, y abrió por completo la puerta—. Pasa, criatura, y ponte cómoda. Esta noche espero un montón de gente. Resulta que todo el mundo quiere saber qué le preocupa a nuestro misterioso armenio. Pero, si quieres que te sea sincera, me parece que lo que les interesa es su dinero. Hay historias que hablan de oro. ¿Sabes que fue director de banco?

El contacto que Sveta había mantenido con *madame* Zoya hasta la fecha se había limitado a una serie de audiciones sin éxito en la Sociedad de Teatro Aficionado y a varias reuniones de espiritismo en casa de una amiga, a las que había asistido también aquella mujer y les había dado algún que otro susto de muerte. Ser recibida en casa de la dama le provocaba escalofríos de emoción. *Madame* Zoya la acompañó hasta el salón, una estancia grande y de techo alto, con una pared ocupada en su totalidad por ventanales cubiertos con cortinas hasta el suelo. La primera impresión –que era un lugar increíblemente oscuro, saturado de mobiliario de todas las épocas y repleto de animales disecados horripilantes– se vio rápidamente superada por el olor. El aire que contenían aquellas antiguas paredes estaba cargado de incienso, tabaco y del aroma de algún licor nocivo, ron, tal vez. Olía a lugar donde pasan cosas. Sveta se dio cuenta de que le sudaban las manos de pura emoción.

Zoya empezó a caminar a saltitos por el salón, recolocando con manos esqueléticas ceniceros medio llenos y elementos de decoración espantosos.

—¡Necesito concentrarme! —Se detuvo para olisquear un cigarrillo a medio consumir—. ¡Ah! Sí, ya recuerdo. —Movió levemente los párpados—. Nuestro elenco de personajes, sí, el desglose es el siguiente: tenemos a Alla, del Flamenco Blanco; no es muy buena como canalizadora de energía, un poco blanda, en general, pero me hace descuento con el ron y por eso merece la pena contar con ella. Luego está Masha, del Palacio de la Juventud; le encantan el baile y los hombres, aunque ¿a quién no? —Hizo una pausa para resoplar—. Después está Nastya, de la biblioteca, que tiene mucha mano con la gente mayor; es un poco chismosa, con bastante experiencia y… espera un momento. —Encendió el cigarrillo y formó un aro de humo. Sveta tosió—. ¿Por dónde íbamos? ¡Oh, sí, claro! Tenemos a Valya, del banco. Es una escéptica, pero se asusta con facilidad. Lleva ya un tiempo viniendo. Su marido falleció, pero no quiere hablar con ella. Veamos… —Miró fijamente a Sveta con sus ojos negros—. Valya vendrá con su realquilado, el guapísimo Vlad, que es estudiante de medicina y trabaja en el sanatorio. Es nuevo. Pasó por aquí la otra tarde para presentarse y me ayudó con un poco de bricolaje. Siempre hay que validar las credenciales de los nuevos invitados, ya se sabe. Se mostró de lo más servicial, un encanto. —Cerró los ojos e hizo un mohín—. Y vendrá acompañado por Polly. Que es más o menos amiga de Alla. Tiene antecedentes complicados y ya ha estado aquí una vez, pero… mejor no… También estudia medicina y trabaja en una farmacia… lo cual es bueno para obtener medicamentos —añadió Zoya con una carcajada que le hizo saltar el cigarrillo de la boca y lo proyectó en dirección al techo de color ocre—. ¡Aunque no tengo ni idea de cómo son sus almas! ¡Ja! Y ahora veamos, ¿podría contarme alguna cosa más sobre Papasyan antes de que llegue? He indagado un poco, pero… —Clavó sus dedos afilados en la manga de Sveta.

—La verdad, *madame*, es que no sé mucho. Es una persona muy reservada. Pero las llamadas telefónicas en las que no dicen nada, los ruidos en el vestíbulo, el conejo decapitado, el bocadillo con la polilla, la cara en la ventana… todo sugiere, o al menos me lo sugiere a mí, que ahí hay magia, o el movimiento de algún espíritu o de cualquier otro tipo…

—¿… de manifestación con intenciones malignas?

—Sí.

—¡Síííí! —*Madame* Zoya estiró la palabra igual que una serpiente sisea mientras permanece enroscada—. ¡Caramba! Tenemos que sacar la mesa y montar una barricada para impedir que los fumadores colapsen el balcón. Será necesario, créame. Vamos, páseme ese taburete, ¿puede? Y la estantería, empuje la estantería hacia aquí —ordenó Zoya con una voz tan curiosa que parecía que estuviera triturando gravilla cuando hablaba.

Sveta se quedó paralizada unos instantes, sorprendida ante la orden de cambiar muebles de sitio y pensando en su combinación.

—¿No deberíamos esperar, *madame*, a que llegue algún hombre?

—¿Por qué? —cuestionó Zoya, ladeando la cabeza—. Se la ve fuerte. Le pongo como mínimo setenta y cinco kilos, ¿no? —Sveta se ruborizó—. ¡Nunca dude de su capacidad! Coja por ese extremo y, cuando yo diga tres, ¡levante!

Ambas mujeres arrastraron por el suelo de madera la librería de estilo constructivista cargada de libros hasta acercarla al balcón.

—¡Ya está! Así evitaremos cualquier accidente. —Zoya rio—. Y ahora, asegurémonos de que los niveles de iluminación son los adecuados.

Le dio a un interruptor y se quedaron completamente a oscuras.

—Me parece que está un poco oscuro, *madame* Zoya.

—Tont...

—No, de verdad, *madame*.

—¡Tonterías! ¡Cómo quieres que me concentre si la luz que pueda darme en los párpados me molesta! Creo que así es adecuado.

—Pero, *madame* Zoya, si no se ve nada.

—Ahí está la gracia.

—¿Pero no dicen que los espíritus buscan la luz, *madame*? ¿Aunque sea luz tenue... luz de velas?

—¿Velas? —Zoya se lo pensó—. ¡Ah! Sí, creo que tienes razón. Voy a buscar alguna.

Encendió de nuevo la luz y se fue para hurgar en el interior de un cajón que parecía contener un millar de cajas de rompecabezas, todas sin tapa.

El timbre anunció la llegada del primer invitado. Zoya regresó con tres velas rojas.

—¡Mira, están nuevas, tienen aún el envoltorio! Y ahora, mmm… lo siento, querida, ¿cómo has dicho que te llamabas?

—Sveta —dijo Sveta, en tono monótono.

—No te lo tomes a mal, Sveta, querida, es la edad. Y ahora recuerda: en la sesión, tu trabajo consistirá en garantizar que reine la calma más absoluta. De lo contrario, mi situación se verá comprometida.

—Sí, *madame* Zoya. Mantendremos la calma —dijo Sveta muy seria. Utilizaría sus habilidades de maestra para garantizar una conversación ordenada con el mundo de los espíritus. Dobló las manos e hizo crujir los nudillos.

Apareció en la puerta una procesión de jóvenes y curiosos, de mayores y expertos. Sveta se encargó de ir cogiendo los abrigos e intentó imbuir calma en cada apretón de manos. A pesar de que ella tenía las manos sudadas. ¿Cuándo llegaría Gor?

Volvió a sonar el timbre. Se levantó de un salto para ir a abrir la puerta, esperando encontrarse con las facciones taciturnas de Gor, pero se quedó paralizada, con el aliento solidificado en la garganta. Tenía ante ella la belleza del Palacio de la Juventud.

—Buenas tardes —murmuró el chico. Sus ojos grises la acariciaron con la mirada.

—¿Sí? —dijo Sveta, sonriendo sin prácticamente respirar, con el corazón acelerado y trasladando la mirada hacia la boca entreabierta de su interlocutor.

—Venimos por lo de la sesión de espiritismo —respondió la chica alta y morena que lo acompañaba.

Sveta se sobresaltó. Ni siquiera se había percatado de la presencia de la chica, que estaba evaluándola con sus ojos oscuros.

—¡Ah, Vovka! ¿Al final habéis venido? —gritó Valya desde el

pasillo, abriéndose paso y mostrando sus dientes de oro mientras extendía las manos rollizas a modo de bienvenida.

Sveta se mantuvo en su sitio. Quería una presentación formal.

—Me llamo Sveta y soy la ayudante de *madame* Zoya para esta velada. ¿Y ustedes son?

—Vladimir Petrovich, pero llámeme solo Vlad, por favor.

—¡Oh, qué moderno!

Sveta le tendió la mano. Vlad se la cogió y le rozó la piel con los labios.

—Polina —dijo la chica—. Pero la gente me llama Polly.

Sonrió, y su mirada se deslizó por encima de la cabeza de Sveta antes de abrirse paso para entrar en el piso.

—¡Descálcense! —ordenó Sveta, cuando oyó el sonido de los tacones al cruzar el umbral.

—Creía que os habíais perdido —dijo Valya, que sujetaba un vasito con zumo—. Alla y yo hemos estado una eternidad esperándoos en la esquina, y al final hemos desistido; ella empezaba a sufrir por sus problemas —añadió, dándole un codazo de entendimiento a Polly, que la chica respondió con una mueca antes de pasar rápidamente al salón.

—Lo siento, Valya —dijo Vlad, que le cogió la mano que tenía libre para saludarla también con un beso.

El rostro de Valya se iluminó.

—Pasemos al salón. La otra noche ya conociste a *madame* Zoya, ¿no? ¡Tendrás que enseñarme el trabajo de bricolaje que has hecho!

—¡Por supuesto, pero antes un momento! Tengo que quitarme las botas.

Sveta se miró en el espejo del pasillo para retocarse el pelo. A sus espaldas, Vlad se agachó para quitarse las botas y sus nalgas adoptaron el aspecto de dos pequeñas lunas.

—No tuvo importancia —continuó Vlad—. Hice un pequeño inventario de los trabajos que hay que hacer, le eché un vistazo al balcón.

—¡Eres un buen chico! —comentó Valya, sonriendo.

Gor fue el último en llegar. Recorrió el pasillo y habló poco, intentando ignorar los ojos curiosos que lo miraban desde el otro lado de la puerta del salón. No soltaba el abrigo, y se habría quedado con él puesto de no haber insistido Sveta.

—¡Oh, vamos, Gor, si piensan que está usted a punto de irse los espíritus no vendrán!

—¡Los espíritus no vendrán, y punto! Sveta, escúcheme. —Se plantó delante de ella, pálido y triste—. Todo esto no son más que tonterías y creo que no tendría que haber venido. Me equivoqué dándole a entender que esto podría ayudarme, pero es que no era mi intención herir sus sentimientos. Yo…

La frase quedó cortada cuando *madame* Zoya se abalanzó sobre él, con toda la fuerza que una mujer minúscula con un pollo morado en la cabeza podía utilizar para abalanzarse.

—¡Mi querido Gor! —exclamó, uniendo las manos a la altura de su huesudo pecho.

—*Madame* Zoya —dijo Gor, estudiándola con atención—. No creo que nos conozcamos.

—No en persona, cierto, pero tengo la sensación de que lo conozco. ¡Tiene usted un aura tan potente que se huele por todo Azov! —Sonrió, exhibiendo dos hileras de dientes minúsculos rematados a ambos lados por afilados colmillos—. Le aseguro que nunca es demasiado tarde para luchar contra el destino. ¡Me emociona que me haya elegido para que le ayude esta noche!

—Qué el Señor me dé fuerza —murmuró Gor.

ZOYA PREGUNTA A LOS ESPÍRITUS

Gor fue guiado hacia el salón como si fuera un condenado al patíbulo. Después de un rato considerable de lío y discusión entre las mujeres reunidas a su alrededor, fue colocado enfrente de *madame* Zoya en la sólida mesa oval. Cuando Vlad intentó ayudarlo retirándole la silla, sus ojos echaron chispas, negros y asustados, bajo de unas cejas pobladas.

—¡No soy ningún inválido, se lo aseguro!

Los demás asistentes ocuparon su lugar y Vlad se encargó de presentar la silla a cada uno de ellos. Sveta se colocó entre Polly y Vlad, aunque tuvo que forcejear bastante con Valya para conseguirlo. Se deleitó contemplando su elegante figura: el pantalón gris de cuadros apenas lograba contener sus muslos y los músculos de los antebrazos se hicieron visibles cuando sirvió el agua. Era muy consciente del roce de su rodilla contra la de ella. Nunca había visto un hombre como aquel en una velada de espiritismo; los hombres que asistían solían ser criaturas pálidas, que parecían palos doblados. Pero ese tal Vlad no era un palo doblado. Vlad fue mirando a las mujeres, una a una, y escuchándolas con atención. Sveta suspiró.

Encendieron las tres velas y las convencieron para que se mantuvieran rectas. Las mujeres, con ojos y bocas muy abiertas, empe-

162

zaron a charlar con nerviosismo entre ellas. Se retocaron el pelo y el maquillaje.

—Me alegro de que hayas podido venir, Polly, hacía mucho tiempo que no te veía —susurró Alla desde el otro lado de la mesa, dando unos golpecitos a la mano de la chica—. ¡Oh, estás helada! ¿Quieres mi chaqueta?

—¡No! —Polly se recostó en la silla, arrugó la nariz e hizo una mueca de disgusto cuando Alla se inclinó hacia ella para envolverla en un miasma de alquitrán de hulla y de poliéster—. Ha pasado solo un mes, ¿no? No hace tanto. He estado muy liada estudiando.

—¿Estudiando? —repitió Valya en voz alta, meneando la cabeza como un toro enfadado—. No sé me ocurre qué asignatura.

Polly contuvo una carcajada, sacó del bolso un puñado de pipas de girasol y empezó a pelarlas expertamente con la ayuda de la lengua y los dientes, tirando las cáscaras al suelo.

—Yo solo quería… comprobar que no hay resentimiento. —Alla se inclinó por encima de la mesa de forma exagerada, hasta el punto que el esternón rozó el mantel, y su voz descendió hasta transformarse en un murmullo teatral—. Ya sabes, por lo de prestarte ese dinero…

Las mejillas de Sveta se bambolearan inconscientemente como resultado del interés que el comentario suscitaba y, cuando el silencio cayó sobre el salón, Valya acercó la nariz a una cáscara de pipa para olerla. Polly echaba chispas por encima de la cabeza agachada de Alla, instándola de ese modo a callar, pero continuó hablando, como si nada.

—Y quería comentarte lo de mi estómago. Últimamente estoy fatal y…

—¡Por supuesto! —dijo Polly, asintiendo—. Aunque mejor más tarde. Ahora tenemos que concentrarnos en los espíritus, Alla. Vlad, ¿verdad que podrías servirme un poquito de vodka, cariño? Creo que me está empezando a doler la garganta.

Vlad se levantó sin hacer ruido, sonriente, como si nada en el mundo le apeteciera más que aquello. Los siete pares de ojos femeninos siguieron atentamente sus pasos. Cuando regresó, Polly cerró los ojos y engulló de un trago la copa.

Gor observó a la chica mientras esperaba. Le resultaba extrañamente familiar: aquella cara, los ojos y el pelo oscuro, la piel clara con pequitas, la sonrisa dulcemente felina... aunque, a decir verdad, la mujer robusta del pelo naranja y con las pipas también le sonaba. La miró, pero rápidamente apartó la vista.

—Hace ver que no me reconoce —le dijo en voz baja Valya a Alla, que se había apartado de Polly por si acaso le contagiaba la infección. Cerró la boca con tanta fuerza que se le frunció automáticamente el ceño—. Ni un saludo, ni una palabra. ¡Es un pedante! ¡Se merece todo lo que le pasa!

Zoya, entretanto, miraba a Gor desde el otro lado de la mesa. Lo había estado observando en la calle y en la biblioteca muchas veces. Le recordaba un trozo de corteza vieja: marrón, arrugada, nudosa, pero fuerte. Detectó que aquella noche quizá esa corteza empezaba a verse afectada por algún tipo de hongo que acabaría pudriéndola. Quizá empezara a desintegrarse.

—Disculpen, damas y caballeros, y también aquellos que no están aquí. Nos hemos reunido esta tarde para llevar a cabo un trabajo importante. Nuestro estimado amigo y colega aquí presente, Gor Papasyan —Zoya señaló a Gor haciendo un gesto con una mano fina como una cerilla—, un hombre acaudalado y de buena posición...

—Acaudalado, eso es —dijo una voz con una risilla.

—Ha estado experimentando sucesos extraños. Sucesos, podríamos decir, inexplicables y amedrentadores. Objetos que aparecen y desaparecen y un conejo decapitado, nada menos, que apareció de repente en la puerta de su casa.

—Seguro que tiene gatos —susurró Alla.

—Sí, pero son esponjosos y blancos. ¡Y no salen nunca del apartamento! —replicó Valya.

—Continúo. Un conejo decapitado y una polilla en el interior de un bocadillo.

—¡Qué asco! —exclamó Valya, estremeciéndose—. Pero si se comió una mitad, ¿por qué no también la otra? ¡Ya puestos!

—¿Y es paranormal eso? —apuntó Masha, la del Palacio de la Juventud—. ¿Comerse un insecto? Al fin y al cabo, es lo que hacen constantemente los gatos.

—¿Comerse polillas? ¿En un bocadillo? —cuestionó Polly, abriendo los ojos negros de par en par—. Odio las polillas, ¿usted no, señor Papasyan?

Lanzó una mirada lánguida hacia el lugar de la mesa que ocupaba el anciano. Gor sintió un escalofrío al ver la luz de las velas reflejada en el iris de los ojos de la chica.

—¡Señoras, por favor! —dijo Zoya, regañándolas—. ¡Sigo! Nuestro querida amiga… aquí…

—Sveta —dijo Sveta, levantando la voz.

—Sveta, aquí presente, solicitó mi ayuda. Allí donde hay un misterio, allí está *madame* Zoya para solucionarlo. De modo que le dije, síííí. Y ahora veamos, Gor —dijo, taladrándolo con la mirada—. Está usted atrayendo mucha energía negativa. Por lo tanto, debo preguntarle: ¿hay alguna cosa que tenga que contarnos antes de que empecemos? —El ojo derecho empezó a sacudirse con un tic nervioso.

Gor se obligó a mirarla a la cara.

—Mmm… No, *madame*, no tengo nada que añadir. Usted dispone de todos los hechos. Ha habido llamadas molestas, golpecitos, llamadas a la puerta, cartas odiosas…

—¿De quién? —le interrumpió Nastya.

—¡Los mensajes de amenaza son siempre anónimos, tonta del bote! —exclamó Valya.

—¿No podrían ser simplemente imaginaciones? —sugirió Vlad—. Al fin y al cabo, es mayor.

Gor le lanzó una mirada cargada de desdén.

—¿Acaso no somos todos expertos? —dijo Polly en voz baja, con una sonrisa de suficiencia.

—¡Silencio! —chirrió *madame* Zoya—. Y bien, Gor, dice que

ya disponemos de los hechos. De algunos, al menos. Pero me refiero a si... a si usted no tiene secretos.

—No.

—¿Tragedias ocultas?

—Ninguna.

—¿Romances, cualquier otra indiscreción...?

—No.

—¿La quiebra de algún negocio?

—¡Ya vale!

—¿Cualquier cosa que crea que debería compartir con nosotros antes de abrirnos a los espíritus, para de este modo facilitar su acceso?

Madame Zoya hizo una pausa y enarcó una despeinada ceja morada en un gesto majestuoso. Se hizo un silencio denso como unas gachas. Gor bajó la vista hacia sus manos, cuyas arrugas estaban permanentemente oscurecidas por la tierra de la dacha, el aceite del coche y el polvo de los libros y las partituras.

—No, *madame*, no hay nada que deban saber.

Zoya asintió y se rascó la cabeza, un movimiento que emitió un sonido seco y chirriante debajo del turbante. Suspiró y volvió a intentarlo.

—Si hay alguna cosa de su pasado que considere que debería salir a la luz ahora, revelárnoslo por su propio bien y de modo voluntario, ¿querría compartirlo con nosotros, por favor?

Gor la miró con perplejidad y arrugó la frente.

—*Madame* Zoya, está usted confundiéndome. ¿Hay alguna cosa concreta que desea usted que reconozca en este momento? De ser así, pregúntemelo directamente —dijo, esbozando una sonrisa tensa y carente por completo de humor.

—¡No! —exclamó ella—. ¡Por supuesto que no! Pero pienso que tal vez desearía compartir con nosotros, con todos sus amigos aquí presentes, sus circunstancias familiares, pongamos el caso. ¿Ha estado usted casado o tiene hijos, por ejemplo?

Era como extraer un diente, sabía Zoya, pero menos divertido.

166

Sonrió para animarlo y las comisuras de la boca se le combaron como un bocadillo que se queda a la intemperie demasiado tiempo. Hubo muecas y gestos alrededor del mantel de tela brillante.

—Bien, por supuesto, en cuanto a esto sí que puedo arrojar algo de luz. —Soltó el aire. Todas las caras se volvieron hacia él, todas las narices temblaron de impaciencia—. Estuve casado, una sola vez, hace mucho tiempo.

—Ajá. —La sonrisa de *madame* Zoya se hizo más amplia y la acompañó con un gesto de asentimiento, animándolo a seguir—. ¿Y?

—Y nada. —Gor se encogió de hombros y sus ojos negros se clavaron en la mesa—. Me abandonó. Es bastante habitual. ¿Tiene ya bastante con esto?

—Veamos —empezó a decir Zoya, con la determinación de un combatiente que se niega a ser derrotado—, eso que nos ha dicho nos cuenta muy poco. Supongo que no estará muerta.

—Imagino que eso podría decírmelo usted —murmuró él con acidez.

Los labios de *madame* esbozaron un mohín que casi fue audible.

—Mi querido Gor, haré todo lo que esté en mis manos. Pero antes debe confiar en mí, debe compartir un poco más. ¿Tiene usted descendencia, más familia, quizá? ¿En Armenia? ¿O en América?

—Mi querida *madame*, tengo una hija, Olga. —Un coro de gritos sofocados resonó en la estancia. Sveta notó que se quedaba blanca. ¿Por qué no le habría mencionado nunca esa hija?—. Era encantadora, que yo recuerde. Con rizos, pompones… Debe de tener más o menos su edad, tal vez algo mayor. —Frunció el entrecejo y movió la mano en un gesto despectivo hacia Polly—. Pero hace veinte años que no las veo, ni a ella ni a su madre. Se largó con un pastelero, un ambicioso que se movía en el partido dentro del sector de la hostelería. Marcharon a vivir a Moscú… se instalaron en uno de esos barrios residenciales llenos de árboles. Aparte de ellas, y ellas no cuentan, tengo muy poca familia. Un primo, en Rostov.

—¿Un primo? —presionó Zoya.

—Sí. Artista, un excéntrico. No estamos muy unidos. Lo veo una vez al año, por su cumpleaños…

Gor dejó de hablar y fijó la mirada en las velas. Se tocó la perilla.

—¿Y quién más? —*madame* Zoya se quedó a la espera—. ¿Quién más, Gor? ¿Me oye? ¿Se encuentra bien?

Levantó los ojos negros lentamente hasta clavarlos en los de ella y suspiró.

—Nadie más —respondió rápidamente—. No tengo ningún contacto con el lado armenio de mi familia, si es que aún existe.

—Está usted muy solo.

—¿Solo? ¿Por qué lo dice? ¡Tengo una ciudad entera a modo de compañía, *madame*! ¡De hecho, tengo la sensación de que la ciudad entera llama a mi puerta y me molesta por teléfono a medianoche! ¡Solo estaría muy bien, créame!

Gor miró furioso a las caras expectantes de la gente sentada alrededor de la mesa. Sveta cerró la boca con fuerza y Gor volvió a bajar la vista hacia sus manos.

—Muy bien. Empecemos —proclamó *madame* Zoya después de una breve pausa—. Percibo una presencia y no hay que hacerla esperar. Las manos sobre la mesa, todo el mundo, y los dedos entrelazados con la persona sentada al lado. ¡No, sin darse la mano, tú, chica! —Señaló con un dedo nudoso a Nastya, la de la biblioteca—. ¡No es necesario! ¡Basta con poner las manos sobre la mesa y vaciar la mente! ¡No es tan complicado! ¡Vaciad la mente y démosles la bienvenida!

Cuando la cabeza de Zoya cayó hacia delante y el turbante se zarandeó, la luz de las velas titiló. Las nueve personas reunidas en torno a la mesa entrelazaron los dedos y Zoya empezó a emitir un gemido grave, a bambolear la cabeza de un lado a otro y a cerrar y abrir los ojos con un tic nervioso. Sveta tenía las manos mojadas. Polly, sentada a su izquierda, le presionaba los dedos contra la mesa con una fuerza sobrehumana mientras que Vlad, a su derecha, no paraba de mover los suyos. Cuando el gemido aumentó de volumen y fue llenando gradualmente la totalidad de la estancia, Sveta empezó a sentir un hormigueo en los meñiques.

Gor enlazó los dedos con la mujer del pelo naranja y con Vlad, y fijó la vista al frente, sintiéndose como un imbécil. Durante los últimos días había asumido que encontraría una excusa para no asistir a aquella velada, pero cuando había llegado el momento, se había sorprendido a sí mismo reconociendo que casi le apetecía ir allí. Los acontecimientos de las últimas semanas lo habían marcado y estaba inquieto… no, más que inquieto, agotado. Necesitaba la confirmación de que todo aquello no eran más que tonterías, de que las leyes de la física y de la naturaleza controlaban la situación y de que lo sobrenatural no existía. Sería un consuelo tremendo reír para sus adentros en aquella sesión de espiritismo, descubrir que era un ejercicio completamente vacuo e inútil, y después seguiría adelante con la seguridad de que, como mínimo, tenía la cabeza sana. Regaló a sus acompañantes un esbozo de sonrisa condescendiente y paternal y cerró los ojos mientras el cántico empezaba a ondularse, como olas de flema en un mar de poliéster gastado.

—¿Hay alguien ahí? —gimió Zoya sin levantar apenas la voz—. Buenos espíritus, venid… guiadnos.

Siguió a aquello un silencio, profundo y oscuro.

—Buen espíritu, ven, ¡te lo rogamos! Querido espíritu, conversa con nosotros, ven entre nosotros. ¡Ayúdanos en nuestra tristeza! ¿Nos ayudarás?

Esperaron, con los ojos brillantes, dispuestos a que pasara algo.

Gor se movió con inquietud en su asiento e intentó mirar el reloj sin levantar la mano de la mesa. Era imposible: la luz era muy tenue y su muñeca estaba demasiado rígida. Aquello era insufrible. Para mantener la calma mientras estaba obligado a permanecer sentado, decidió empezar a planificar los trabajos en la dacha para el día siguiente. La doble excavación para preparar la zona del huerto dedicada a las patatas ya no podía esperar más, por agotador que fuera ese trabajo. Haría bien en llevarse comida consistente de casa si…

La mesa dio una sacudida, y le siguió un golpe seco, justo delante de Gor. Las velas parpadearon y Gor levantó la cabeza de repente. Forzó la vista en la penumbra para averiguar de dónde venía aquel movimiento.

—¡Ah! ¡Tenemos compañía! ¡Oh, espíritu, te damos las gracias! ¿Estás dispuesto a ayudarnos? —dijo Zoya, con un tono inequívoco de triunfo en la voz.

Hubo una pausa, un tirón, y la mesa se sacudió de nuevo.

—Me parece que esto es un sí, ¿no?

Madame Zoya sonrió con suficiencia. Un murmullo de inquietud recorrió la mesa y los ojos asustados se fijaron en la luz de las velas.

—¡Calma, que todo el mundo mantenga la calma! —murmuró Sveta, inflando las mejillas cuando Polly le presionó los dedos contra la mesa lacada—. Chica… —empezó a decir, pero Zoya la interrumpió.

—Nuestro amigo, Gor, el señor mayor, flaco, el que está sentado al lado de la cómoda, ha estado sufriendo sucesos extraños, espíritu. Manifestaciones surgidas del mundo animal, apariciones indeseadas de criaturas decapitadas, criaturas aladas y demás. ¿Qué significa esto, oh, espíritu? ¿Corre algún peligro? —Zoya levantó la voz—. Dinos, ¿corre algún peligro?

El silencio envolvió la mesa mientras esperaban, y esperaban, y esperaban una respuesta. A Gor le empezó a picar la nariz.

Retumbó entonces un golpe tan terrible que hizo traquetear velas y cristales.

—¡Sí! —dijo entre dientes Zoya, asintiendo. Sus ojos, fijos en las velas, se habían transformado en un par de rendijas lagrimosas—. ¡Corre peligro! Tenemos que averiguar más cosas.

Gor hizo un mohín pero no dijo nada.

—¡Oh, espíritus! ¿Qué es lo que amenaza a nuestro amigo Gor? ¿Puedes darnos más información?

Las velas parpadearon, chisporrotearon e hicieron pequeñas explosiones, como si el ambiente estuviera cargado con algún tipo de gas. Empezaron a desprender columnas fantasmagóricas de humo gris que se acumuló como niebla por encima de las cabezas de los presentes. A medida que las velas fueron afinándose, las sombras se acumularon en el techo, se abrieron paso entre las estanterías y asustaron a las aves disecadas allí expuestas. La estancia parecía estar mucho más llena que antes. Sveta miró a su alrededor con un temor reverencial inspirado por un escalofrío de euforia y miedo. Los espíritus abarrotaban el salón y agitaban el aire.

Gor arrugó la nariz y aspiró. Su rostro seguía duro como la teca.

—Oooh, los espíritus quieren entrar en mí, quieren mostrarme alguna cosa. Debo dejarlos pasar —gorjeó Zoya.

Retiró las manos de la mesa para acercárselas a la cara. Cerró los ojos y empezó a tiritar. Los temblores le recorrieron el cuerpo entero, desde los pliegues del enorme turbante hasta los dedos y la espalda, zarandeando la silla donde estaba sentada. Profirió sonidos que habría sido mejor no oír y realizó con las manos movimientos sorprendentes, redondos, como si estuviera nadando, cogiendo aire de vez en cuando y sumergiéndose otra vez bajo la brillante superficie imaginada. Finalmente, se zambulló más aún, alcanzando las profundidades y bamboleando la cabeza antes de, vértebra a vértebra, volver a levantarla como si fuera un periscopio. Los blancos de sus ojos resplandecían a la luz de las velas. Gimoteó.

—¡Ah! El olor… ¡olor a madera quemada! ¡Me llega! A través de los árboles… —Giró la cabeza mientras hablaba y los huesos del cuello crujieron como ramitas bajo los pies—. ¡Un calor espantoso! —Se clavó las uñas en el pecho.

—¡Fuego! —Sveta oyó que alguien a su izquierda susurraba esa palabra. Se giró para ver quién había hablado pero, justo en aquel momento, la mesa se combó bajo sus manos y se oyeron unos golpes, como si llamara alguien, justo delante de Gor. Su expresión pétrea se rompió al esbozar una mueca e hizo un gesto como si fuera a levantarse, pero Vlad le tiró de las manos con energía para retenerlo en su sitio—. ¡No rompa el círculo! —le dijo entre dientes—. ¡Tenemos que oír más cosas, aunque todo esto sea escalofriante!

—¡Aaah! Lo veo… ¡un incendio!

Zoya se levantó. Tenía los ojos muy abiertos, la boca tensa en una sonrisa nauseabunda, desprovista de alegría. Valya se recostó en su asiento, boquiabierta, y empezó a gimotear, mientras que Masha y Alla se apresuraron a santiguarse.

—Lo veo… ¡un incendio espantoso! —*Madame* se tapó la cara—. ¡Humo y fuego, quemándolo todo! ¡Quemándolo a usted! —Agitó unos brazos cubiertos de venas moradas en dirección a Gor y se agitó como un árbol en la tormenta. Acumuló el aire en sus escuálidos pulmones y lo exhaló en un chillido—. ¡Cuidado!

Puso en blanco sus ojos vidriosos y se derrumbó en la silla, con una expresión que revelaba toda la dentadura y el pecho temblando.

—¡Fuego! —gritó Valya, agarrando la mano de Gor y levantándose repentinamente cuando la mesa empezó a moverse con violencia, hasta el punto de que las patas se levantaron del suelo—. ¡Fuego!

Los demás asistentes perdieron rápidamente el control y empujaron las sillas para huir de la terrible criatura de madera que seguía zarandeándose y moviéndose en el centro del salón.

—¡Fuego! ¡Fuego!

Los gritos resonaron por todos los rincones de la estancia cuando las velas se tumbaron y, al caerse, produjeron una descarga de golpes y la cera caliente proyectó arcos sangrientos contra las paredes. A Gor le dio la impresión de que aquella gente creía que había fuego de verdad. Era pánico, pura y simplemente, pero, con todo y con eso, el griterío, que llenó la estancia cuando esta se sumió en la oscuridad, le puso los pelos de punta. Cuando los cuerpos atacados por el pánico colisionaron contra el plano astral de Zoya, hubo batacazos y golpes. La mesa se estampó contra el suelo.

«¡Fuego!». La palabra le recorrió la espalda, produciéndole un escalofrío, e intentó apartarse de la escena, alejarse del ruido y el tumulto. Encontró un rincón y, sin darse apenas cuenta de lo que estaba haciendo, se acuclilló y se tapó los oídos con las manos.

—¡Fuego! ¡Fuego! ¡Fuego!

La efervescencia y el crujido de las llamas habían estado hasta entonces en los límites de su consciencia, casi allí, casi tangibles, como si no estuvieran al alcance de la vista sino un poco más lejos, camino arriba, en la entrada del pueblo, en la entrada del bosque... pero ahora lo oía, sentía el calor y veía el resplandor en el cielo invernal. El humo se elevaba por los aires, el olor se infiltraba en su nariz.

—¡Fuego!

Se estremeció, sus ojos tristes parpadearon y forzó la vista para observar la oscuridad que lo envolvía. Era evidente que aquello no era bueno para él. Necesitaba orden, y necesitaba encender la luz. Decidió asumir el control de la situación. Se incorporó para abandonar su rincón de seguridad y, al hacerlo, chocó contra una lámpara y los flecos de la pantalla le acariciaron la cara como las alas de un ave en pleno vuelo. Gritó y apartó aquello de un manotazo y, al hacerlo, le arreó un bofetón a alguien. Una mano desconocida se tomó la venganza y le agarró un mechón de pelo. Hubo un grito y, a continuación, notó que se le clavaba en la frente un objeto afilado.

Cuando, segundos después, Sveta encendió la luz, Gor descubrió que había estado peleándose con Valya. De cerca, y con el color naranja del pelo disimulado por la penumbra, se dio finalmente cuenta de que la conocía. Muchos años atrás, y con el pelo castaño, había sido una de las empleadas de banca más fiable y rigurosa que había tenido. Qué rara que era la vida, y que extrañamente reconfortante resultaba a veces.

—¡Mi querida Valentina Yegorovna! —dijo con voz temblorosa cuando consiguió ponerse de nuevo en cuclillas—. Discúlpeme si le he hecho daño.

Gor sintió una punzada de culpabilidad al ver que la mujer seguía tumbada en el suelo, llorando y riéndose de sí misma. Se había partido una uña al clavársela en la frente a Gor, que estaba sangrando.

—¡Qué todo el mundo mantenga la calma! ¡Aquí no tenemos fuego! —gritó jadeante la voz de Sveta desde la puerta. Se apoyó en la pared para evaluar la situación, buscando con la mirada quién podía ayudar y quién necesitaba ayuda—. Vlad, Polly, por favor, colocad bien la mesa… con cuidado, vigilad los pies de *madame* Zoya, me parece que sigue todavía en trance. Alla, ayuda a *madame* Zoya, por favor, hay que asegurarse de que los espíritus ya han salido de ella y está sana y salva. Nastya, por favor, ayuda a Gor y a Valya para que se levanten y aplícales unas compresas de agua fría si es necesario. Respira, Valya, respira, ¡eso es! Te veo un poco… Oh, vaya, no llores, por favor. Cualquiera pensaría que tienes miedo. No pasa nada. Solo hemos montado un poco de lío, eso es todo. Nadie ha sufrido ningún daño. Todo irá bien. —Su tono se dulcificó, como si le estuviera hablando a Albina, y la sonrisa tensa quedó reemplazada por otra que escondía un cariño sincero—. La verdad es que nos ha salido un espíritu muy… muy enérgico.

—¿Enérgico? ¡Era maligno! —exclamó Polly. Sus palabras resonaron con fuerza desde la cabecera de la mesa, donde estaba apostada con las manos apoyadas en las caderas.

—Pero estoy segura de que tenía buenas intenciones —contraatacó Sveta—. ¡No hay nada que temer!

—¿Nada que temer? ¡Yo más bien diría que hay mucho que temer!

Sveta frunció el entrecejo.

—Vamos, que todo el mundo ayude a su vecino y tomemos rápidamente asiento de nuevo. ¡Vamos, rápido!

Polly y Vlad levantaron del suelo las demás sillas y el resto de los asistentes se serenó y se recompuso, algunos bebiendo un vaso de agua y otros anhelando algo más fuerte. Recogieron las velas y las desecharon, el mantel destrozado acabó también en la basura. Valya enderezó la espalda y se sonó la nariz, riéndose de sí misma por haberse puesto tan nerviosa mientras Gor volvía a disculparse por el encuentro fatídico que acababan de tener. Valya movió la cabeza en un gesto de asentimiento y sonrió al ver el pañuelo amarillo con puntitos que Gor le ofrecía. Tal vez no fuera tan malo como se había imaginado.

Zoya era la única que permanecía inmóvil, sentada aún en el mismo lugar, con la mirada fija en la pared de enfrente. La silla se había visto impulsada hacia atrás y estaba ahora con dos patas en el suelo y las otras dos en el aire, apoyada precariamente contra la cajonera de estilo rococó. Zoya tenía la mirada perdida y murmuraba alguna cosa mientras rascaba con las uñas el tejido morado que le cubría los muslos. Polly apartó a Alla para estabilizar la silla y sujetó a *madame* por el antebrazo para que no cayera hacia delante. Se inclinó hacia ella, le examinó las pupilas y le dio unos golpecitos secos e insistentes en la mejilla.

—Enseguida estará de nuevo con nosotros.

—Eres muy profesional, Polly —murmuró Alla.

—Tenga, *madame*, aspire un poco estas sales... así —le dijo Polly, sonriendo.

El círculo se reagrupó, los asistentes, con los ojos vidriosos, tomaron de nuevo asiento y un gélido silencio descendió sobre sus cabezas. Un gato chirrió en la calle. Todo el mundo fijó entonces la mirada en la mesa, y Gor se estremeció.

Grabada en la madera negra y brillante, escrita con caligrafía grande e infantil, acababa de aparecer una palabra:

FUEGO.

DESCONFIANZA

—¿Qué más puedo hacer por usted, dígame?

—Nada, de verdad, estoy bien.

Sveta metió la cabeza en todos los rincones de la cocina y apareció con un trozo de queso, mayoritariamente corteza, lo que quedaba de la barra de pan del viernes, que estaba ya exageradamente dura, y dos pepinillos. Gor la ignoró y siguió en el pasillo, pulsando las teclas del teléfono, intentando llamar una vez más a un número que ya se sabía de memoria. La línea chasqueó y emitió ruidos sordos y el teléfono del otro lado de la línea empezó finalmente a sonar y a sonar. Pero su primo seguía sin responder. ¿Dónde se habría metido? Estaría fuera, dibujando sin duda. ¿Pero tres días seguidos?

—Gor, la gente que está bien no se pasa el fin de semana metida en su apartamento. ¡No tiene usted nada en la nevera! No podemos permitirnos que se marchite de esta manera. Tenemos que practicar la magia, hay que ensayar y...

Sveta utilizó su tono más persuasivo, pero Gor se limitó a pasar por su lado para instalarse de nuevo en su sillón, inamovible como el monumento a los caídos de la guerra que dominaba Azov desde lo alto de la colina. Sveta insistió: necesitaba que Gor mostrara un atisbo de vida, que reaccionara con un poco de calidez. De este modo, Sveta se sentiría mucho mejor. Pero Gor siguió tamborileando con los dedos sobre el brazo del sillón, con tanta fuerza que parecía que estuviera taladrando agujeros.

—Gracias por preocuparse tanto, pero todo va bien. Aprecio mucho que se haya pasado por casa, pero no es necesario.

—Albina está en el kárate, y he pensado que...

—Tampoco es necesario que me llame cada mañana y...

—¡No me supone ningún problema! —exclamó ella, interrumpiéndolo—. Y además, me siento responsable por haberle dado ese susto.

—No me llevé ningún susto.

—¡Se lo llevó!

—Me alarmé con toda esa gente, con el ruido, con esa mujer estúpida dándome en la frente...

—Sí, Valya lo dejó magullado. ¡Vaya uñas tiene! Se le ve aún la marca. —Se abalanzó para observar las cicatrices que le habían quedado a Gor en la sien y este se encogió en el asiento—. No lo hizo expresamente, seguro.

—¡Sí! ¡No! ¡Por supuesto que no! ¡Pero no se trata de eso!

—Así que no se esconde por...

—¡No me escondo!

—¿Así que no se queda en casa porque tenga miedo?

—¡No! Necesitaba tiempo... para pensar.

Sveta volvió a entrar en la cocina.

—¿Seguro que no tiene jamón escondido por algún lado?

—Eso de la sesión de espiritismo fue un truco, seguro, una farsa. ¡Golpes y velas! ¡Un espíritu que escribe! ¡Pura porquería!

Sveta asomó la cabeza por la puerta.

—¿Pero no lo vio usted mismo? Nadie pudo grabar lo de la mesa. No hubo oportunidad para hacerlo. Y lo de las velas y el humo... sobrenatural, hay que reconocerlo.

Gor negó con la cabeza.

—Mire, Sveta, usted piensa todo eso porque le emociona la idea. ¡Pero carece de toda lógica!

—¡Y usted quiere explicaciones lógicas de todo, cuando a veces es imposible!

—Piénselo bien. —Se levantó del sillón y se puso a deambular de un lado a otro del salón—. La mesa estaba escondida debajo de un mantel, aquella palabra ya estaba grabada previamente allí. Podrían haberlo hecho antes en cualquier momento. Y lo de las velas… les meterían algún tipo de polvos antes de encenderlas. Llevo días oliendo a humo…

Sveta siguió en el umbral con la boca esbozando un mohín, como si estuviera comiendo alguna cosa desagradable: medio limón, o un yogur de importación.

—Bueno, si quiere seguir con su terquedad, supondremos que pudo ser un truco… ¿Pero por qué? —Sveta rio ante aquella posibilidad y acarició el collar de cuentas grandes de plástico que llevaba al cuello—. ¿Por qué *madame* Zoya querría escribir la palabra fuego en la mesa? ¿Le evoca a usted alguna cosa, ese mensaje? —Ladeó la cabeza.

Gor dudó.

—¿Gor?

—¡No! —espetó, entrando en la cocina y pasando por el lado de Sveta sin mirarla—. ¿Qué tiene *madame* Zoya en contra de mí, eh? —Miró el calendario—. ¿Estará todo vinculado? La sesión de espiritismo fue simplemente la culminación de estos…

—¿Qué? ¿Qué? ¿De más cosas horripilantes? —Las mejillas de Sveta se bambolearon cuando se situó al lado de Gor, miró el calendario y vio que estaba salpicado de «x» que marcaban las fechas como granos en la cara de un adolescente—. ¿Y todo esto? ¿Son…?

Gor movió afirmativamente la cabeza.

—Sí. Son sucesos desagradables. La carta… —Señaló la fecha de dos días antes—. Lo de la carta fue muy extraño: sin palabras. Solo… solo contenía una docena de polillas muertas. Y las llamadas a golpecitos.

—¿Golpecitos?

—En las ventanas… Como si alguien… como si alguien quisiera entrar. —Gor frunció las facciones y se pasó la mano por unos ojos tremendamente cansados—. Empezaron hace unos días.

—¡Horripilante! —dijo Sveta, estremeciéndose.

—Lo sobrenatural no existe. ¡No pienso dejarme intimidar! —Cerró el puño en un gesto de amenaza que no iba dirigido a nadie—. Lo de la sesión de espiritismo se preparó como consecuencia de unos sucesos extraños, que ahora resulta que se multiplican. ¿Qué anda tramando quien sea? —Miró a Sveta—. A usted… ¡A usted le encantan todas estas tonterías! ¿Tiene algo que ver con todo esto?

Sveta miró por encima del hombro.

—¿Quién? ¿Yo? ¿Por qué querría yo asustarle?

—Eso yo no lo sé, Svetlana Mikhailovna. Tendría que decírmelo usted. —Empezó a andar de nuevo de un lado a otro—. La veo muy dispuesta a conocerme, a implicarme en su familia. Todo esto empezó cuando la conocí. A lo mejor anda buscando alguna cosa, ¿no? Tratando de hacerse indispensable en mis momentos de mayor necesidad.

Sveta se quedó boquiabierta.

—¿Que ando buscando alguna cosa? ¿Con usted?

—¿Y por qué no? ¡Usted no es tonta y en este mundo hay gente para todo!

—¿Que hay gente para todo?

—¿Por qué respondió a mi anuncio? —preguntó, deteniéndose frente a ella.

—¿Qué?

—¿Cuál es su verdadero motivo?

—¡Quería ser ayudante de mago, no sea imbécil! Simplemente eso. ¡No quiero ni necesito nada más, ni de usted ni de nadie! Solo quería incorporar un poco de espectáculo en mi vida.

—¡Ja! —La taladró con la mirada—. ¡Así que no es por el dinero, sino por el «espectáculo»! ¡Increíble! —Meneó la cabeza y se alejó lentamente—. Pero ahora que sabe que esto no es precisamente un espectáculo, sigue usted aquí, trayéndome unas chuletas para que coma, trayéndome té, visitándome para ver cómo sigo.

—Mire, tal vez le sorprenda, pero lo hago porque me da lástima. Sí, ¡lástima!

Gor se giró y asintió con fuerza.

—¡Ah! ¿Así que le doy lástima?

—¡Sí!

—¿Le doy lástima? ¿A usted?

—Evidentemente. —Se cruzó de brazos—. Creo que tal vez debería irme.

Sveta dejó el queso en el aparador y se alisó el jersey. Viendo que no decía nada, echó a andar hacia el recibidor.

—¡Espere!

Sveta se giró.

—¿Qué más sabe usted de mí, Sveta?

Se dejó caer en el sillón y la miró con desconfianza.

—¿A qué se refiere? Solo sé lo que usted me ha contado. Solo sé lo que contó en la sesión de espiritismo.

—¿Solo eso? Cuando nos conocimos, Albina me preguntó si era millonario.

—Sí, pero no era más que un chismorreo.

Gor arqueó una ceja.

—Todo el mundo sabe que fue usted director de banco.

—¿Y eso implica que soy millonario?

—¡Sí! ¡No! Albina se limitó a repetir lo que había oído. Eso no significa nada. Ella no pretendía hacer ningún daño. ¡Eso ha sido de muy mala educación por su parte, Gor!

Gor se mordió la lengua para no replicar, pero no pudo impedir que se le saliesen los ojos de las órbitas. Resopló y respondió, muy tenso.

—¡Tiene usted razón! —Apoyó los codos en las rodillas para sujetarse la cabeza entre las manos y pareció desmoronarse—. Lo siento, Sveta. Le… le ruego que me perdone. He sido maleducado.

No pienso que sea usted... la culpable. ¡Pero sí que es el eslabón que lo une todo!

—¡Tonterías! —Se cuadró delante de él—. ¡El eslabón es usted! Yo lo único que hice fue preparar la sesión de espiritismo. —Sonrió, y las lágrimas le dieron un matiz plateado a sus ojos azules—. No soy mala persona. Soy su amiga.

—Es posible —admitió él con una sonrisa tibia—. Es posible. ¡No se enfade! Tenga. —Le pasó un pañuelo amarillo con puntitos—. ¿Pero qué sentido le ve a todo esto? ¿Qué significa? Cuénteme más cosas sobre *madame* Zoya. ¿Suele celebrar a menudo sesiones de espiritismo?

—No todos los meses, solo cuando hay demanda.

—¿Y?

—Transmite mensajes, comunica señales a la gente. Las personas que acuden a ella están solas, o se sienten culpables, o a lo mejor simplemente se sienten tristes. Ella les ofrece una oportunidad para poder hablar, para poder compartir y... les ofrece también esperanza. Me contaron que consiguió reunir de nuevo a Alla, la mujer del Flamenco Blanco, no sé si la recuerda bien, con su gato. —Sveta sonrió, casi riéndose de sí misma—. Fue un gran consuelo para Alla.

—Un gato. Ya. Y la otra gente... esa mujer del pelo naranja, Valentina...

—¿Valya?

—La conozco... era empleada mía en el banco. Y la chica morena...

—¿Polly? ¿La de la farmacia?

—Sí. La conozco de algo. No consigo recordar de qué.

—Azov es una ciudad pequeña, Gor. No hay nada raro en que le suene alguien, ¿no le parece?

Gor se quedó un momento en silencio, con la mirada fija en la pared de enfrente, y luego meneó la cabeza.

—Tiene razón. Desconfío de todo el mundo, ¿pero por qué? Y dígame, ¿esa sesión de espiritismo fue... rara, más violenta de lo habitual?

—Sí.

—¿Fue, entonces, un espectáculo pensado para mí?

—¿No cree que podría ser posible que alguien, vinculado con el banco, le guardara rencor por alguna cosa? No sé, por no haberle concedido un préstamo o algo así. ¿Que hubiera alguien que quisiera venganza?

—Ese tipo de cosas estaban extremadamente reguladas. La banca no era un mundo de intrigas, se lo aseguro.

—¿Así que nunca se hizo ningún enemigo? —preguntó Sveta con una débil sonrisa y levantando las cejas, como si estuviera hablando con un niño.

Gor se pasó la mano por la cara y se encogió en su asiento.

—No me apetece hablar del tema.

Sveta frunció el ceño.

—Muy bien. Pues hablemos entonces de otra cosa. No es mi intención molestarle.

El reloj dio la hora.

—Creo que el truco de «serrarme por la mitad» es muy bueno, ¿no le parece? —insinuó Sveta.

—Sí —replicó Gor, con un gesto de asentimiento.

—¿Y cree que voy mejorando como ayudante?

—Creo que sí, va muy bien.

—Me parece estupendo que hayamos decidido no hacer la Rueda de la Muerte, ¿verdad?

—Sí... me parece que está podrida.

Hubo una pausa antes de que los dos hablaran de nuevo.

—¿Por qué no vamos a ver a *madame* Zoya? —sugirió Sveta.

—Tendría que estar en la dacha —dijo Gor.

—¿A la dacha? ¡Pero si empieza a oscurecer y, además, está lloviendo! —dijo Sveta con firmeza—. ¿Ha habido más llamadas con silencio al otro lado de la línea? ¿Y olor a quemado?

—No.

—¿Y duerme mejor, si los golpecitos siguen?

—No.

—Y esas cartas espantosas, el conejo decapitado... ¿le gusta todo eso?

—No.

—Dice usted que *madame* Zoya es una farsante, y yo le digo que no, pero, sea como sea, creo que tenemos que hablar con ella. Si su intención es asustarle, tenemos que entender por qué. Y si es sincera, podríamos pedirle que le ayudara. Es posible que sepa algo que nosotros desconocemos.

—Para usted todo es o blanco o negro, ¿verdad? *Madame* Zoya podría saber algo... —Cerró los ojos—. Sveta, mire, hay cosas que usted desconoce sobre mí —dijo muy despacio—. Cosas que he hecho... cosas vergonzosas, cosas terribles. No... no todo es tan sencillo —remató, y abrió los ojos para mirar fijamente el calendario.

—Todo eso podría ser. —Levantó la barbilla y se plantó delante de él—. Pero yo sí sé una cosa, Gor: en el fondo, es usted un buen hombre.

Y le sostuvo la mirada hasta que él apartó la vista.

LA INCUBADORA DE IDEAS

Polly corrió por el pasillo. El suelo rechinaba. Había acabado por fin con lo de los carteles que había escrito a mano para anunciar el piso. Copiarlos le había llevado más tiempo de lo que se imaginaba y aún no estaba preparada para ir a la farmacia. Llegaría tarde. Sonrió para sus adentros: le daba igual.

Se detuvo al llegar a la puerta de los lavabos. Estaban todos ocupados. Las chicas charlaban entre ellas y discutían mientras se lavaban con las bragas bajadas hasta los tobillos y con las manoplas, el jabón y las toallas sostenidas en precario equilibrio en la mano o colgando de bolsas de redecillas. Odiaba los lavabos. Aunque la zona de las duchas, con sus mirillas indiscretas y el suelo verdoso por culpa de las algas, era aún peor. Una voz en su cabeza le preguntó si no prefería vivir en el piso. Allí disfrutaría del silencio y de la soledad. Pero sabía que no podía ser: si quería ser alguien mañana solo lo conseguiría a base de dinero y cajas de Palekh. Una de las chicas pasó por su lado para irse y corrió a ocupar el lavabo que había dejado libre.

Desnuda hasta la cintura, se inclinó para mojarse el cabello bajo el grifo y los nudos de la columna vertebral formaron en su espalda un cuarto creciente. El champú turco olía a mermelada y pringaba como si lo fuera. Había mangado la botella en la farmacia y pensó que tendría que haber elegido con más cuidado. Sin duda alguna, Maria Trushkina robaba solo lo mejor.

La farmacia: la incubadora de su inteligente idea. La había concebido a lo largo del verano, durante aquellas interminables tardes, cuando los clientes entraban de la calle y se plantaban delante del mostrador para hablar sobre lo mucho que les gustaría vivir en casa pero que necesitaban ayuda para asearse e ir al baño, y sobre sus llagas, y a veces ni siquiera recordaban ni qué día era ni si se habían tomado los medicamentos o, a veces, si habían tomado de más. Y sí, por la noche no dormían pensando en ruidos raros, en bandas criminales y en el miedo a ser víctimas de un robo. Y lo mucho que echaban de menos a unos hijos nada buenos y a unos nietos nada buenos, porque nunca iban a visitarlos. Les sobraba espacio, tenían muchas habitaciones, muchas cosas, y había que limpiar, y sacar el polvo, y ventilar, y reparar, ¿y acaso no era todo aquello un fastidio? Y no, ya no guardaban el dinero en el banco porque los bancos estaban llenos de ladrones y el dinero no tenía valor y por eso compraban joyas y baratijas y cámaras y bombones y lo escondían todo debajo de la cama. Su conjetura: aquella gente estaba invirtiendo en un futuro que no le pertenecía y, haciéndolo, le estaba robando el futuro a ella.

Fue una buena idea, una gran idea. Pero tenía que hacer que funcionase. Hasta la fecha, los resultados habían sido contradictorios.

Volvió a su habitación, se vistió sin prisas, se recogió en un moño el pelo mojado y bajó la lóbrega escalera. En el vestíbulo, las hojas negras se arremolinaban en la puerta mientras las chicas se apiñaban alrededor de unos radiadores viejos, que solo funcionaban a medio gas, a la espera de que llegaran sus citas.

—¡Hola, Polina! —Oyó el chillido antes de ver aquella cosa oscura arrastrarse por el suelo. La portera se plantó a su lado antes de que sus pies tocaran la planta baja—. ¿Qué tal fue la sesión de espiritismo del viernes?

—Escalofriante, Elena Dmitrovna. Tremendamente escalofriante. Los espíritus volcaron la mesa.

—¡Increíble! ¿Te dieron algún mensaje? ¿Alguna advertencia?

—¿A mí? Según mi interpretación, dijeron que sería muy rica, algún día. Aunque eso ya lo sabía. Y en cuanto a lo demás… dijeron también que la gente mayor no tendría que ser fisgona. ¿Tiene algún otro mensaje más interesante para mí, vía telefónica, quizá?

Polly le tendió la mano a la espera de recibir un papel.

—¿Sabes que no me pagas desde agosto? —dijo Elena Dmitrovna.

—Es una lástima. —Sus miradas se cruzaron—. ¿Y el mensaje?

Polly extendió entonces la mano para cogerle el papel y consiguió arrancárselo, arrinconándola.

—¡No empujes! ¡No pienso permitir amenazas! ¡Apártate!

Las conversaciones se interrumpieron y las chicas volvieron la cabeza para mirar.

—¡Yo no la empujo! —dijo Polly entre dientes, cerrando el puño con fuerza para retener el papel. Tiró con fuerza—. Si la hubiera empujado se habría enterado, vieja bruja.

Elena Dmitrovna observó la expresión de Polly mientras leía la nota.

Remitente: Maria Trushkina, Farmacia Número Dos. Mensaje: La estudiante ha llegado tarde a su turno de trabajo o se ha ausentado sin motivo alguno en cuatro ocasiones durante los últimos catorce días. El caso ha sido comunicado al Comité Sancionador de la Universidad; la farmacia pretende despedirla y retirar todas las recomendaciones de su expediente.

Los hombros de Elena Dmitrovna se zarandearon en cuanto su cabeza enfundada en un pañuelo empezó a sacudirse con silenciosas carcajadas. Le dio la espalda a Polly.

—¿Rica, dices? Pues tal cómo vas, me parece que no va a ser así. ¡En la calle, ahí es donde acabarás con toda probabilidad!

Polly estrujó el papel.

SÚPER RUSH

Madame Zoya no tenía ganas de abrir la puerta. La luz se filtraba por debajo, pero fueron necesarias varias llamadas y una amenaza de llamar a la ambulancia y/o a la casera para ponerla en movimiento.

—¿A ver qué quiere esta gente? —dijo con voz ronca cuando abrió la puerta una rendija y asomó la nariz—. Estoy intentando dormir.

—Sentimos molestarla, *madame* Zoya —dijo Sveta—. Pero tenemos que hablar con usted sobre la sesión del otro día.

—¡Oh, vosotros dos no! —refunfuñó, arrugando la nariz—. ¡Tengo la mesa destrozada! ¡Destrozada! Estoy enfadada.

—Oh —dijo Sveta—, me sabe muy mal. ¿Podríamos pasar a ver? A lo mejor podemos ofrecerle algún tipo de compensación.

Zoya parpadeó ante la sugerencia y se apartó con amabilidad de la puerta para dirigirse al salón, indicándoles con un ademán que pasaran. Los visitantes la siguieron, no sin darse algún que otro golpe con el mobiliario y tropezar con animales disecados tirados por el suelo.

Zoya se dejó caer en la zona central de su sofisticado sofá francés, obligando con ello a Gor y Sveta a tomar asiento en sendos sillones comidos por las polillas. Las cortinas estaban cerradas y la estancia parecía sumida en el olvido: una cápsula del tiempo enterrada desde hacía siglos. *Madame* Zoya llevaba un viejo kimono de seda anudado holgadamente en la cintura que dejaba entrever un esternón flacucho cubierto por carne flácida y arrugada de color violeta. Parecía respirar con dificultad.

—¿Se encuentra bien? —le preguntó Sveta en tono animado.

Gor tosió y Zoya rio, una carcajada que le salió desde las profundidades del estómago.

—No, hija mía, no estoy bien. Llevo desde el viernes con dolor de cabeza. Apenas he comido. Pero no estáis aquí para interesaros por mí. ¿Qué queréis?

Aspiró hondo de un frasquito de sales y emitió un «¡ahhh!» a la vez que cerraba los ojos.

—Queríamos hablar con usted sobre lo del viernes, precisamente, ¿no es así, Gor? Queríamos saber cómo... cómo sucedió todo y cómo es que la mesa acabó grabada de aquella manera, *madame* Zoya.

—¿Qué? —dijo *madame* Zoya, que abrió un ojo legañoso y miró a Sveta con la boca abierta.

—¿Ha oído lo que le he dicho?

—Errr... sí, creo que sí. Mmmm...

Volvió a cerrar los ojos.

—Esto es una pérdida de tiempo. Está... inconsciente —dijo Gor.

—¡No! —replicó Sveta con rotundidad—. ¡No sea maleducado!

—¿Siempre se comporta así?

—¡No! En absoluto. Es todo un personaje, eso está claro. Pero... —Subió entonces la voz—: ¡Venga, *madame*, despierte! ¡Hable!

Se levantó del sillón y se acercó a Zoya para coger entre ambas manos su cara cenicienta y masajearle un poco las mejillas para darle calor.

—¡Fuera! —gritó con voz ronca Zoya, empujándola y dándole un bofetón en plena cara a una sorprendida Sveta, de tal suerte que le corrió todo el lápiz de labios y le aplastó la nariz.

Sveta se tambaleó.

—¡Caramba, *madame* Zoya! ¡No tiene ninguna necesidad de atacarme físicamente! ¿Pero qué le pasa?

Zoya abrió unos ojos amarillentos y volvió a cerrarlos.

—Es autodefensa —murmuró—. El mundo está lleno de... odio.

Palpó de nuevo el frasquito que llevaba colgado al cuello, pero estaba tan débil que ni siquiera podía acercárselo a la nariz.

—¿Qué es ese saquito, lo sabe, Sveta?

—Son sales. Siempre las lleva encima. Son para combatir la tensión baja, creo. Y la verdad es que en estos momentos debe de tenerla muy baja, efectivamente.

Sveta, con expresión alarmada, estaba intentando tomarle el pulso a *madame* Zoya.

—¿Me deja verlo?

Gor se acercó y observó el saquito. Contenía una botellita de cristal con algo escrito, pero sin las gafas de leer era imposible saber qué ponía. Se la llevó a la nariz y aspiró.

—¡Uf! —exclamó, dejándose caer de nuevo en el sillón—. ¡Aaarg!

Cerró los ojos. Era como si el salón se hubiera transformado en cristal y se hubiese roto en mil pedazos en su cabeza.

—¿Gor? —dijo Sveta, que soltó la muñeca de Zoya para correr al lado de Gor y observarlo a escasa distancia.

Gor notaba que la musculatura de la cara se había relajado por completo y tenía la sensación de estar fundiéndose con el sillón mientras su cerebro flotaba por encima de la escena.

—No tengo ni idea de qué contiene esa botella —dijo, transcurridos unos minutos y después de que Sveta le hubiera servido una reconfortante taza de té—, pero no son sales. Le aconsejo encarecidamente, *madame* —añadió, señalando con un dedo huesudo a la anciana, que estaba ahora plenamente consciente—, que deje de esnifar de inmediato lo que quiera que sea eso.

Sveta examinó la etiqueta con la ayuda de una lupa de *madame*.

—Aquí pone *Nitrito de Amilo Súper Rush*. ¿Y eso qué es? —cuestionó, arrugando la frente.

Los tres hicieron un gesto de negación con la cabeza.

—Qué yo sepa, «*rush*» significa correr, darse prisa… —caviló Sveta.

—Lo que es evidente es que esto no son sales de amoniaco, que es lo que tendrían que ser —afirmó Gor.

—Ya le diré a Vlad —dijo Zoya, con un suspiro y la mirada perdida— que sus sales son malas.

—¿Se las consiguió Vlad? —preguntó Sveta.

—Sí, me las trajo la semana pasada directamente de la farmacia. O del sanatorio. No lo recuerdo. O se las recomendó Polly. Fue cuando estaba comprobando sus credenciales. Todo es un poco confuso. Es un chico encantador.

—Productos de importación, *madame* Zoya —dijo Sveta, con una sonrisa que daba a entender que sabía lo que se decía—. ¡No todo es lo que parece! ¡Mejor haría utilizando los remedios caseros de siempre!

—¡Eso! —gimoteó Zoya.

—Veamos —dijo Gor—. Tenemos que hablar.

—Sobre la mesa de la sesión de espiritismo —dijo Sveta.

—Sí, sobre la mesa —insistió Gor.

—¡Mi mesa! —lloriqueó Zoya—. ¡Ha quedado totalmente destrozada!

—Lo que nos gustaría saber es…

—¿Cómo hizo el truco? —preguntó Gor, interrumpiendo a Sveta.

—¿Perdón?

—¿Qué cómo lo hizo? ¿Y por qué?

—¡No sé a qué se refiere! ¡Yo nunca hago trucos! —dijo la anciana entre dientes, arañando el tejido de chintz del sofá en el que seguía tumbada.

—Mire, Zoya, usted es conocida por aquí como… como… —Gor se quedó dudando.

—Adelante —replicó Zoya, y su cabello, que parecía un nido de pájaros, vibró de indignación.

—Como una persona de buen corazón, *madame*, y puntos de vista fuertes. Y como una amante de las artes, la cultura y lo paranormal. Es una mujer sincera. Lo sabemos —dijo Sveta.

—Hago lo que puedo. Pero no es fácil, en esta ciudad. ¡Filisteos, eso es lo que son la mayoría! Ojalá viviera en Moscú, o en San Petersburgo, en algún lugar donde se diera a las artes la importancia que se merecen. Donde la inteligencia…

—¿Podemos hablar ya de la mesa? —preguntó Gor.

—¡Fue obra de los espíritus!

—Vamos, vamos, aquí todos sabemos que…

—¡A esa mesa nunca le había pasado nada! —insistió Zoya—. ¡Mírela bien! ¡Vaya y mírela bien! La madera estaba perfecta hasta el pasado viernes. ¿Por qué tendría que echar yo a perder mi querida mesa?

Se levantó con esfuerzo del sofá y los guio hacia donde había dejado la mesa, doblada para ser guardada.

—¡Mirad! —Acercó una lámpara a la superficie. El escrito seguía ahí, se olía incluso: recién grabado, con pequeñas astillas de madera sin barnizar emergiendo por los bordes—. Os doy mi palabra: no tuve nada que ver con esto. Cuando apareció, me quedé tan asombrada como el resto de los presentes. ¡Sumida en el estupor!

—¿Y dice que los espíritus no le habían escrito nunca nada en los muebles?

—Nada, criatura.

—¿Y por qué cree que lo hicieron esta vez?

Madame Zoya se encogió de hombros y miró a Gor.

—Para decir algo importante.

—¿Y qué es eso tan importante?

—¡Qué debería tener miedo, Gor! ¡Mucho miedo! Es evidente, ¿no?

—Pero ¿por qué? —insistió, sin levantar la voz pero en un tono gélido.

—¡A mí que me registren! —dijo *madame* Zoya, soltando una carcajada y sujetándose a un pájaro carpintero disecado para mantener el equilibrio—. Jamás he sido capaz de descifrar sus intenciones. ¡Ni idea, ja! —Rio y, acto seguido, se puso seria—. Pero la verdad es que acaba siendo gracioso. En las sesiones de espiritismo se aprenden muchas cosas sobre el género humano. —Se dejó caer de nuevo en el sofá y se tumbó con la cabeza apoyada en el brazo y las piernas replegadas. Acurrucada, como si fuera a ponerse a dormir—. Necesito descansar.

—Un par de preguntas más, *madame* Zoya, por favor. La gente que estuvo con nosotros aquí, el viernes, ¿cómo la seleccionó?

—¿Seleccionar a la gente? La gente se selecciona sola. Las chicas… tiempo atrás había cosido para ellas, vestidos y cosas así, o son conocidas del teatro. Son amigas de amigas. Criaturas encantadoras, en su mayoría. Con curiosidad, pero encantadoras.

—¿Y Vlad? —preguntó Gor, enarcando una ceja.

—¿Vlad? Sí… Vlad vive realquilado en casa de Valya. Ella decidió traerlo por un tema de seguridad. Polly y él… van en un solo lote. Va bien porque se ocupa de las bebidas y… también es agradable de mirar, no sé si me explico. A las señoras les gusta.

—Me pareció bastante excepcional —dijo Gor, interrumpiendo la explicación—, encontrarme a un tipo de persona así en una sesión de espiritismo.

—¿Un tipo de persona así? —cuestionó Zoya en tono inocente.

—¿A qué se dedica? —preguntó Gor.

—Es médico. Trabaja en un sanatorio y lo compatibiliza con sus estudios.

—¿Es estudiante, entonces?

—Sí.

—Pues va muy bien arreglado por ser estudiante, ¿no?

—¡Sí! Me parece muy elegante. ¿Y se fijó usted en el reloj? —dijo Sveta, asintiendo—. ¡Qué moderno! ¡De importación!

—Y el jersey —dijo Zoya—, de pura lana, italiano.

—Así que va de lo más emperifollado para tratarse de un estudiante con poco sueldo —dijo Gor.

—A lo mejor sus padres son adinerados —murmuró Zoya.

—O a lo mejor tiene… algún tipo de benefactor —sugirió Sveta.

—¿Un benefactor? Sí, podría ser. ¿Cuántas veces ha venido a visitarla?

—¿Adónde quieres ir a parar? ¿Estás sugiriendo que yo soy su benefactora?

A Gor le tembló el bigote.

—Una vez, la semana pasada, como ya he dicho… para que pudiera conocerlo un poco más antes de la sesión. Se ofreció voluntariamente. Echó un vistazo al balcón, me dio la botellita de las sales y me preparó una estupenda taza de té. Tuvimos una conversación interesante.

—¿Una conversación? ¿Sobre qué?

—Mmm… sobre esto y aquello. No lo recuerdo… me quedé medio dormida. —Arrugó la frente y miró a su alrededor, evitando la mirada de Gor—. Es un chico encantador. Muy fuerte. Y Delgado a la vez…

—Sí —dijo Sveta—. Ya me di cuenta.

—Como un atleta. Se le ve en…

—¡Señoras, por favor! ¿Lo dejó solo en algún momento, cuando estuvo aquí?

—Por supuesto que no. A ver, no es que estuviera siguiéndolo todo el rato… Descansé un poco en mi alcoba. Él me arropó y todo. El bricolaje es agotador. La vida es agotadora —añadió, con intención.

—Con lo cual habría tenido tiempo suficiente para… —dijo Gor para sus adentros.

—¿Para qué? —preguntaron al unísono Sveta y Zoya.

—Veamos, Vlad es la cara que no encaja en todo esto, ¿no? Es el raro. Podría haber grabado esa palabra, trucado las velas…

—¡Fueron los espíritus! —rugió Zoya.

—Parece un chico muy respetable —añadió Sveta—. Es un hombre con energía. ¡Un médico! Un cuerpo sano y fuerte…

Se interrumpió al ver que los ojos negros de Gor la miraban fijamente.

—¡Háganme caso, señoras! Olvídense de los espíritus y de esa falacia del *mens sana in corpore sano*. Y pregúntense: ¿quién tuvo la oportunidad, y la fuerza necesaria, para grabar esa mesa? ¿Quién tuvo la oportunidad de prepararlo todo para *madame*, con sugerencias… tal vez mientras dormía? ¿A quién de todos los presentes no conocía bien? ¿Quién no encajaba?

Gor clavó la mirada en los ojos de *madame* Zoya, que seguía tumbada en el sofá, cabizbaja. Zoya aspiró una baba antes de replicar.

—Bueno, la verdad, visto así… ¿Pero por qué?

—Eso es lo que aún no sé. ¡Pero lo averiguaré!

—¡Oooh, un misterio! —chilló la anciana, que por un momento pareció estar medio viva.

—Sí, pero no para usted, querida mía —dijo Sveta—. Usted tiene que descansar en la cama y comer un poco de sopa. ¡Y nada de sales de esas! —añadió, muy seria—. Muchas gracias por su ayuda, pero por el momento la dejamos tranquila.

—Sí, supongo que tienes razón —gimoteó Zoya, llevándose a la frente una mano que parecía una garra—. Estoy mareadísima. Dejadme tranquila, sí, estoy machacada.

Gor resopló.

—Una última cosa, *madame*, si me lo permite —preguntó desde la puerta.

—¡Sí, por supuesto!

—Ese sanatorio donde trabaja el joven. ¿Sería tan amable de darme el nombre, si lo sabe?

—Trabaja en Vigor y Vitalidad, en el estuario.

—Vigor y Vitalidad —repitió muy despacio Gor—. Entendido.

—¡Lo conozco! —dijo Sveta—. Tenía una amiga que estaba

allí. ¡Un lugar encantador! Con piscina interior, saunas, cabinas de masaje…

—Intentaron meterme ahí —dijo Zoya—. Los eché con el espray pimienta. Está lleno de viejos chochos.

Sveta rio, una risa que era como un tintineo y que le sacudió las mejillas, sin entender muy bien si la anciana hablaba en broma o en serio. Se despidió y correteó para alcanzar a Gor.

—¿Iremos a visitar a ese tal Vlad, no? —preguntó con impaciencia—. ¡El viernes es el día que me va mejor! Tengo unas jornadas bastante liadas en la escuela, pero para entonces ya habrán empezado las vacaciones de otoño.

—¿«Iremos», Sveta? —dijo Gor, con la mirada fija en sus pies mientras los pasos resonaban en la escalera.

—¿No quiere que le acompañe?

—No es eso.

—¿Y entonces qué es?

Sveta se detuvo en un peldaño, con las manos en las caderas.

—Sveta… —Se giró hacia ella y la miró directamente, buscando las palabras más adecuadas—. El centro de todo esto soy yo. Es a mí… es a mí a quien odian.

—No entiendo a qué se refiere.

—No quiero meterla en esto. —La miró a los ojos—. Usted es una buena mujer. Evite meterse en problemas si le es posible. Y evíteme a mí. No me merezco su ayuda.

Aquella sinceridad, su inesperada consideración, la pilló por sorpresa.

—Soy una chica crecidita, capaz de defenderse por sí sola. Si alguien se está burlando de los espíritus, me gustaría saberlo. Y si alguien está intentando asustarlo… por la razón que sea, me siento ofendida. No soporto el engaño. Y si ese tal Vlad, por muy guapo y muy fuerte que sea, ha sido deshonesto y ha intentado hacerle daño mediante trucos y falsedades, ¡quiero decirle cuatro cosas! ¡Cuatro cosas bien gordas! Tanto de parte de usted como de la mía.

—Ah… —Gor se quedó en silencio. Pasaron por debajo del

ruinoso arco de la entrada trasera del edificio y emergieron a una tarde gélida—. En ese caso, contar con su presencia el viernes sería un consuelo.

Esbozó una leve sonrisa, una sonrisa auténtica que transformó brevemente su cara, que pasó de las profundidades de un invierno glacial a una soleada mañana de junio.

—Hecho, pues —dijo Sveta, respondiendo con una sonrisa resplandeciente.

—¿Quedamos a las diez? —propuso él.

—¡A las diez! Estupendo, ¡Oh! —dudó un instante—. Solo una cosa.

—¿Sí?

—Albina.

—¿Eh?

—Tendría que venir.

—¿Qué? —Los rayos de sol de la sonrisa desaparecieron—. No, Sveta, de verdad…

—¡Son vacaciones escolares! ¡No puedo dejarla todo el día sola con Kopek como única compañía! —declaró Sveta, sonriéndole a Gor.

Gor suspiró y miró las hojas negras y duras que había pegadas al parabrisas.

—El loro no es necesario que venga, ¿no? —insinuó, levantando una ceja.

—¡Oh, no! —Sveta rio—. Es un periquito, Gor. Son bastante distintos.

ENTRE SÁBANAS DE COLOR ROSA

Dos días más tarde, en un apartamento herméticamente cerrado situado justo encima de la Tienda de Comestibles Número Seis, el sudor empezaba a encharcarse en la zona lumbar de la espalda de Polly. Al moverse, notó que se deslizaba como un hilillo entre sus nalgas. Pero su cara, ancha y de piel clara, cautivadora y a la vez distante, no dejaba entrever nada y mantenía los ojos cerrados mientras las manos de Vlad la impulsaban contra sus caderas, mientras sus uñas se le clavaban en la carne para intentar no soltarla. Vlad se retorcía. Polly suspiró por dentro y miró de reojo la mesita de noche: ya eran las siete. Tenía que irse de allí lo antes posible. Incrementó la velocidad y la musculatura de los muslos le empezó a arder, luego a entumecerse, a continuación gimió tal y como había oído que hacía su compañera de habitación, confiando en que todo aquello sirviera para que él también acelerara. Vlad se arqueó y se estremeció debajo de ella, soltó una palabrota y emitió un sonido que le hizo pensar a Polly en un conejo estrangulado.

Al instante, Vlad se derrumbó sobre las sábanas de color rosa, paralizado, con el único movimiento visible del pulso que le latía en el cuello y el pecho, que subía y bajaba. El reloj seguía con su tictac. Polly se rascó la cabeza, esbozó una veloz sonrisa y miró a su alrededor para localizar la ropa.

—Polly —murmuró él con la boca pegajosa, enredando los dedos entre el cabello de ella y tirando para que se tumbara sobre él, pecho contra pecho, con la cara pegada a su hombro. Polly notó el peso de la mano de Vlad en la nuca, donde pretendía darle besitos—. Mi princesa. Te echaba de menos…

Polly chasqueó la lengua y se apartó apoyando las manos en los hombros de él para impulsarse hacia atrás e intentar levantarse. El calor de la habitación era sofocante. Vlad era sofocante.

—No me despeines —dijo, encogiéndose de hombros con fastidio y suavizando el gesto al instante con una media sonrisa que enfocó unos centímetros más allá de la cabeza de él. Vlad dejó caer las manos sobre las sábanas y ella lo descabalgó con elegancia, como si evolucionara sobre un caballo con arcos. Con un simple movimiento de pierna y un giro, quedó sentada al lado de él, con un pie debajo de sí misma y el otro colgando hacia el suelo con un balanceo rítmico—. Tengo cosas que hacer —dijo, dando la espalda a la mirada dolida que se cernió de inmediato sobre Vlad—, y no puedo hacerlas con el pelo enmarañado. Si una cosa me enseñó mi madre —sus facciones se crisparon por un instante, su mirada se volvió borrosa—, es que siempre hay que presentarse correcta y aseada. La apariencia lo es todo, Vlad.

—Creí que habías dicho que tu madre no estuvo contigo el tiempo suficiente como para enseñarte nada.

Sonrió y le acarició las puntas del pelo. Ella se apartó, fastidiada.

—No siempre fue así.

—Perdona. —Intentó tocarla otra vez, estirando el cuerpo hacia ella, dirigiendo la mano hacia su muslo—. Podrías quedarte aquí conmigo y comer algo. No tenemos prisa, ¿no?

Polly saltó de la cama y, con un hábil y rápido movimiento, se agachó para ponerse las bragas rojas. Las exgimnastas siempre conservaban aquella elegancia felina, aquella fuerza controlada. Vlad se quedó mirándola.

—Tienes una cabeza unidireccional. Tengo que irme: ¡los negocios me llaman! —Se puso las medias negras. Cuando se levantó, sus piernas parecían alambres—. Solo sabes pensar en sexo —añadió, señalándolo con el dedo.

—¿Lo dices en serio?

—Sí, lo digo en serio.

Vlad se encogió de hombros.

—Eso no es verdad. Pienso también en otras cosas. En muchas cosas. —Se rascó los testículos—. Pero me gusta tocarte. Me encanta. Y pensaba que a ti también te gustaba. Pero a veces… últimamente… tengo la impresión de que no lo soportas.

—Acabas de tocarme, ¿no? Me has tocado bastante, ¿eh? Y lo he soportado. ¡No te quejes! —dijo en voz baja, sonriendo por encima del hombro y con un gesto de aprobación, pero sin mirarlo a los ojos.

Vlad siguió en la cama, observando cómo ella se vestía con movimientos apresurados y precisos. Se subió la cremallera de la falda y se abrochó el botón como si estuviera retorciéndole el pescuezo a un pollo. Polly nunca se quedaba. Entraba y salía y lo dejaba a veces sorprendido, otras encantado, enojado o vacío. Le habría gustado poder quedarse un rato abrazándola, quedarse dormido con la cabeza de ella recostada en el hombro, con su cabello oscuro sobre el pecho, con sus manos elegantes y de osamenta frágil acariciándole el vello que le crecía alrededor de los pezones, con la sensación de sus labios húmedos sobre la piel, notando cómo el ritmo de sus respiraciones se ralentizaba y se fusionaba hasta caer ambos dormidos.

Pero Polly nunca se quedaba.

—Estoy muy ocupada, y tú también tendrías que estarlo. Tenemos mucho que hacer. ¿Qué tal va tu caso de estudio? ¿Vas avanzando?

Él la miró con rostro circunspecto. Había estado mirándole los pechos mientras ella se contorsionaba para ponerse el sujetador. Notó que le empezaba a sudar la frente.

—Te siento aún en mí, Polly, tengo tu olor metido todavía en la nariz, y tú ya te pones a hablar sobre mis pacientes —dijo suspirando, y sus atractivos ojos miraron el techo.

—¿Tus pacientes? Él no es tu paciente. Eres un estudiante, como yo. No te engañes a ti mismo con tu discurso, hablando como si fueras un médico. Eres tan médico como yo. —Se serenó un poco y se calzó una bota de tacón ancho.

—¡Es mi paciente, Polly! ¡Y no pretendo hacerme el médico, lo sabes bien! ¡He estado ayudándole! ¡Yo no estoy trabajando en una tienda!

Polly dio dos pasos en dirección a la cama y Vlad se tapó el torso con las sábanas de color rosa.

—¿Qué has dicho? —Le clavó una mirada y su labio inferior se puso a temblar—. ¿Pretendes insinuar que no soy más que una dependienta?

Vlad tragó saliva.

—No, no era mi intención decir eso. Me has hecho enfadar y…

—¡Pensaba que creías en mí, Vlad! ¡Pensaba que lo habías entendido! ¿Cómo puedes…?

Dio otro paso hacia él.

—¡Te creo! ¡Creo en ti! Te quiero. He dicho una estupidez, lo siento. —Se sentó en la cama y levantó las manos en un gesto suplicante—. Estaba enfadado. Lo único que pasa es que… es que me gustaría que te quedaras un poco.

Polly se alejó de la cama, cabizbaja, y se sentó en el desvencijado taburete de color rosa que había al lado del tocador. El ritmo de su respiración empezó a calmarse y miró a Vlad a través del espejo.

—En estos momentos me siento superbien. —Se pasó la lengua por los labios carnosos y por un instante floreció en ellos una sonrisa—. No hagas que me sienta mal. Contigo siempre es estupendo. Eres un chico sexi.

Vlad apartó la vista. Polly se volvió hacia él.

—Mira, en serio, siento mucho tener que irme. Otro día me quedaré.

Él siguió sin mirarla.

—¿Soy el único, Polly?

Polly hizo un mohín y le devolvió de nuevo la mirada a través del espejo.

—¡Pues claro que eres el único! Significas... Significas mucho para mí. ¡Eres mi Vlad! ¡Mi cómplice! —Cogió una polvera y se empolvó la nariz—. Confío en ti. Te necesito. Y ya sé que a veces puedo ser un poco... brusca. Pero sabes perfectamente que mi vida ha sido complicada...

Se giró de repente hacia él. Estaba blanca y su mirada era intensa.

—Lo sé, y te entiendo.

—¿Cómo quieres entenderme? —Le tembló la voz y se giró de nuevo hacia el espejo—. ¡Y todo es por culpa de Papasyan! Pero estoy cambiando las cosas, ¿verdad? La vida puede ser maravillosa, ¿o no?

—Lo sé, y te estoy ayudando todo lo que puedo, Polly. Lo sabes. Haría cualquier cosa por ti.

—Y sabes que soy buena contigo, ¿verdad?

Se acercó a la cama para inclinarse sobre él y cogerlo por el muslo. Vlad siguió sus movimientos con la mirada y los músculos de su pierna temblaron al notar el contacto. Extendió el brazo para capturarle la mano.

—Lo eres.

—Ese jersey que te regalé te gustó, ¿verdad?

—Sí, claro, pero Polly...

—Te queda muy sexi.

—¿Tú crees? —cuestionó, sonriendo.

—¿Y qué me dices del reloj? Sé que te encanta: lo llevas siempre.

—Me encanta.

—Te los compré para ti, ¿no? —dijo, presionándole el muslo.

—Sí.

Los ojos negros de ella lo miraron fijamente.

—Y yo no tengo nada. Soy inteligente, lo sabes. Y eso tendría que servirte como prueba. Son de lo mejor. Carísimos. Y son la prueba de que te quiero.

—Sí.

Se sentó a los pies de la cama y se pasó los dedos entre el cabello para peinarse. El aire se electrificó con el sonido de mil crujidos minúsculos. Vlad extendió la mano. Ella se la aceptó, se la acercó a la cara y le pasó la lengua por la palma.

—Puedes ayudarme muchísimo, Vlad. Eres valiente y cariñoso, y tienes un talento enorme. Puedes preguntarle a la gente lo que quieras y te lo dirán, porque eres guapo y fuerte, y porque se piensan que eres médico.

Levantó la vista a la vez que clavaba los dientes en la almohadilla del pulgar.

—Sí, pero...

Le chupó los dedos, uno a uno, moviendo la lengua debajo de las uñas, recorriéndole las articulaciones. Vlad gimió y su cerebro se vació por completo.

—Tú hazme caso. Cuéntame cómo va el viejo de las mejillas arrugadas desde que emitiste tu milagroso diagnóstico. Vaya historia. ¿Duerme bien? —le preguntó, inclinada sobre él, lanzándole a la cara el aliento caliente y hablándole en un susurro.

—No lo sé. No he vuelto a visitarle. He estado discutiendo con el doctor Spatchkin los apuntes que tomé y redactando el informe. —Vlad introdujo la mano en el sujetador y trató de concentrarse en las palabras que le salían de la boca aunque el pecho de ella quedara expuesto ante sus ojos—. Me han dicho que ha empezado otra vez con las pesadillas y que tiene poco apetito.

—¿Vaya? ¿Así que sigue encamado? ¿Tan mal que no puede aún volver a casa? —preguntó, sentándose a horcajadas encima de él.

Le parecía increíble que hablar sobre sus pacientes la excitara de aquella manera pero, visto lo visto, siguió con el tema.

—Bueno... —Tenía el pezón de ella en la boca y le costaba habar—. Me han dicho que Spatchkin le ha hecho llegar unos lápices… y que va haciendo progresos. —Intentó bajar la otra mano hacia los muslos—. Lo está recordando todo. Es posible que pueda volver pronto a casa.

Polly se giró para interrumpir el contacto y se cernió sobre él.

—¿Pero qué dices?

—Que podría volver a casa.

—¡No puede volver a casa!

—¿Por qué no? —preguntó, con una sonrisa de perplejidad que le arrugó las facciones.

—Porque yo… él…

—¿Qué pasa? —dijo Vlad, acariciándole la mejilla.

—¡Qué le cogí las llaves! —espetó Polly—. He… he estado arreglando su piso. ¡Para nosotros!

—¿Qué?

Lo miró con la cara de una madona de estilo brutalista.

—Aquel día… en tu despacho, cuando leí su informe… vi que vivía solo, en Rostov, y entonces… la tentación pudo conmigo. ¡Necesitamos un nidito de amor, Vlad!

Vlad cerró los ojos para buscar mejor las palabras que iba a pronunciar.

—Me parece una idea encantadora, Polly, ¡pero es una locura!

—¡Lo he estado poniendo bonito para ti! —La sonrisa se torció y se transformó en un gruñido—. ¡He estado preparándolo!

—No puedes hacerlo. ¡Ese piso no es de tu propiedad!

—¿Y qué? ¿Por qué tendría que ser de él? ¡No lo necesita para nada!

—Sí que lo necesita. ¡Lo necesitará! ¿Y qué pasa si la supervisora se entera?

Polly saltó para ascender por el cuerpo de Vlad, para instalarle las nalgas a la altura del cuello y empujarle la barbilla hacia arriba. Acercó entonces la cara hacia la cara de él, esbozando una sonrisa salvaje. Se apoyó con fuerza, hasta tenerle la cabeza sujeta entre los muslos y percibir el pulso de la sangre en sus sienes.

—No puede volver a casa —dijo, pronunciando muy despacio cada palabra, como si le estuviera hablando a un niño tonto—. ¿Me has entendido? ¡Es importante! ¡Tiene que quedarse en el Vig! —Lo miró furibunda, sin parpadear. Vlad notó que las venas de debajo de los ojos se le empezaban a hinchar—. ¡No lo estropees todo, Vlad! ¡No estropees lo nuestro!

Aflojó la presión y se sentó sobre el pecho de él. Sonreía de nuevo. Pero no era una sonrisa amistosa. Vlad tenía la sensación de que Polly podía partirle el cuello con la misma facilidad con que podía besarlo.

—Lo siento —dijo en voz baja. Carraspeó un poco—. No sabía que significaba tanto para ti. ¿Así que quieres que... que siga allí, en el Vig?

—Así es. —Le estampó un beso en la punta de la nariz, le acarició la mejilla y saltó de la cama. Se quedó delante del tocador, riendo y peinándose de nuevo con los dedos—. ¡Mi querido Vlad, eres tan lento! —Recogió la chaqueta de cuero del suelo y se la puso—. Él no necesita ese piso para nada. ¡Nosotros sí! ¿No te apetece tener un nidito de amor?

Vlad frunció el entrecejo y movió la cabeza en un silencioso gesto afirmativo.

—Tú hazme caso. ¡Es fácil! Haré una copia de las llaves y devolveré las originales. La supervisora no se enterará de nada.

—De acuerdo. —Sin abrir los ojos, Vlad se frotó el entrecejo con los dedos, arriba y abajo—. Es solo que... no me parece correcto. Creo que puedo ayudarlo, Polly...

Con pasos tranquilos, Polly se acercó de nuevo a la cama, se detuvo, y se llevó las manos a las caderas.

—No pierdas el tiempo, cariño. Ya has hecho bastante por él. —Sonrió y meneó la cabeza. Se agachó entonces para acercarle un dedo a los labios mientras posaba la otra mano sobre los testículos—. ¿Verdad que te apetecería hacer el amor en nuestro pequeño refugio? —Aplicó presión. Vlad asintió—. Será nuestro secreto. No le diré nada a la supervisora... mientras tú tampoco le digas nada. Estás en esto conmigo, ¿verdad, Vlad? Al fin y al cabo, me dejaste leer su informe...

—¡Estaba dormido!

—Efectivamente... después de hacer el amor encima de la mesa de la supervisora. Ya sabes que eso no está nada bien, si se acaba sabiendo. Al fin y al cabo, me diste acceso a sus efectos personales. Y hemos llegado hasta aquí. De modo que limítate a hacer el papeleo y asegúrate de que no le dan el alta. Yo me encargaré del resto. ¿Entendido?

Vlad asintió de nuevo y ella aflojó la presión. La cabeza de Vlad empezó lentamente a atar cabos.

—¿Fue una coincidencia, Polly? ¿Qué Anatoly Borisovich resultara ser el primo del hombre... del hombre que...?

Polly sonrió.

—Naturalmente. A veces, la vida es así. El hombre que ya no necesita para nada su piso es el primo del hombre que no se merece ese piso. Pura casualidad.

—¿No lo leíste en el informe?

Polly rio y negó con la cabeza. Con un escalofrío recorriéndole la espalda, Vlad se sentó para vestirse. Los calzoncillos se habían quedado colgando en la lámpara, los pantalones en el suelo. Cuando se levantó para recogerlo todo, oyó la puerta de entrada.

—¡Mierda! ¡Llega antes!

Polly cogió el bolso.

Vlad empezó a correr de un lado a otro, sujetándose a la cintura la sábana manchada de sudor, con una pierna dentro de los vaqueros y la otra fuera, e intentando recoger mientras los calzoncillos y los calcetines.

—¿Ves? Esto es lo que pasa —dijo Polly, mofándose de él al verlo contorsionarse y tambalearse—. ¡No puedes vivir así! ¡Sabes que no puedes! Nos vemos a finales de semana.

Abrió la puerta, asomó la cabeza hacia fuera y volvió a girarse hacia él. Seguía peleándose con la ropa. Le lanzó un beso y echó a correr por el pasillo hasta llegar a la entrada sin hacer ruido.

Abrió la puerta y la cerró con sigilo.

Vlad sabía que la casera estaba en la cocina. Se oía ruido de platos y cazuelas, había puesto la radio y se disponía a cocinar. Oyó que decía algo cuando se cerró la puerta. Calculó que disponía de sesenta segundos para lavarse y cambiarse antes de que ella cruzara la puerta. Seguía sin localizar la camisa. La oyó hablar, acercarse por el pasillo pisando fuerte, percibió la mano en el pomo, abriendo la puerta…

LA AUXILIAR AMABLE

—¡Ciudadano paciente! ¿Dónde va usted?

Se quedó paralizado, arrugando con nerviosismo los pliegues de la bata. Veía con claridad el final del pasillo y las puertas que daban a la sala de estar comunitaria. Cuando oyó a sus espaldas las pisadas de unos zapatos de goma, escondió la cabeza entre los hombros. Deseaba mirar atrás, ver quién estaba siguiéndolo, pero se sentía rígido, como si fuera a partirse en dos con el movimiento. Con manos temblorosas, tiró hacia arriba de la parte inferior del pijama.

—Vuelva a su habitación, Anatoly Borisovich.

Notó el roce del calor de un cuerpo, el olor a agua de rosas le inundó la nariz. Era la auxiliar amable, la del moño cardado negro azulado y mirada afable.

—Tenía ganas de estirar las piernas —replicó en voz baja—. ¿Es tarde? No lo sé, creo que he perdido el reloj.

—Viejos… —dijo la auxiliar, enlazándolo por el brazo en un gesto que pretendía ser tanto de apoyo como de control—. Pues claro que es tarde, casi las once. —Le hizo dar la vuelta y lo miró a los ojos—. ¿Cómo es que ha perdido el reloj?

—No lo sé. Estoy seguro de que lo tenía en el armario. Pero no está.

—Mmm —dijo la auxiliar, poniendo mala cara—, es una lástima.

Sujeto por el brazo por la auxiliar, avanzó colocando un pie tras otro. Las pantuflas peludas se arrastraron por el suelo claro de linóleo y recorrieron el pasillo deslizándose con pasitos cortos y firmes.

—Estoy completamente despierto... ¡he roto la rutina!

—¿De tanto dibujar?

Las demás auxiliares se habían pasado el día entrando y saliendo de la habitación, mirando con desdén sus dibujos e interrumpiéndole los pensamientos.

—Podría ser. Recuerdo cosas y a veces... a veces el cerebro me echa humo.

—Verlo levantado es bueno. Está haciendo grandes avances, ¿no le parece?

—Supongo que sí. —Faltaban aún cinco puertas. Y por debajo de esas puertas se filtraban ronquidos y chirridos, suspiros y zumbidos que se quedaban flotando en el pasillo. Siguió deslizando los pies, acompañando sus pasos con pequeños movimientos giratorios de las manos, como si fuera un bailarín panzudo—. Sé que ahora es de noche, y sé quién soy y dónde estoy. —Miró a la auxiliar amable con una sonrisa—. Y también sé quién es usted.

—Pues todo eso está muy bien. Ya casi hemos llegado.

—¿Dónde se cobija usted cuando cae la noche, querida mía? —Enarcó las cejas con aire inquisitivo y el gesto le arrugó la piel de las mejillas—. No se pasará la noche entera patrullando, imagino.

—No. Descanso allí —dijo, indicándole el fondo del pasillo, el extremo opuesto del recorrido de su excursión—. En el despacho tenemos un camastro. Justo iba a acostarme un rato cuando lo he oído.

—¿Y en esa dirección que hay? —preguntó, moviendo la cabeza en la dirección que había estado recorriendo.

—La sala de estar, y más allá están las oficinas, la biblioteca y el vestíbulo de la entrada. En pocos días le dejarán ir a la sala de estar, si se siente con ánimos.

—Sería estupendo.

Arrastró los pies hacia el interior de la habitación, notando que los ligamentos de las piernas empezaban a recuperar la elasticidad perdida. Casi se sentía un ser humano.

—Buenas noches —le dijo la auxiliar mientras le sujetaba la colcha para que pudiese tumbarse en la cama—. Dulces sueños. Y no más paseos por hoy.

Murmuró para darle las gracias y se acostó, intentando concentrarse en la entrada de aire en los pulmones. Hacía mucho tiempo que no caminaba. Pero lo había hecho. Y lo haría más veces.

Sus ojos verdes se fijaron en los cristales negros de las ventanas, que brillaban detrás de las persianas. Sabía que en algún lugar, entre los árboles, había un sonido, antiguo y conocido; el aleteo remoto de unas alas cubiertas con cristales de nieve. Era un sonido reconfortante. Saber que estaba allí era reconfortante. ¿Cómo podía haberlo olvidado?

Cerró los párpados cuando el ritmo de la respiración empezó a relajarse. La emoción del ejercicio le había calentado los huesos. Se estaba quedando dormido acariciando la cabeza aterciopelada de Lev. Estaban los dos sentados bajo la mesa, en una remota tarde siberiana. La vieja cocina rugía en una esquina. Movió la cabeza en un gesto afirmativo. Baba no tardaría en llegar y, junto con ella, las salchichas, el queso y las historias.

Entonces escuchó el sonido. No era en el bosque, tampoco en la ventana de la casita. Estaba mucho más cerca. Estaba en el pasillo pintado de verde cáustico, al otro lado de la puerta de la habitación. Era el sonido de unos dedos dando unos golpecitos.

Se tapó la cabeza con la almohada, se llevó las manos a los oídos. El sonido subió de volumen.

—¡Vete! ¡Estoy intentando dormir!

Escuchó el rugido del silencio pero, a continuación:

«Tap tap tap».

—¿Acaso es imposible vivir en paz?

Tiró la almohada al suelo y se sentó en la cama, pero se detuvo en seco cuando un cosquilleo en la nariz engulló el sueño que pudieran almacenar todas y cada una de las células de su cuerpo.

¡Humo!

No se veía nada, el ambiente no estaba cargado, no había llamas amarillas, pero lo olía de todos modos. La sensación era repugnante, asquerosa y maligna, como la de un vientre repleto de carne podrida.

UNA TRISTE TROIKA

Aquel gélido viernes de finales de octubre, una triste troika puso rumbo a Vigor y Vitalidad. Sveta estaba apagada, y el lápiz de labios de color fresa no conseguía camuflar su palidez. Se cruzó bien el abrigo. Gor observó el gesto, abandonó su postura prudente y decidió subir la calefacción del coche hasta tres.

—No he dormido —dijo Sveta cuando vio que Gor levantaba la ceja en un gesto inquisitivo—. He tenido sueños de todo tipo. Después de cenar comí queso… nunca más.

Albina, entretanto, estaba en perfecto estado de salud, aunque fastidiada por tener que ir sentada detrás. Se hundió en el asiento, y al moverse presionó con las rodillas el de su madre.

—Ya soy más alta que ella —dijo, señalando con un dedo la nuca de su madre—. Y detrás me mareo. ¡No es justo!

Gor no dijo nada, se limitó a canturrear un «rum-pum-pum» y arrancó con brusquedad. Él tampoco había dormido bien. Los golpecitos en la puerta lo habían despertado temprano y, a pesar de que esta vez no se habían prolongado por mucho tiempo, le había sido imposible volver a conciliar el sueño. Le esperaba otra carta anónima deseándole la muerte y ni siquiera los gatos le habían podido levantar el ánimo.

—Albina, cariño, llegaremos enseguida. Siéntate bien, por favor. Has dicho que te comportarías como una buena chica. ¿Recuerdas que me lo has prometido?

—¡Sí! —Albina se impulsó hacia delante y se apretujó entre los dos asientos frontales. Sonrió con la boca pegada a la mejilla de Gor. Su aliento olía a desayuno—. ¡Me ha sobornado! ¡Si me porto bien, sea lo que sea lo que quiera decir eso, ha dicho que me comprará yogur danés!

—Cariño, estoy segura de que a Gor no le apetece oír…

—¡No me interrumpas, mamá!

—¡Señoras, por favor! —Levantó la mano y formó una débil barrera entre su oído y la boca de Albina—. Necesito concentrarme en la carretera. Guardemos silencio, que es muy temprano —dijo con firmeza, aunque en un tono no exento de simpatía. Albina se hundió de nuevo en su asiento.

Unos minutos más tarde, Gor inició su rutina y empezó a tocar las teclas de la radio. El aparato cobró vida al instante y, después de una búsqueda concienzuda, las notas de *La consagración de la primavera*, de Stravinsky, rugieron por los altavoces e hicieron traquetear las ventanillas con un zumbido metálico.

—¡Ah! ¡Música clásica! —Sveta hizo un gesto casi de dolor—. ¡Qué maravilla!

Albina, detrás, estaba furiosa e irradiaba indignación.

Cruzaron el puente por encima del río, ancho y negro, pusieron rumbo a Rostov y luego se desviaron hacia la izquierda para enfilar una carretera llena de baches que se adentraba en la campiña. Pasaron por delante de diversos edificios que parecían galletas partidas y de alguna que otra desvencijada casita de madera. Las gallinas tiritaban junto a las vallas. En los patios vacíos, los perros se rascaban con ganas sus cuellos cubiertos de pelo rizado. Cuando el camino se estrechó y se ensancharon los baches y las roderas, el coche ralentizó el ritmo para seguir avanzando a paso de tortuga. Saltaron sobre charcos de barro, tanto duros como blandos. Nadie decía nada, pero el sonido de la radio no logró ahogar ni los gañidos de Sveta ni los batacazos de la cabeza de Albina al golpearse contra la ventanilla del lado del acompañante.

—Lo siento —murmuró Gor.

Al mirar por el retrovisor, capturó la mirada de Albina. Se había cansado de estar enfadada y estaba diciéndole alguna cosa que él no conseguía oír. Le hizo caso omiso. Cuando oyó que gritaba, giró levemente la cabeza hacia atrás.

—¿Qué? —dijo Gor, levantando la voz por encima de la música.

Albina repitió lo que estaba diciendo. Pero seguía sin oírla. Cuando la niña se disponía a llenar los pulmones una vez más, un dedo de Sveta salió disparado y puso la radio en silencio con un solo toque.

—¡Oh!

Sveta sonrió.

—Mi cabeza, Gor.

—¿Fue director de banco? —gritó Albina, superando el volumen de voz de ambos—. ¿Hace tiempo?

Gor la miró con mala cara.

—Sí. Como bien sabes.

—¿Y le gustaba?

—Sí. Me...

—A mí me suena a aburrido.

—Mira, me perdonarás por decir lo que voy a decirte, pero tienes suerte de ser joven, Albina. En estos momentos, cuando la vida es como una sábana en blanco preparada para recibir color, muchas profesiones te parecerán aburridas. Me imagino que de mayor debes de querer ser bailarina o cosmonauta, ¿no?

—Pues no —replicó Albina, frunciendo el ceño—. ¿Por qué tendría que querer dedicarme a eso? Es mucho trabajo a cambio de poco dinero. Yo quiero meterme en el mundo de los negocios, importación y exportación. Voy a ganar pasta. Y así podré comprarme lo que me dé la gana —y añadió, con una sonrisa astuta—: Como usted.

Gor miró por encima del hombro y la sorpresa que le produjo la respuesta le elevó automáticamente las cejas.

—¿Cómo yo?

—Vamos, señor Papasyan, ¡lo sabe todo el mundo! —dijo Albina con los ojos muy abiertos y esbozando una mueca que dejó al descubierto unos dientes blancos y romos.

—No seas maleducada, pequeñuela —dijo Sveta, interrumpiéndola. Un rubor débil le coloreó las mejillas.

—¿Qué sabe todo el mundo? —preguntó Gor, que empezaba a tener un tic en el ojo.

—¡Que en la cisterna del váter tiene oro escondido!

—¿Qué?

—¡Y que tiene acciones de todas las compañías petrolíferas! ¡Y joyas escondidas bajo la cama! Y...

—¡Albina! —La voz de Sveta cortó en seco el discurso de su hija—. ¡Basta!

Gor sonrió, sirviéndose solo de la mitad de la cara para hacerlo.

—¿Qué todo el mundo sabe eso, Albina? —preguntó con amabilidad.

—Sí. A mí me lo contó mamá, pero en Azov lo sabe todo el mundo. Seguramente lo saben todos los habitantes del mundo.

Sveta se retorció con incomodidad en su asiento.

—Yo no te conté eso, Albina, ¿verdad? Escuchaste sin permiso mis conversaciones privadas. Y todo eso fue antes de que conociera a Gor. ¡Oh, mira, mi niña! ¡Conejitos! ¡Y una cabra!

—¿Es realmente así? —Gor no miró a Sveta e ignoró por completo el dedo que señalaba. Observó a Albina por el espejo retrovisor—. ¿Qué más sabes, Albina? ¿Alguna otra perla de sabiduría que te gustaría compartir?

—No —respondió, y después de contemplar unos instantes una cabra que estaba rumiando, añadió—: Solo que todos vamos a morirnos y que, antes, estaría muy bien poder ganar dinero.

—Sí —dijo Gor—, es una manera de verlo. Pero...

—Por lo del agujero de la capa de ozono, lo digo. Es la capa de gas que protege a la tierra del sol. Y resulta que los cohetes y las naves espaciales que la atraviesan constantemente para ir a la luna y otros sitios la están destrozando. Está llena de agujeros, como un colador. Y por culpa de eso acabaremos todos fritos. —Se encogió de hombros—. Mejor que se lo vaya gastando, señor Papasyan.

—Ah —dijo Gor—, esto sí que es sabiduría.

Frunció los labios y encorvó los hombros, sin separar la vista de la carretera. Sveta no dijo nada y su mirada examinó el espumoso cielo gris como si estuviera buscando agujeros.

La carretera seguía la empinada ladera de un canal de marea. El silencio llenó el coche mientras zigzagueaban cuesta arriba. Delante de ellos, los cuervos se apiñaban alrededor de un cadáver de un animal con pelaje marrón que yacía en el arcén. Sveta apartó la vista mientras que Albina presionó la nariz contra el cristal para mirarlo. Los cuervos apenas si levantaron sus alquitranados ojos y Gor tuvo que virar hacia un lado para esquivarlos. Unos minutos más tarde, el agua desembocaba en un marjal de color caqui que brillaba bajo el cielo otoñal como una sartén llena de grasa. Habían llegado: frente a ellos, en medio de la llanura y encarando un mar amarronado y agitado por el viento, se alzaba el cadáver del sanatorio Vigor y Vitalidad.

Gor bajó la velocidad y observó las señales de tráfico descoloridas que alertaban de la posible presencia de pacientes en la carretera. Pero allí no se movía un alma. Ni siquiera un cuervo. Aparcó el coche en la zona de gravilla destinada a tal efecto, a los pies de la precaria escalera de hormigón que daba acceso al edificio, y Albina salió enseguida. Los adultos permanecieron en el interior, analizando la fachada gris, la entrada decorada con viejas banderas rojas que habían quedado reducidas a trapos hechos jirones que temblaban en silencio a merced de la brisa.

—Lo siento mucho, Gor.

—No pasa nada.

—Albina ha sido muy maleducada.

—Los niños repiten lo que oyen. Y, evidentemente, eso es lo que ha oído sobre mí.

—No... —Sveta empezó a mover la cabeza de un lado a otro, a fruncir los labios, pero se desanimó de repente al ver que su negación de los hechos era respondida mediante una única ceja de Gor, enarcada en señal de escepticismo—. Lo siento. Yo fui una de las personas que difundió historias sobre usted. Pero eso fue antes de conocernos. Y, sí… todo el mundo piensa que tiene… dinero, oro y joyas… y más cosas. Escondidas.

—¿Oro y joyas? ¡Ja! —Palmeó el volante y resopló antes de coger lentamente aire y girarse hacia ella—. ¿Y ahora qué piensa, Sveta? Ahora que me conoce mejor. ¿Cree que tengo un tesoro escondido?

—Yo… —Los ojos de Sveta se fijaron en el parabrisas, en sus manos, en el suelo del coche y ascendieron de nuevo hacia el parabrisas. Recordó las camisas raídas, los armarios de la cocina vacíos y la falta de bombillas—. Me dijo que no era millonario. Tengo la impresión de que tiene usted cosas bonitas en casa, pero que tiene que… vivir con lo que ingresa. Y que lo que ingresa no es gran cosa.

—Vaya —dijo Gor, moviendo la cabeza en sentido afirmativo—. Veo que es usted más astuta que el resto de Azov.

Sveta sonrió.

—«No es gran cosa» me parece una expresión elegante.

—Gor, no era mi intención…

—Apenas si puedo juntar unos rublos para comprar pan. De hecho, me gustaría que supiese que, como persona, como ciudadano… estoy arruinado.

Siguió asintiendo con la cabeza y sus ojos, negros y grandes, la miraron fijamente. Sveta tragó saliva. De pronto, dos puños aporrearon el cristal, justo detrás de la cabeza de ella.

—¿Piensas salir algún día del coche, mamá? ¡Estoy cogiendo frío! ¡Mira, no tengo guantes! —anunció Albina, agitando unas manos que parecían chuletas de cerdo.

—Tendríamos que ir saliendo del coche —dijo Gor.

El sanatorio Vigor y Vitalidad había sido en su día una joya de la Unión Soviética: un hotel para estancias de reposo, un centro de salud para obreros, concebido para ofrecer descanso y rehabilitación a los que trabajaban duro, subvencionado a partes iguales por ayuntamientos, empresarios y sindicatos. Ahora ya no podían permitírselo y recibía huéspedes siguiendo criterios caóticos: se había convertido en un cruce entre campamento de vacaciones y hospital psiquiátrico. En temporada baja, permanecía casi vacío. Solo seguían allí aquellos cuyo estado era realmente frágil.

—Mire este lugar —dijo Gor, rascándose la cabeza mientras levantaba la vista hacia aquel ataúd de tres plantas—. Imagínese terminar aquí.

La paleta de color del diseño del edificio había utilizado distintas tonalidades de gris, que iban desde el gris cementerio hasta el gris noviembre, pasando por el gris de las aguas residuales. El edificio se alzaba como un ataúd de hormigón a orillas del estuario y, entre las astas de bandera que decoraban la entrada, ondeaban redes rotas; no redes de pescar, sino para proteger la cabeza de los visitantes de posibles caídas de fragmentos de mampostería.

—Seguro que el interior no está tan mal —dijo Sveta, aunque no pudo evitar esbozar un mohín cuando levantó la vista—. Sé que había gente que veraneaba aquí. ¡Sí, es verdad! —exclamó, al ver que Gor meneaba la cabeza—. ¡Sí! Hace ya unos años, pero la gente venía. Hay un pequeño cine, y tienen también masajista, y hacían clases de dibujo, y gimnasia, y todo tipo de cosas. La gente quería venir aquí.

—Es posible, Sveta, en «los buenos tiempos», ¿pero quién querría venir hoy en día aquí? Viejas glorias del partido que se han vuelto majaras, gente abandonada por su familia. Nadie viene aquí de vacaciones. —Gor se estremeció dentro de su jersey y se giró hacia Albina—. Toma nota, Albina: si desperdicias tu juventud y sacas malas notas en la escuela, podrías acabar trabajando en un antro como este.

—¡Imposible! —exclamo Albina, pisando con fuerza y haciendo crujir la gravilla bajo las botas al poner rumbo a la escalera de entrada—. ¡Ya le he dicho que voy a ser rica!

—Creo que esto no es más que una fase —comentó en voz baja Sveta.

Gor parpadeó y asintió.

—Vayamos a ver a nuestro amigo Vlad y que nos cuente él sus impresiones.

Con paso rápido, empezaron a subir el empinado tramo de peldaños en mal estado y, al llegar frente al cristal tintado de las puertas de entrada, un grito, que ya les resultaba familiar, los detuvo en seco.

—Señor —murmuró Gor—. ¿Y ahora qué pasa?

—¡Mamá! —Albina apareció corriendo procedente del otro extremo del edificio. Sus piernas de goma amenazaban con enredarse entre ellas y la gravilla se revolvía bajo sus pies—. ¡Para! —Estaba colorada y el vaho de la respiración salía entrecortado—. ¡Socorro!

—¡Dios mío! ¿Qué pasa?

—¡Mira!

Galopó hasta los pies de la escalera y derrapó para detenerse, levantando una granizada de piedras llenas de barro, para señalar en dirección al lugar de donde venía.

—Corazón, eso no es más que el vertedero. No hay que tenerle miedo. Aunque podría haber ratas...

—No es allí —insistió Albina—. ¡Allí! —gritó, señalando hacia arriba, hacia el extremo más alejado del edificio.

Bajaron corriendo la escalera para estirar el cuello y mirar hacia donde señalaba Albina.

—¿Es una hoguera? —preguntó Sveta con voz temblorosa.

—No es ninguna hoguera —dijo Gor.

Se alzaba hacia las nubes un penacho de humo negro y espeso.

Oyeron entonces un crujido de cristales rotos, seguido de un grito.

—¡Oh! —Sveta tiró de Gor para volver al coche—. ¡Tiene que irse de aquí de inmediato! ¡Recuerde la advertencia!

—Tranquila, Sveta —empezó a decir Gor, pero el olor a humo le había teñido la cara de blanco y las manos, que había levantado en señal de protesta, estaban temblando.

Sveta lo empujó para apartarlo de allí.

—Albina, ve con Gor al coche y asegúrate de que no se mueve de allí. Voy a dar la señal de alarma.

La niña se quedó paralizada.

—¡Pero mamá! —Frunció el entrecejo—. ¡Podría ser peligroso!

—Ahí dentro hay gente en estado muy frágil, Albina. Tengo que cumplir con mi deber y dar la señal de alarma. No pienso hacer nada que suponga un peligro.

—Pero Sveta… —dijo Gor, dando un paso hacia el edificio.

—¡No tiente al destino, Gor! ¡Enseguida vuelvo!

Esbozó su mejor y más valiente sonrisa y, sin pronunciar ni una sola palabra más, subió corriendo otra vez la escalera. No giró la cabeza.

Sus ojos necesitaron unos instantes para adaptarse a la penumbra del vestíbulo. Vislumbró una pared cubierta con un mosaico donde se representaban obreros y campesinos, con mandíbulas cuadradas y labios de color rubí esbozando una sonrisa, llevando a cabo actividades recreativas. Al fondo estaba el mostrador de recepción. No lo atendía nadie. Ni sonaba ninguna alarma; tampoco se oía gente corriendo despavorida para salir de allí. El único sonido era el repiqueteo apagado de una máquina de escribir, procedente de una puerta que se abría detrás del mostrador.

—¿Hola? —La máquina de escribir siguió con su repiqueteo—. ¡Hola! ¡Hay una situación de emergencia!

Sveta cruzó el espacio en dirección al mostrador y gritó para dar la alarma. El sonido de las teclas continuó impasible. Examinó con la mirada el vestíbulo y asimiló las distintas puertas que se abrían en cada esquina y que conducían a lugares desconocidos. Reinaba la paz. Aporreó el mostrador. Seguía sin haber respuesta. Vio entonces un pequeño timbre de latón, como los de los hoteles. Debajo, una frase escrita: *Pulse para ser atendido.* Pulsó el timbre, que emitió un triste «ring». El repiqueteo de la máquina de escribir se detuvo y una administrativa de aspecto anémico y en zapatillas apareció por la puerta.

—¡Fuego! —gritó Sveta, cambiando con nerviosismo el peso del cuerpo de un pie al otro.

La administrativa bajó la vista hacia sus piernas y a continuación miró por encima del hombro.

—¡En el edificio! ¡Hay humo… en esa ala! —dijo Sveta, señalando y saltando ya por la inquietud.

—No oigo ninguna alarma —replicó la administrativa, subiéndose las gafas hasta el puente de la nariz.

—Vaya a comprobarlo si no me cree. ¡Pero dese prisa! ¡Podría haber gente atrapada!

La administrativa suspiró, levantó la parte móvil del mostrador y caminó arrastrando los pies hacia la puerta principal.

—No veo nada —anunció en tono cantarín después de asomar la cabeza por la puerta. Como una mariposa chamuscada, una masa amorfa de ceniza flotó junto a su cara y acabó pegándose a las gafas—. Oh, ¿allí?

Regresó tranquilamente al mostrador, se acercó a la alarma de incendios y la activó en un gesto que parecía hecho a cámara lenta.

—Hay que engrasarla —comentó—. Se lo he dicho a Ivan un centenar de veces.

Sveta se quedó boquiabierta viendo cómo la chica intentaba sacarle más jugo a la alarma de incendios.

—¡Eso no lo va a oír nadie! ¿No tendría que salir al pasillo y avisar al personal? ¡Puede haber vidas en juego!

—Haga usted lo que le apetezca. Pero mi papel consiste en hacer sonar la alarma. Lo dice en las normas. —Le señaló con el codo la pequeña nota impresa que había pegada en la pared, detrás de ella.

Sveta fijó la vista en el timbre de recepción. Al arrancarlo de su anclaje, la madera crujió. Y a continuación, echó a correr por el pasillo que imaginó que la conduciría hasta el lugar donde había visto fuego.

—¡Oiga! —gritó la administrativa—. ¡No puede…!

Sveta abrió con fuerza la puerta, inspiró hondo y continuó.

El pasillo estaba mal iluminado, no tenía ventanas y era largo. No había ninguna señal de vida. Lo recorrió hasta la mitad, llenándolo con el sonido de sus pasos, el «ring» del timbre y su llamada de alarma.

—¡Fuego! —gritó, con un volumen de voz lo bastante alto como para despertar incluso a los muertos—. ¡Fuego!

No había respuesta.

—¡Fuego!

Las luces parpadearon débilmente en la penumbra y se apagaron.

«Ring-ring-ring». El pequeño timbre siguió sonando y Sveta aceleró el paso, confusa al ver que no había nadie a quien salvar y que no salía nadie corriendo. ¿Dónde estaba la gente alojada allí, donde estaba el personal? El sonido de las botas resonaba en el pasillo. Cerró la mano en un puño y llamó a una puerta con un cartel que rezaba: *Asesoría y control dietético*. No respondió nadie. Se sentía como una imbécil.

—¡Fuego! —gritó, haciendo sonar el timbre con insistencia.

La voz le falló un poco y cuando el humo empezó a alcanzarle la garganta, se puso a toser. Se detuvo y miró a su alrededor, preguntándose si haría bien dando ya media vuelta. Pensó en Albina, que se había quedado esperando en el coche. Pensó en la advertencia de *madame* Zoya. El olor a quemado era cada vez más fuerte. ¿Sería un grito lo que acababa de oír, detrás de la última puerta? Estaba segura de que había sido un grito. Allí había alguien atrapado, asustado. ¿Y si la gente se estaba quedando inconsciente con tanta oscuridad y tanto humo? Seguramente eran personas ancianas, inválidas, solas. Si daba media vuelta para ir a buscar ayuda, tal vez sería demasiado tarde. Se armó de valor, siguió haciendo sonar el timbre y continuó corriendo por el pasillo.

VIGOR Y VITALIDAD

—¡Déjame salir!

—Mamá ha dicho que le obligara a quedarse en el coche.

—¡Tengo que salir a ayudarla!

—¿Y qué me dice de esa advertencia? —Albina arqueó una ceja oscura y, desde el otro lado del cristal de la ventanilla, meneó el dedo dirigiéndolo hacia él.

Gor había accedido a volver al coche y se había sentado detrás del volante. Con expresión sombría, contemplaba el humo negro que palpitaba como sangre en un cielo insípido. No conseguía ver de dónde salía: la ventana rota tenía que estar detrás. Pero ya no podía seguir por más tiempo sin moverse. No tendría que haber permitido que Sveta entrara. Había sido un cobarde.

—Albina, apártate de la puerta. Tengo que salir.

La respuesta de la niña fue apoyar la cadera con más firmeza si cabe contra la puerta. No le quedaba otra alternativa: Gor empujó con todas sus fuerzas y el impulso fue acompañado por un «¡aaaaj!», que le salió de lo más hondo de la garganta, y por la hinchazón de las venas de la frente. La niña chilló al percibir el movimiento pero, en cuanto logró recuperar el equilibrio, empujó, sin esfuerzo, en dirección contraria. La situación exigía algo más que fuerza bruta. Gor bajó la ventanilla unos centímetros.

—Albina, tengo que salir para ayudar a tu madre. No puedo permanecer aquí sentado viendo cómo se desarrolla una catástrofe.

—¡De ninguna manera! Mamá me ha dicho que me asegurara de que no se movía usted de aquí y eso es lo que pienso hacer. Pero si quiere pelea… —Se alejó de la puerta para coger cierta distancia, se apartó las coletas de los ojos y se arremangó—. Kárate: ¿cree que tiene alguna posibilidad?

Adoptó la postura, de puntillas, con las manos levantadas, su expresión totalmente seria. Gor la miró un momento y se frotó los ojos. Bajó la ventanilla un poco más para poder asomar la cabeza.

—Albina, no pienso pelear contigo. Soy un viejo y tú eres una niña. Pero escúchame bien. Te toca elegir. Sea como sea, tienes que ser valiente y tomar la decisión correcta. Tengo que entrar en ese edificio, y eso creo que lo sabes perfectamente. Tu madre aún no ha vuelto. Debo asegurarme de que han llamado a los bomberos y de que tu madre está sana y salva. Puedes quedarte aquí en el coche, que sería la opción más segura, o… —Respiró hondo—. O puedes venir conmigo y ayudarme. Pero tendrías que prometerme que no te apartarás de mi lado. Y que harás lo que yo te diga.

La niña miró fijamente a los ojos de Gor y se giró para observar el edificio. Asintió.

—Vayamos a rescatar a la gente. Y a mamá.

Gor subió la ventanilla y salió del coche.

—¡Vamos! —dijo, y le dio la mano a la niña, cuyas coletas empezaron a saltar en cuanto enfilaron los maltrechos peldaños de la escalera de acceso al humeante edificio.

—Le diremos a tu madre que he podido más que tú, que no has conseguido obligarme a permanecer en el coche —dijo Gor mientras se dirigían al mostrador de recepción, que estaba vacío.

—No le creerá.

Gor asintió.

Entraron en el despacho y la administrativa, que estaba engrasando la alarma de incendios, les confirmó con pocas ganas que había llamado a los bomberos. Cuando Gor le preguntó sobre Sveta, le restó importancia y movió la mano en un gesto de desdeñosa impaciencia.

—¡Se ha marchado por el pasillo sin que me diera tiempo a impedírselo! ¡Le he dicho que no lo hiciera! ¡Le he dicho que era peligroso! El fuego está en la Sala de Estar Comunitaria Número Dos —añadió, viendo que Gor y Albina se encaminaban también hacia el pasillo—, justo al final.

—Tú quédate aquí —dijo Gor.

—¡No! —Albina le lanzó una mirada feroz—. ¡Es mi madre!

Cruzó corriendo la puerta y Gor la siguió con dificultad.

—¡Cúbrete la nariz con la manga del abrigo para respirar! —le gritó, mientras examinaba el suelo y las puertas en busca de obstrucciones o heridos—. ¡Abre todas las puertas, por si acaso! —añadió.

No se oía ningún ruido y tampoco hacía calor, pero el humo olía tan intensamente a producto químico, que a Gor le dio un vuelco el estómago y Albina empezó a toser. La cogió de la mano y siguieron avanzando, agachados. El hollín oscurecía el camino hacia la Sala de Estar Comunitaria Número Dos.

Gor cerró los ojos un segundo para combatir la irritación provocada por el humo. Tenía la impresión de estar en un pueblo de Siberia, con pinos oscuros que se columpiaban por encima de un puñado de casas de madera de construcción desigual. Era de noche, el cielo tenía un tono azul oscuro y el hielo crujía al entrar en contacto con sus botas de fieltro. Corría por un camino. Las chispas anaranjadas salían disparadas hacia el aire por encima de un tejado. Se oían ladridos de perros, asustados en los patios y en las casetas, y los vecinos, con cara lívida, salían de sus casas, calzándose apresuradamente las botas y cubriéndose con abrigos las prendas de dormir. Corrían por el camino que conducía al otro extremo del pueblo. Y él corría también, notaba el frío mordiéndole los pulmones, robándole la respiración. Estaba llorando. Y antes incluso de ver el fuego, lo supo. Supo de quién era la casa. Y supo que llegaban tarde. Y supo que había sido por su culpa.

Abrió los ojos y tiró con fuerza de Albina.

—¡Démonos prisa!

Vio la puerta cuando estarían a una docena de pasos de ella. Buscó a tientas el pomo metálico y se estremeció de alivio al notar la frialdad en la palma de la mano. Aguzó el oído y percibió la vibración de las voces. Alguien había llegado antes que ellos.

Sveta estaba inmersa en una escena de caos goteante y ennegrecido, dirigiendo a un par de auxiliares que estaban empapando lo que en su día fuera un sillón orejero. Armadas con cubos abollados, estaban arrojándole agua y el sillón respondía siseando con una acritud tan peligrosa que sugería la presencia de un nido de roedores chamuscados. Por encima del sillón, las llamas habían alargado sus dedos hasta el techo y habían fundido las losetas de poliestireno, que habían ido cayendo sobre una mesa, el teléfono, otro sillón y el suelo de linóleo. Había pequeños trozos de plástico quemado que aún humeaban. Las ventanas estaban abiertas de par en par, pero el ambiente seguía cargado e irrespirable. Gor se tapó la nariz y la boca con el pañuelo y, dubitativo, se adentró en el espacio.

—¿Sveta? ¿Está bien?

Sveta chasqueó la lengua y meneó la cabeza.

—Parece el trono del diablo, ¿verdad? ¡Es un milagro que nadie haya sufrido ningún daño! —dijo, hablando para sus adentros.

—¿Pero qué haces, mamá? ¡Sal de aquí! —Albina empujó a Gor para abrirse paso y, con los brazos abiertos, saltó hacia ella. Se detuvo al ver que su madre se comportaba de forma extraña—. ¿Qué has hecho?

Con una mirada de perplejidad, Sveta sonrió a su hija y se observó las manos, que tenía extendidas delante de ella como si guardaran en su interior un kopek. Se veían temblorosas, brillantes e inflamadas bajo una capa de hollín.

—No lo sé, pequeñuela. ¿Qué he hecho?

—Se ha quemado las manos —dijo una voz desde la puerta de

enfrente. Vlad entró en la sala con una esponja mojada y su mirada saltó de Sveta a los recién llegados—. Y ha aspirado humo. Pero se encuentra bien. Estoy aquí.

Se acercó a Sveta y proyectó la barbilla hacia ella para indicarle con ese gesto que le diera las manos para limpiárselas con mucho cuidado y retirarle el hollín. Sveta hizo una mueca de dolor.

—¡Creía que había alguien sentado en el sillón! —explicó, mirando una vez más sus retorcidos restos y sonriendo, como queriendo disculparse—. ¡Ay! ¡Esto duele!

—En el sillón no había nadie, mi querida Sveta —dijo Vlad, concentrándose en las manos—. Todo estaba controlado. Me ha dado un buen susto, entrando en tromba de esa manera... —Inspeccionó las manos inflamadas—. Ha sido una suerte que estuviéramos aquí.

—¿Sveta? —dijo Gor.

—No... no recuerdo que ha pasado. He entrado corriendo... Estaba asustada, había mucho humo. He visto las llamas, y he oído un grito. He intentado apagarlo... con el sombrero. Aquí había alguien...

Sveta se balanceó de un lado a otro y sonrió a Vlad con ojos vidriosos. Gor y Albina se miraron entre ellos.

—Era personal de la casa, haciendo su trabajo —replicó Vlad en voz baja, sujetando las manos de Sveta y la esponja con una sola mano y secándose la frente con la otra—. Ha sido una suerte que no hubiera pacientes en el pasillo por donde vino corriendo. Podrían haber... —Apartó la vista para mirar hacia la ventana, donde lucía una mañana gris.

—¿Cómo empezó todo? —preguntó Gor con brusquedad.

Vlad se encogió de hombros.

—No lo sé... son cosas que suceden a menudo, lo ves cada mes en las noticias: la chispa de un enchufe, un cortocircuito, algo que se calienta en exceso, una colilla mal apagada...

Levantó las manos de Sveta para que les diera mejor la luz y las examinó una vez más.

—¿Por qué no ha sonado ninguna alarma? —insistió Gor.

—Porque a lo mejor no funcionan. Lo más probable es que estén defectuosas y alguien las haya desconectado. Ya sabe cómo es la gente. Nadie se imagina que vaya a vivir un incendio —dijo en tono despreocupado, aunque su rostro mostraba seriedad.

—¡Sveta podría haber muerto!

—¡Oh, no!, estoy bien —dijo Sveta, inexpresiva.

Albina enlazó a su madre por el brazo y descansó la cabeza en su hombro. Sveta miraba boquiabierta el sillón chamuscado y se mordió el labio inferior antes de hablar.

—De haber sabido que no había nadie, no habría entrado. Había fuego por todas partes.

—Está en estado de *shock* —dijo Gor—. Sveta, ha sido muy valiente, pero ahora tiene que volver a casa y tumbarse a descansar. Vendremos a hablar con Vlad en otro momento.

—Me gustaría sugerir una visita de nuestro médico residente, el doctor Spatchkin. —Vlad se giró entonces hacia Sveta—. Podría quedarse aquí un par de noches, Sveta, en el ala de señoras, claro está. Para reposar y para ver cómo evolucionan estas manos. No creo que las heridas sean graves, pero… cuidaremos bien de usted. Es un lugar agradable, mucho mejor que el Hospital Número Cuatro. Necesita descansar y yo puedo proporcionarle todo lo que necesite —añadió con una sonrisa infantil al ver que ella se disponía a llevarle la contraria—. Basta con que me lo pida.

Sveta asintió.

—A lo mejor haría bien quedándome. Me siento… rara. —La frente y el vello del labio superior se le empezaron a llenar de gotitas de sudor—. Tal vez tendría que descansar.

—Pero mamá…

—La instalaremos en el ala Tereshkova —dijo Vlad, dirigiéndose a Gor—. Para señoras. Estará en buenas manos. En esta época del año está todo muy tranquilo, y está en el otro lado del edificio, lo que significa que no habrá humo.

La sujetó por el brazo mientras la instalaban en una camilla que había aparecido a su lado, transportada por un par de camilleros manchados de hollín.

—Tal vez tendrías que acompañar a tu madre, Albina. Necesitará tu consuelo y tu apoyo —dijo Gor—. No te preocupes. En un rato vengo para llevarte a casa.

Albina, con la respiración entrecortada, se quedó mirando a su madre.

—¡En casa no habrá nadie! ¡Mamá se quedará aquí! ¡Y yo estaré sola! —Agarró la camilla con tanta fuerza que amenazó con tirar a su madre al suelo—. ¡Mamá! ¡Mamá! ¿Qué voy a hacer? ¡No me dejes!

—¡Ay, corazón, ve con cuidado con la mano de mamá!

—¡Tranquila! —dijo Gor, posando la mano en el hombro de Albina y ejerciendo presión—. Ya pensaremos algo. ¿Podrías quedarte en casa de algún vecino?

—Solo de tía Vera, pero mamá, no me obligues a quedarme con ella. ¡Bebe vodka y pega a sus gatos!

—¡Ay! —gimoteó Sveta—. ¡Las manos! ¡Las siento! ¡Y duele!

—¡No me obligues a quedarme con ella!

—¡Calla, niña! —dijo Gor, cortándola—. Muy bien: si no hay nadie más, puedes quedarte conmigo hasta que tu madre haya reposado. No es necesario gritar.

—¿Está seguro de que es una solución sensata —preguntó Vlad—, teniendo en cuenta las cosas raras que pasan en su apartamento?

—¿Por qué no te metes en tus asuntos, Vlad? —dijo Gor, tratando de mantener un tono de voz inalterable.

El estudiante se mordió las mejillas por dentro. Las auxiliares seguían revoloteando a su alrededor, ocupadas y refunfuñando, retirando los fragmentos del sillón quemado y las piezas del techo que habían quedado chamuscadas. Los camilleros, que estaban esperando, cambiaron el peso del cuerpo a la otra pierna y tosieron para hacerse oír.

—Ya sé que no es asunto mío —replicó Vlad con una sonrisa—. No sé por qué… Bueno, da igual, Sveta, descanse. Me dejaré caer por allí en un par de días —dijo, guiñándole un ojo.

Sveta le devolvió la sonrisa y giró la cabeza hacia su hija.

—Pórtate bien con Gor, Albina. Voy a dormir un poco.

Estampó un beso en la mano que seguía posada en su hombro y bostezó. Agotada, se la llevaron hacia el lóbrego pasillo. Albina se dispuso a seguirla, pero Vlad detuvo su intento levantando un solo dedo.

—Hoy nada de visitas, jovencita —dijo con amabilidad—. Tu mamá necesita silencio y reposo. Pasado el fin de semana, podrás venir a visitarla.

—¡Pero sí es mi mamá! —gimoteó.

Las puertas se cerraron con un repentino ruido metálico que resonó en la sala. Vlad presionó una mano contra ellas.

—¡Ah! Las puertas de seguridad se han cerrado —anunció con mala cara—. ¡No es habitual! Y no tengo la llave.

Gor negó con la cabeza.

—¡Santo Cielo! ¡Primero las alarmas que no funcionan y ahora nos hemos quedado encerrados!

El joven se volvió hacia él con expresión seria.

—Hacemos lo que podemos, dadas las circunstancias. Y, de todos modos, ¿qué ha venido a hacer aquí, Papasyan? —preguntó, levantando una ceja en un gesto inquisitivo—. ¿De visita, por fin?

—¿De visita? ¡Bah! —Gor puso cara de asco—. Hemos venido a hablar contigo.

—¿Conmigo?

—Teníamos algunas preguntas, sobre la sesión de espiritismo.

—¡Ah! Entiendo. ¡Pero espere un momento! —exclamó Vlad, abriendo mucho los ojos—. *Madame* Zoya alertó sobre un incendio… y aparece usted, ¡y hay un incendio! Da miedo, ¿verdad?

Miró a Gor y luego a Albina, y repitió el movimiento, mirándolos de nuevo, asintiendo.

—Yo no tengo miedo —dijo Gor, malhumorado.

—Y yo tampoco —dijo Albina.

—¿No? Bueno, esto es buena señal. Pero lo siento mucho, ahora no puedo hablar. Estoy de guardia y, como puede comprobar, tenemos que arreglar todo este follón y tranquilizar a los residentes más ancianos. Están paseando por los pasillos, desquiciados. No entienden por qué están más seguros aquí dentro que fuera, en las marismas. —Se encogió de hombros—. Supongo que tendremos que salir por el otro lado. ¡Síganme, por favor!

Vlad, con paso decidido, se dirigió hacia la puerta por donde había aparecido antes.

—¡Todo el mundo a sus habitaciones, por favor! —gritó—. ¡No se alarmen! El incendio ha sido muy pequeño y ya está apagado. ¡Todo va bien! —Tosió un poco—. Cierre las puertas de la sala de estar —le dijo furioso a una auxiliar—. El humo los está poniendo nerviosos.

Gor y Albina siguieron a Vlad. Las puertas se quedaron abiertas y el personal siguió intentando tranquilizar a los enfermos confusos, diciéndoles que el incendio estaba realmente extinguido y que en la cama era donde estarían mejor. El sonido redundante de la sirena de un camión de bomberos que cruzaba las marismas de camino hacia ellos no colaboraba en sus esfuerzos. Vlad cerró las puertas con un golpe enérgico.

Una auxiliar robusta, con la cara reluciente de sudor y las manos en las caderas, estaba en el umbral de la puerta de una habitación discutiendo con un paciente que estaba ansioso por salir. Vlad asomó la cabeza y Gor oyó que el volumen de las voces subía.

Se quedaron esperando en el pasillo. Gor empezaba a notar en el pecho el peso de la claustrofobia. Estaba impaciente por marcharse de allí; aquel lugar tenía una atmósfera extraña, amenazante y cerrada a pesar de la altura de los techos. El olor a pintura nueva empeoraba más si cabe la situación. Echó a andar hacia las puertas del final del pasillo.

—¡Vamos, Albina!

La niña se había quedado plantada junto a una puerta, y miraba hacia el interior.

Bajo el parpadeo de un fluorescente, vislumbró una figura junto a los pies de la cama: un anciano, bajito pero robusto, con el cabello gris y enmarañado. Se balanceaba de un lado a otro, temblaba y murmuraba alguna cosa.

Estaba de cara a la puerta, pero con los ojos cerrados. Tenía ambos brazos rígidos y extendidos hacia delante, los dedos cruzados. Albina vio que movía la boca. Se inclinó hacia él para escucharlo. De entre sus labios salía un susurro apresurado, agudo y débil.

—¡Camarada Stalin, protégeme! ¡Protégeme, camarada Stalin!

Albina entornó los ojos. Su reacción inicial, la risa, quedó al instante sustituida por un sentimiento más profundo que le encogió el estómago. Aquel hombre estaba aterrado. Vio que parpadeaba y que, de repente, abría un ojo y el iris verde quedaba al descubierto. El anciano profirió un chillido agudo.

—Lo siento —murmuró Albina.

Retrocedió para salir de nuevo al pasillo y tropezó en su intento de ponerse a la altura de Gor. Cuando Vlad cerró de un portazo la puerta de enfrente para seguir caminando con ellos por el pasillo, se sobresaltó y dio un brinco.

—¡Hora de irse! —dijo Vlad con una sonrisa, empujando a Albina hacia delante y cogiendo a Gor por el antebrazo—. ¡La supervisora está enfadada!

—¿Pero cuándo hablaremos? Yo querría…

—Otro día, por favor. Pero llame antes por teléfono, ¿de acuerdo? Espero que comprenda que no puedo estar siempre disponible.

Vlad se detuvo al llegar a las polvorientas puertas dobles e introdujo una llave en la cerradura.

—Bajen por estas escaleras, luego sigan a la izquierda por el pasillo y salgan por la puerta de emergencia. Tendría que abrirse con solo empujar la barra. De no ser así, vuelvan y llamen con fuerza a la puerta.

Los empujó para echarlos, los saludó con un gesto y cerró de un portazo, encerrándolos fuera.

Albina pegó la cara al cristal mugriento y siguió con la mirada los pasos del estudiante de medicina por el pasillo iluminado pintado de verde. Vio que se detenía en el umbral de la Habitación Número Seis. Y que se quedaba mirando hacia el interior un buen rato, que meneaba la cabeza y que acababa también cerrando esa puerta.

—Me ha dado miedo.

—Vamos, tenemos que volver a casa. —Las botas de Gor retumbaron por los peldaños de hormigón de la escalera—. Necesitas una taza de leche con galletas.

La niña seguía mirando hacia el pasillo.

—No tengo hambre.

—No te asustes, Albina; tu mamá se pondrá bien enseguida y, además, estoy seguro de que este lugar no es tan malo como parece.

Albina tenía la barbilla pegada al pecho.

—Aquel anciano…

—¿Qué anciano? —preguntó Gor, esperando a que Albina se pusiera a su altura.

—El de la habitación. ¡Daba miedo!

—¿Por qué lo dices? Seguro que no era más que un señor mayor, abandonado por su familia para que se pudra aquí.

—Usted no lo ha visto.

—¿Y por qué te ha dado tanto miedo, Albina?

El bigote de Gor se agitó con un tic nervioso. La afición de Albina por el melodrama resultaba agotadora.

—¡Estaba allí de pie, con los ojos cerrados y los dedos cruzados, como si estuviera rezando, o yo qué sé!

—Esa no es precisamente la postura que se utiliza para rezar, Albina.

—¡Pues le estaba rezando a Stalin!

Gor se quedó paralizado en el último peldaño.

—¿Que quieres decir, niña?

—Que estaba de pie con los dedos cruzados y los ojos cerrados y decía «¡Camarada Stalin, protégeme!», y lo repetía sin parar —dijo Albina, imitando la escena.

—Eso… ¡eso es imposible! —Gor se quedó mirándola boquiabierto por un instante, se estremeció y acabó de bajar las escaleras a toda velocidad—. ¡No, no! No puede ser. Vamos, Albina, es hora de volver a casa. Ya basta por hoy. ¡Ya basta!

La niña miró a Gor de soslayo. Había hablado muy fuerte, en un tono muy agudo, y su cara, recubierta por aquella piel tan tensa, se estaba poniendo amarillenta. Era como si también tuviera miedo. Al llegar al final de la escalera, Albina deslizó la mano entre la de él. Gor bajó la vista para mirarla y, sin ralentizar la marcha, volvió la vista atrás hacia el camino que habían recorrido.

—Allí no hay nadie —dijo Albina.

HELADO

«Ping-ping-ping».

La alarma del Tag Heuer había sonado hacía al menos media hora. La había puesto en vibración y no sabía cómo pararla por completo. Se disparaba cada pocos minutos. La había puesto para saber a partir de qué momento Polly empezaba a retrasarse, y ahora se lo recordaba, eternamente: no estaba allí; no había venido.

Estaba sentado solo, delante de una taza vacía y una cucharilla, sus piernas largas metidas incómodamente debajo de una mesa combada de madera contrachapada. El azúcar tiritaba en el azucarero. Sabía que la chica de la barra estaba mirándolo. Era guapa, pero no estaba de humor. ¿Por qué no habría venido Polly?

Polly, que lo había dejado sin aliento, que le había robado el alma: tan inesperada, tan excitante, tan distinta. No sonreía como una tonta ni sonreía con afectación, no se hacía la tonta: era potente, animal. Su determinación lo había puesto en un compromiso, y él se había dejado acorralar con gusto, para toda la vida, había creído.

Todo había empezado a finales de agosto, cuando las moscas morían y el sol echaba humo. Se había estado fijando en las chicas que iban entrando en el aula, bronceadas, con zapatos nuevos, una nidada de gallinas calientes. Alguna cosa le había hecho volver la cabeza y mirar hacia la zona más oscura del lado opuesto.

Era alta, de aspecto atlético, corredora en la escuela secundaria o gimnasta. Completamente sola mientras las demás chicas reían y charlaban, parecía como si no pudiera oírlas, como si no estuviera allí. Había dirigido su mirada hacia el otro extremo del aula, como si lo único que alcanzara a ver fuera a él.

Él había bajado la vista hacia la libreta, hacia los formularios que supuestamente tenía que estar rellenando, hacia los espacios vacíos que llenaban la hoja. Cuando levantó la cabeza, ella estaba allí, tomando asiento en una descolorida silla de plástico, a su lado. Él la había mirado a la cara, esbozando una sonrisa de sorpresa.

Sin mirarlo, extendió una mano de dedos largos, cogió un chicle de la caja que tenía él junto a la libreta y se lo llevó a la boca.

Él cambió de posición en la silla, las juntas crujieron con el movimiento, y abrió la boca para hablar.

—¿Cómo te llamas? —le preguntó ella con voz seductora, dirigiendo todavía la vista al frente y antes de que a él le diera tiempo a empezar.

—Vladimir. La gente me llama Vova.

—Pues yo te llamaré... Vlad.

—Oh, ¿ah, sí? —replicó él, sin dejar de sonreír. Sus ojos, sin embargo, mostraban perplejidad.

Ella volvió la cabeza y arqueó una ceja fina y oscura. Apartó rápidamente la vista.

—¿Y tú te llamas...?

—Polina. Puedes llamarme Polly.

—¿Estás en segundo?

—Sí.

—No me suenas.

Infló un globo con el chicle.

—He estado un año fuera. Problemas familiares.

—Ah. ¿Y todo bien, ahora?

Hizo un mohín.

—Sí.

—¿Te gusta este chicle?

—Sí.

Se volvió entonces hacia él. No llevaba maquillaje y el cabello era largo y le cubría la espalda. Tenía los pómulos marcados, la nariz pequeña y salpicada con pequitas doradas, pero fueron los ojos, unos ojos oscuros y almendrados… que parecían a veces sinceros, otras sobrenaturales, maternales, inexpresivos, lo que le fascinó.

—¿Dónde te tocan las prácticas? —preguntó.

—En el sanatorio Vigor y Vitalidad, en el ala de enfermos. Mala suerte. Mucha geriatría. ¿Y a ti?

—En la Farmacia Número Dos de Azov, en el centro de la ciudad.

—¿Una farmacia? Poco podrás practicar allí.

Fue como si por un momento los ojos quedaran ensombrecidos por una nube.

—Ya llevo todo el verano allí. Creo que no les gusto. —Señaló con un gesto la mesa que encabezaba el aula, donde el personal administrativo se peleaba con folios de papel y matasellos—. Pero da igual.

—No te lo tomes como algo personal. Es por un periodo muy corto. —Observó los muslos que asomaban por debajo de una falda corta y veraniega—. ¿Y qué te gusta, Polly, además de estudiar medicina… y de mi chicle? ¿La música? ¿Bailar? ¿El helado?

Lo estudió con la mirada, ladeando la cabeza.

—Acércate: te lo diré al oído —dijo, y le cayó sobre la frente un mechón de pelo.

Él se había acercado y había cerrado los ojos para escuchar. Cuando los abrió, ya nada volvió a ser igual.

Se sentaron juntos en todas las clases de Edad Avanzada, muslo contra muslo, y pasearon de la mano por la decadencia de la vejez, dejando que las palabras que hablaban sobre la demencia y la degradación de los tejidos revolotearan por su cabeza como mariposas. Aprendieron en qué consistía el envejecimiento y, embelesados por su juventud, se rieron de él, lo desdeñaron, lo rechazaron. Aquellas historias tristes con finales olvidados nunca serían las suyas.

«Ping-ping-ping».

El tiempo se había comportado de forma extraña desde que se conocieron: las clases podían llegar a prolongarse una eternidad y el ritmo de su respiración se transformaba en una tortura, lenta y dulce. Cada noche sin ella era como una muerte sin fin. Se retorcía de dolor. Valya lo había notado: un día lo sentó e intentó hablar con él. «No te lo tomes tan a pecho –le había dicho–. No es más que una chica. No es más que un enamoramiento. ¿Qué sabes de ella? ¿Has ido a bailar alguna vez con ella, a ver una película, a jugar al fútbol con los chicos?». Valya no lo entendía. A él no le importaban ni su familia, ni sus mascotas, ni sus anteriores novios, ni sus lecturas favoritas. No quería distracciones. Lo único que deseaba era tocarla.

Nunca había estado con una chica como aquella: instantánea y salvaje, haciendo el amor en la hierba de la orilla del río o, con un traqueteo metálico, contra el armario del almacén del trabajo. A veces estaba tan agotado que le costaba levantarse por las mañanas, tan agotado que le costaba dormir, vivía consumido por unas llamas que calcinaban de deseo su entrepierna, su vientre y su sangre. Estaba hambriento, pero era incapaz de comer. Deseaba que Polly lo devorara entero y escupiera simplemente la cáscara. Si la vida pudiera ser tan sencilla como el sexo.

«Ping-ping-ping».

Aquella noche, a primeros de septiembre, había llegado tarde al Vig, con el nerviosismo del que es todavía un novato; intentaba gustar a todo el mundo, mostrarse responsable. Ella había lanzado una piedra contra la ventana de su despacho, él había oído su risa y ella se había encaramado en cuanto le había abierto. Vlad se había sentido asustado y excitado a la vez. Sin decir palabra, Polly había cerrado la puerta con llave, con minifalda y medias, se había sentado en la mesa delante de él y, lentamente, había empezado a desabrocharle los botones de la camisa. Él había querido decirle que parase, aunque en realidad no quería que parase. No había parado.

«Ping-ping-ping».

Y cuando él se había quedado dormido, ella había revisado los informes de sus pacientes. Al principio, Vlad no le había dado importancia. Al fin y al cabo, ella estudiaba con él y era natural, se dijo, que estuviera interesada. La farmacia no le daba muchas oportunidades de trabajo real. Lo había olvidado por completo. Pero luego le contó lo de que se había llevado la llave del viejo.

Siempre había sabido que era distinta. Sabía que sus emociones gobernaban sus actos, y que sus emociones podían ser muy fuertes. Sus planes para lo de Papasyan, por ejemplo. Pero esto era distinto. Ella no había comprendido su desasosiego; de hecho, se había cargado todas las objeciones que él le había puesto con una determinación que daba miedo. Se había mostrado tan firme en la decisión de que el viejo debía seguir en el Vig, que Vlad se había sentido incluso amenazado. Sabía que era ridículo, tal vez, sentirse amenazado por la chica que decía que lo amaba. ¿Pero no lo había amenazado con chantajearlo? ¿No era esa la palabra que lo definía? ¿Y para qué? La idea de acostarse con ella entre los trastos del viejo le provocó un escalofrío que le recorrió la espalda. ¿Cómo iban a hacer el amor en su sofá, con los árboles susurrantes de Chernovolets, con los espíritus del bosque y con todas aquellas historias pululando a su alrededor? La idea era… monstruosa.

Y luego estaba lo del fuego.

«Ping-ping-ping».

Y aquí estaba ahora, pasando un viernes por la noche sentado en la heladería Estrella del Norte, esperándola, para hablarlo todo. Esperándola, observando a la guapa camarera rubia de la barra, y preguntándose si, tal vez, le apetecería algo, alguien… un poco más maleable.

A lo mejor lograba cambiarla y conseguir que fuera la persona que había sido antes, en algún momento de su pasado. Estaba convencido de que, anteriormente, antes de que la vida la golpeara con dureza, había sido una buena chica, una princesa. Lo veía en su cara, y a veces también cuando hablaba: no había sido de las que se dedicaban a clavar alas de pájaro en la valla de la casa. ¿No?

Se abrió la puerta y levantó la vista: tampoco era ella.

Le rugió el estómago. La rubia le sonrió, mordiéndose una uña pintada. Vlad tragó saliva para deshacer el nudo que se le había formado en la garganta, le devolvió la sonrisa y volvió a mirar la carta.

—¿Te traigo algo? —preguntó la camarera desde la barra.

—¿Tienes algo salado?

—Estamos en una heladería —le respondió con una sonrisa y colocándose un mechón de pelo detrás de la oreja.

—Entonces nada.

—Tenemos uno de avellanas estupendo.

—Vaya.

Desplegó su mayor sonrisa, pero ella dio media vuelta para acercarse al otro extremo de la barra y atender a una anciana que estaba contando montones de calderilla.

Justo en el momento en que Vlad echó la silla hacia atrás para marcharse o para ir a hablar con la chica de la barra, aún no sabía exactamente para cuál de esas dos cosas, se abrió la puerta y Polly hizo su entrada cargada con bolsas de compras que revoloteaban a la altura de sus tobillos como perritos. El olor a lluvia, hojas y nubes la acompañó al cruzar la puerta.

—¡Hola, veo que ya estás aquí! ¿Llevas mucho rato esperando? ¡Lo siento!

Tomó asiento hecha un torbellino de energía, con las bolsas rebotando y crujiendo por todas partes. Tenía las mejillas de color bermejo del frío y movía la boca con exageración, masticando alguna cosa muy mentolada y blanca.

—He estado en Rostov y acabo de volver. ¡Está cambiando de verdad! ¿Has estado por allí últimamente? He comprado chicles —añadió, sin necesidad alguna—. ¿Quieres?

Vlad negó con la cabeza y fijó la vista en las bolsas del suelo.

—Y algo más que chicles. ¿Te lo has pasado bien?

—He ido por negocios —replicó Polly, mirando con diligencia el interior de una de las bolsas, como si estuviera observando a un bebé dormido—. Buenos negocios.

—¡Oh!

—Ha sido un día estupendo: muy ocupado y muy productivo. —Sonrió y, sorprendiendo a Vlad, le acarició la cara, desde el pómulo hasta la mandíbula—. ¿Y tú? ¿Qué tal el trabajo?

—¿El trabajo? —Se encogió de hombros—. No me acuerdo. He pasado casi todo el día aquí, esperándote. ¿Te apetece beber algo?

Polly esbozó una expresión compungida, hojeó la carta sin leerla e hinchó y explotó un globo de chicle.

—No, no tengo sed. ¿Querías verme por alguna cosa en concreto? Tengo mucho que hacer.

—¿Por qué lo dices?

Dejó de mascar.

—Que por qué estoy aquí. ¿Hay algo que...?

—¡Esto es una cita, Polly! —dijo Vlad, casi gritando, antes de recuperar rápidamente la calma. Cogió la mano que ella había dejado sobre la superficie pegajosa de la mesa y le frotó los dedos para hacerlos entrar en calor—. Una cita. Me apetecía verte, charlar contigo, ver qué tal estás. Porque... porque te quiero.

—Ya. —Arqueó una ceja y sonrió abriendo mucho la boca—. Eres un encanto. He estado muy liada.

—Y tenía ganas de hablar contigo.

Polly guardó silencio, a la espera.

La rubia de la barra los estaba mirando. Vlad carraspeó.

—¿Qué has estado haciendo?

Polly fijó la vista en la calle, por detrás de los hombros de Vlad.

—De todo un poco. Ya te lo he dicho, ocupándome de mis negocios. —Le hizo un guiño. Vlad cerró los ojos—. Aparte de eso, he estado en la farmacia trabajando como una esclava, intentando calmar a esa bruja gorda de Maria y...

—Ah. ¿Todo bien por allí?

Mascó con fuerza unos instantes y paró.

—De hecho, no. Quieren largarme. Me ha amenazado con sanciones, quiere llevar mi caso ante el consejo universitario.

—¿En serio?

—¡Me odia! ¡Como todo el mundo! Me he saltado unas cuantas guardias. He estado muy ocupada con lo de Papasyan y arreglando el piso del viejo mejillas arrugadas y...

—¡No hables así de él!

Polly dejó de mascar el chicle. Su expresión se volvió de sorpresa. Sus miradas se encontraron cuando el silencio se apoderó de la mesa y el tintineo de la cubertería se desvaneció.

—Veo que hoy estás muy sensible, Vlad. ¿Qué sucede? ¿Quieres decirme alguna cosa? —Sonreía, pero el tono era envenenado.

Vlad se encogió de hombros con indiferencia.

—Es mi paciente. No me parece correcto... burlarse de él.

Polly arrugó la frente y sobre sus ojos se cernieron nubarrones oscuros. La tormenta que se libraba en su interior era casi perceptible. Al otro lado de la ventana, una ráfaga de viento tumbó la pizarra del menú, que empezó a rodar por la acera.

—Voy a pedir algo de beber. ¿Té, no?

Polly miró por la ventana y no respondió.

Vlad regresó al cabo de un par de minutos con té y un plato de helado. Polly no había cambiado de posición.

—Come, por favor. ¿Lo harás por mí?

Polly fijó la vista en el helado. Él intentó capturar su mirada.

—¿Te gusto, Polly?

—¿Que si me gustas? —Arrancó la esquina de una servilleta de papel y envolvió el chicle—. Sí —dijo por fin, escupiendo la palabra.

—No tengo la sensación de que te guste mucho. No me besas, no me das la mano cuando paseamos por la calle.

—Nunca paseamos por la calle.

—Tienes razón. Nos vemos en habitaciones prestadas, o en despachos, o en bancos del parque.

—Creí que eso te gustaba —dijo ella, frunciendo el ceño.

—Bueno... —Removió el té y la cucharilla emitió un ruido metálico al chocar contra el cristal—. Es posible... pero creo que quiero algo más… más similar a lo que tiene otra gente. Hablar con Anatoly Borisovich, conocerlo y luego… y luego tú me dices que has cogido su llave para que podamos utilizar su piso. No lo veo correcto, ¿no te parece? Y todo esto de Papasyan. No me gusta lo que estamos haciendo. Me ha hecho pensar.

Polly se quedó mirándolo, boquiabierta.

—¿Pensar? ¿Pensar en qué?

Vlad contempló su hermoso rostro, la oscuridad giratoria de sus iris.

—Creo que quiero algo más… normal.

—¿Normal? —repitió ella en tono burlón—. ¿Y dónde está la gracia de esa «normalidad» que dices? —La expresión de su cara era intransigente.

—¡No lo sé! Necesitamos mantener conversaciones; hablar de cosas que no sean dinero, negocios o pacientes; salir… hacer cosas que no sean trabajo o…

—¡Ja! ¡Ahora resulta que quiere hablar! ¡Cuando antes todo era follar!

—¡Quiero ser tu amigo, Polly! ¡No podemos continuar así! Mira, creo… creo que Papasyan ya está bastante asustado, ¿no te parece? Creo que deberíamos parar. Si lo que buscabas era venganza, ya la has obtenido. ¿Viste la cara que tenía el día de la sesión de espiritismo? Y cuando hoy se ha presentado en el Vig tenía un aspecto terrible.

—¿Ah sí? —Sonreía, pero su tono era peligroso—. Veo que has estado pensando mucho, ¿no, Vlad? No sabía que eras capaz de esas cosas. No habías dicho nada al respecto.

Vlad movió la cabeza en un gesto de desesperación.

—Me cuesta creer que ya hayas tenido suficiente —dijo Polly, inclinándose hacia delante—. Es un miserable, y eso es lo que quiero. Aunque no es tan miserable como lo era mi padre cuando nos pasábamos una semana sin comida, gracias a él. —Lo miró a los ojos—. Arruinó a mi familia, no lo olvides, nos dejó en la calle.

—Lo sé. Y entiendo que quisieses venganza. Por eso accedí a

ayudarte. Pero no es más que un viejo, Polly. Un viejo miserable. ¿Qué sentido tiene…?

—¿Y por qué tiene que ser rico mientras yo soy pobre? ¿Eh? ¿Por qué tiene que tener él ese piso, y gatos, y amigos, cuando yo no tengo nada? —El volumen de la voz subió cuando él le enlazó la mano—. ¡Es un viejo sucio y miserable, y se merece lo que le estamos dando!

Vlad tragó saliva. La clientela empezaba a girar la cabeza para mirarlos.

—Cómete el helado, Polly, y deja de gritar. Es de avellanas; el mejor de la casa, me han dicho.

Polly se llevó a la boca una cucharadita de helado y lo chupó. Echó un vistazo a las bolsas esparcidas a sus pies. Pensó en el nuevo inquilino del piso, al que se lo había enseñado aquel día mientras Babkin recogía sus cosas y cuya fianza –los tres meses enteros– había aceptado e invertido. El inquilino entraría en cuestión de una semana. Pensó en el dinero que ingresaría cada mes a partir de ese momento. Pensó en el oro que tenía escondido Papasyan en su piso, prácticamente a su alcance si conseguía mantener la presión y sacarlo de allí. Pronto ingresaría en el Vig por un tiempo y estaría controlado por el doctor Vlad. Pensó en el puesto de trabajo en el Vig que le pediría a Vlad que le consiguiese, un puesto que le daría un suministro interminable de ancianos adinerados y confusos. Pensó en el agradable abanico de oportunidades de robo y engaño que ello le aportaría. Y decidió que podría tratar con menos dureza a Vlad. Ya lo tenía todo controlado. Bastaba con que él la quisiera.

—Aunque a lo mejor tienes razón. Todo ha sido muy estresante. —Le cogió la mano y la presionó—. No te preocupes. No hagas nada más. Déjame a Papasyan en mis manos. Ya has hecho suficiente; a estas alturas debes de ser ya un maestro de las llamadas sin respuesta.

Le besó la punta de los dedos, una a una, y lo miró a los ojos. Vlad resopló.

—Y de todo lo demás.

—Eres un buen chico. ¿Quieres ver qué he comprado?

Vlad hizo un gesto de negación con la cabeza.

—Creo que no.

—No, de verdad, ¡echa un vistazo! ¡Comparte mi interés! Jamás has visto cosas de tan buena calidad. He tenido suerte y...

Hurgó en el interior de tres bolsas antes de depositar en la mesa por fin, y con mucho cuidado, una diminuta caja lacada envuelta en papel de seda de color verde. La colocó delante de Vlad y lentamente, con una mirada llena de determinación, fue retirando las capas de papel.

—Es de Manezhnik. ¿A qué es una preciosidad? ¡Vaya trabajo! —Le temblaban las manos cuando retiró finalmente todo el papel y el volumen de su voz descendió hasta transformarse en un susurro agudo—. ¡Mira! ¡Es la Doncella de Nieve!

Se agachó hasta que los ojos le quedaron al nivel de la mesa y contempló la cajita negra, brillante como el azabache sobre un mar de papel verde. Devoró con la mirada los azules topacio y los gélidos tonos plateados de la imagen minuciosamente pintada.

Vlad extendió el brazo para coger la caja. La mano de ella cayó sobre él al instante.

—¡No la toques!

El brillo de sus ojos le hizo pensar a Vlad en algo pequeño y feroz.

—Como quieras. ¿Cuánto te ha costado?

—Estaba bien de precio.

—¿Cuánto? —Se inclinó hacia delante y enredó un dedo entre el cabello castaño oscuro de ella—. Dímelo.

Polly dudó, y él continuó enredando el mechón de cabello en el dedo hasta empezar a tirar.

—Ochocientos... mil —respondió ella, pronunciando las palabras con cuidado.

Vlad tragó saliva.

—Es un buen precio. Teniendo en cuenta la calidad. Una inversión segura, que no hará más que revalorizarse.

Vlad soltó el cabello y Polly, con dedos apresurados, envolvió de nuevo la caja con torpeza, arrugando el papel, rasgándolo.

—¿De dónde has sacado el dinero?

Polly sonrió, pero no abrió la boca.

—¿Cuántas has comprado? —preguntó Vlad, mirando las bolsas—. ¿Son todo cajas de Palekh?

—¡Ay, ay, ay! ¡Adivina adivinanza! —Continuó envolviendo. Al ver que él seguía mirándola, añadió—: ¿Cómo quieres que todo esto sean cajas de Palekh?

—¿De dónde sale el dinero, Polly?

—¿Estás enfadado porque no te he comprado nada? Ya tienes el reloj y el jersey. La próxima vez ya te compraré algo.

La frente de Vlad empezó a cubrirse de sudor frío.

—¿Has… has estado timando a Anatoly Borisovich? ¿Vendiendo sus cosas? ¿Es eso lo que haces? ¿Es por eso que le robaste la llave?

—¿Sus cosas? ¡No digas tonterías! ¡Por sus cosas no me darían ni cincuenta rublos! —dijo siseando y en tono desdeñoso—. ¡Déjame ser un poco misteriosa!

—Es eso, ¿no?

—¡No, Vlad! —exclamó, meneando la cabeza, sonriente y ceñuda a la vez.

Vlad miró el reloj que lucía en la muñeca, el fluido movimiento de la aguja que recorría su cara. Aquel reloj era un icono internacional. Polly siguió la dirección de su mirada.

El reloj cayó en la mesa con un ruido metálico.

—Estás loca. Todo esto es una locura. Ten el reloj. No lo quiero. No era consciente de que…

—¿Qué estás diciendo? Te lo regalé. ¡No puedes devolvérmelo!

—No lo quiero. Me da… me da asco.

Cuando Polly dejó caer la caja de Palekh en el suelo se oyó un chasquido.

—¡No he vendido las cosas del viejo! ¡No lo he hecho!

—Y entonces, ¿cómo pagaste el reloj?

Polly le clavó la mirada, penetrándolo hasta alcanzarle el alma. Esbozó una sonrisa tensa.

—Vendo pastillas, ¿vale? Solo cosas de la farmacia, a viejos que viven solos y no tienen ni idea de nada.

Vlad emitió un sonido quejumbroso y movió la cabeza con preocupación.

—¡Dios mío, esto es casi tan malo como lo otro! ¿Cómo has podido, Polly?

—¡Lo he hecho por ti! ¡Creía que eras mi amigo!

—Esto es una locura. Necesito pensar. No estoy seguro de…

Se enderezó en su asiento. Polly lo agarró por la muñeca.

—No puedes dejarme. ¡Tienes que ayudarme! Necesito un trabajo en el Vig.

Vlad se quedó mirándola con los ojos saltándosele casi de las órbitas.

—¿Un trabajo? ¿En el Vig? ¿Después de lo que acabas de decirme?

—Allí siempre necesitan personal. —Sus ojos eran como dos lunas gemelas: grandes, fríos, vacíos—. Y necesito un trabajo. Estará muy bien poder…

—¡Ni lo pienses! —Se desplazó hasta el otro extremo del banco—. Las cosas por allí están complicadas. La gente hace comentarios, Polly, sobre ti y yo. E informa a la supervisora… de que desaparecen cosas. No te lo creerás, pero Papasyan se ha presentado justo esta mañana para hacerme preguntas… ¡al mismo tiempo que se producía un incendio!

—¿Un incendio? —Puso una cara extraña, entre una mueca de desdén y una expresión de perplejidad—. ¿Con Papasyan allí dentro? ¡Eso es fantástico!

—¡No, no lo es! ¡Podría haber habido víctimas! ¿Ha sido otra casualidad, Polly?

—¿Qué? ¿Piensas que he tenido alguna cosa que ver?

—Ya no sé qué pensar, pero no puedes trabajar en el Vig. ¡No sería correcto! —Apartó la vista—. No pienso comprometerme con más cosas.

—¡Eres un cerdo pretencioso! ¡Necesito ese trabajo!

La rubia de la barra dejó caer un plato sobre una bandeja metálica y rio con disimulo.

—¡No puedo ayudarte! Olvidémoslo, olvidémonos del tema. No lo necesitamos. Yo no lo necesito.

Polly se quedó mirándolo, boquiabierta.

—¡Querrás decir que tú no me necesitas!

—No es eso lo que quería decir. —Se concentró en las losetas brillantes del techo—. Encuentra otra cosa. Olvídate de vengarte de los viejos, olvídate de robar llaves… ¡olvídate de las cajas de Palekh! Diviértete, estudia, hazte vestidos y habla con las otras chicas. ¡Todo eso estaría muy bien!

Polly lo miró sin decir nada.

—Si tanto odias la farmacia, puedes pedir un traslado. Pero que no sea en el Vig. No funcionaría.

Polly tenía la respiración acelerada y superficial.

—No actúes como una psicópata, princesa. ¿Podemos empezar de nuevo? ¿Podemos ser… normales?

Polly no decía nada.

—¿Te comes el helado?

Polly jugó con la cucharilla, su mirada perdida más allá de él, su rostro inexpresivo.

—¿Polly? —dijo, y le tocó la mano.

—Eres como el resto, ¿verdad? —Retiró la mano con brusquedad y se agachó para recoger de las sucias baldosas del suelo la caja de Palekh resquebrajada—. ¡Te importo un pimiento! ¡Mi futuro te trae sin cuidado! ¡Estás abandonándome!

—Eso no es verdad.

—Ya encontraré la manera. ¡Soy inteligente!

Tambaleándose, se levantó del asiento, recogió las bolsas y echó a correr hacia la puerta.

—¡Polly! ¡Espera!

Hubo un portazo. Hubo cabezas giradas hacia la puerta.

La rubia se apoyó en la barra y esperó a que él se volviera hacia ella.

—¿Va todo bien?

Vlad infló con aire las mejillas e hizo un gesto de negación.

—No lo sé. Es… hay algo que no le funciona del todo bien, creo. —Se llevó un dedo a la sien, como para indicar que le faltaba un tornillo—. Aunque yo…

—Ah. ¿Y es tu novia?

Tenía las mejillas ardiendo.

—Mmm… sí. O al menos eso creía. No estoy seguro. —Se rascó la cabeza—. Hemos tenido una discusión. Estudiamos juntos. Soy médico.

—Ya. ¿Te apetece hablar? —dijo la chica, parpadeando—. Podría invitarte a otro té… en casa.

—Oh, gracias.

Recogió el reloj que había quedado en la mesa y se acercó a la barra.

—¿Tienes intención de venderlo? —le preguntó la chica bajando el tono de voz y mordiéndose el labio inferior mientras miraba por encima del hombro.

Vlad fijó la vista en la melancólica esfera del reloj y asintió.

LUZ DE LUNA

Sveta estaba acostada en una cama del ala Tereshkova y las sábanas blancas se arrugaban bajo su cuerpo como olas almidonadas. Bajó un poco el libro –un relato sobre la producción de hormigón, típico del realismo soviético– para mirar por encima de la cubierta. Necesitaba ver, pero el libro le proporcionaba intimidad: el espacio comprendido entre su nariz y las inmaculadas páginas sin leer era completamente suyo.

En Vigor y Vitalidad había algo que no cuadraba. Se lo decía su instinto institucional, afinado a lo largo de muchos años de servicio. No eran sus compañeras de habitación, que eran totalmente encantadoras, a su estilo. Tatiana Astafievna, la menuda que tenía a su izquierda y cuyo aspecto le recordaba el de una musaraña, había trabajado como abogado. Estudiaba con mirada de águila todas las palabras que brincaban a su alrededor, saboreaba las frases en la lengua, percibía el peso de los retazos de conversación en sus manos frágiles, pero no había pronunciado ni una sola sílaba. La otra, alta y huesuda y a la que el personal se refería simplemente como Klara, había gestionado una panadería municipal que había llegado a hornear cinco mil barras de pan al día. ¡Imagínate! La responsabilidad diaria de fabricar cinco mil barras de pan, llueva o haga sol, sean de centeno o de espelta. Sveta estaba obligada a admirar por fuerza a una mujer capaz de hornear cinco mil barras de pan al día. Klara tosió y murmuró alguna cosa entre sus manos cerradas, que levantaba de vez en cuando para dar órdenes a sus invisibles trabajadores.

A ambas mujeres las incorporaban con regularidad para que comiesen un poco, pero pasaban la mayor parte del tiempo acurrucadas y en estado precario, finas como encaje viejo, desaparecidas en el océano blanco de su cama. Estaban conectadas mediante un tubo y dos cables a una máquina instalada en medio que, a su vez, parecía conectarlas directamente entre ellas. La máquina emitía de vez en cuando un pitido, al que nadie prestaba atención. Sveta se consolaba diciéndose que al menos ella no estaba unida a aquel aparato.

—¿Qué tal están hoy esas manos?

Sveta extendió las manos cubiertas con vendajes y se concentró para que pareciese que no le dolían. Movía los dedos, los meneó como si estuviese tocando el piano, y contuvo una mueca de dolor. Era una suerte que solo hubiera sufrido quemaduras menores, decían. Qué triste debía de ser tener solo muñones.

Y no era Spatchkin, el médico, el que le hacía sentirse rara. Había superado rápidamente su aspecto, ya apenas se daba cuenta de que su cara colgaba de una cabeza de tamaño exagerado instalada encima de un cuerpo infantil y encorvado. Se le oía llegar de lejos: al caminar resoplaba. Se sentó a los pies de la cama, la miró fijamente y le preguntó, con amabilidad:

—¿Qué tal va de vientre?

Sveta intentó expresar su más completa satisfacción con esa circunstancia sin profundizar en detalles.

—¿Y los vendajes? ¿Se los han cambiado? ¿Alguna señal de infección?

—No, doctor. Creo que ya estoy bien para volver a casa —decía, como cada vez que el médico la visitaba.

—La decisión no depende de usted, ¿no le parece? —replicó él, con una sonrisa triste.

Hizo un gesto de negación con la cabeza, sintiéndose como una colegiala.

—¿Ha descansado bien?

—Sí, me siento de maravilla. Nunca me he sentido mejor. —Y tensó sus labios blanquecinos para esbozar una sonrisa.

—¿Nunca? ¡Pues, de ser así, tal vez si la tenemos aquí unos días más la convertimos en *Superwoman*!

Le dio unos golpecitos en la pierna con una mano diminuta y de dedos finos.

—¡Ja, ja!

—No bromeo —dijo, tosiendo levemente—. La salud es un asunto serio. ¿Qué tal va de vientre, me ha dicho? —preguntó, inclinándose hacia ella.

—Estupendamente.

El médico frunció el entrecejo.

—¿Puedo volver ya a casa, por favor?

Le dio más golpecitos en la pierna con una mano mientras escribía una nota con la otra.

—Veremos qué dice la supervisora. En principio, creo que tal vez sí.

—¡Hurra!

Se le escapó el grito y rio con disimulo.

—Aunque el organismo humano es complejo...

Klara dijo algo sobre el centeno y Tatiana sopesó la palabra, frotándola entre los dedos como si fuera una masa. Spatchkin siguió sentado a los pies de la cama de Sveta, observando en silencio y a través de unos ojos minúsculos a las dos pacientes ancianas. La máquina emitió un pitido.

—¡Bien! —exclamó—. ¡Sigamos!

Se levantó, saludó a las dos mujeres con un gesto y se marchó.

Vlad no había ido a visitarla. A lo mejor solo trabajaba en el ala de hombres. A lo mejor tenía mala conciencia por lo de la sesión de espiritismo. O a lo mejor es que no le importaba en absoluto cómo se encontrara; al fin y al cabo, no tenía por qué importarle. Pero había dicho que se dejaría caer por allí. Esas habían sido exactamente sus palabras. Y aún tenían pendiente preguntarle sobre la mesa de *madame*. La advertencia hablaba de fuego, y fuego habían tenido.

No eran las auxiliares, que eran todas iguales pero distintas, con delantales confeccionados con el mismo material que las sábanas, el cabello recogido en moños altos rojos y amarillos, remetido en cofias de algodón blanco. Ni las cofias ni el cabello se movían. Servían las comidas en el comedor, limpiaban lo que se derramaba, empujaban de nuevo a las pacientes a la cama y se quedaban en el pasillo, montando guardia, a la espera de instrucciones. Eran gente normal, con tantas ganas de reír, llorar o discutir como cualquiera: no había nada erróneo en ellas.

Pero en cuanto anochecía y bajaban la intensidad de las luces, el zumbido de la colmena desaparecía por completo. Había una última ronda de comprobación y discusiones y los pasos en el pasillo se apagaban. Se quedaban solas, con una silla sujetando la puerta abierta, y los únicos sonidos que se oían era el vago latido de la calefacción y su respiración. A las ancianas les costaba respirar. Sveta oía las delicadas ramificaciones de sus pulmones asfixiados por las trazas de levadura, libros y polvo, las reliquias de toda una vida de trabajo duro. El miedo empezaba a abrirse paso por sus venas y le cubría la piel de un sudor frío. No era tanto el miedo a envejecer como el miedo a tener problemas de salud: el declive lento, la indisposición gradual, la pérdida de energía. ¿Habría empezado ya?

La primera noche se despertó antes del amanecer y sus ojos se enfocaron en el resplandor del umbral de la puerta. Medio dormida, había oído unos pasos en el pasillo. Y luego los volvió a oír, acercándose a la habitación. No había motivo alguno para que fueran amenazadores, pero… Se puso de lado con cuidado y subió las sábanas hasta la barbilla para acurrucarse debajo. Cuando cerró los ojos, volvió a oír pasos, más cerca esta vez. Bostezó, con la cara pegada a la almohada, pero sus ojos se negaban a permanecer cerrados.

Un segundo después, lo oyó en la habitación e intentó girar la cabeza para ver qué era. Fue entonces cuando se dio cuenta de que estaba paralizada. Vio de reojo que se aproximaba una figura. Dio la orden a sus brazos de que se extendieran y a sus piernas de que depositaran su cuerpo en el suelo. El aire de la respiración se le había acumulado en la garganta en forma de grito. Pero lo único que consiguió mover fueron los ojos. Había caído presa del pánico, tal vez no podía ni siquiera respirar. Estaba resollando como sus compañeras de habitación, tenía los bronquiolos saturados por el miedo y la sensación de estar hundiéndose en la cama y ahogándose. Su espíritu se revelaba dentro de aquel cuerpo inútil.

Cuando se quedó sin oxígeno, se despertó con un «¡ugg!» ahogado, empapada en sudor, con la sábana metida en la boca. Todo estaba en paz. Pero la sensación seguía ahí, la impresión de que había algo invisible que esperaba en los pasillos en cuanto oscurecía, bajo la cama en plena noche, en el fondo de la taza cuando apuraba su contenido.

Por la mañana, cuando sonó el timbre del desayuno, Sveta miró la almohada con ojos cansados. Por muchas gachas de alforfón que comiera, la sensación de desasosiego seguiría allí. Vigor y Vitalidad estaba encantado y, de haber tenido alguien con quien hablar, se lo habría dicho ya mismo.

La segunda noche fue distinta. No tuvo pesadillas porque no durmió. Dio vueltas y más vueltas en la cama, sin parar de mover los pies, hasta que, hacia las tres de la mañana, se dio por vencida y salió al sofocante pasillo para que le diera el aire e ir a buscar algo de beber.

La luz de la luna se filtraba a través de una ventana del final del pasillo. Sveta contempló el cosmos. Estaba completamente despierta y la sensación de estar encerrada le producía picores. En vez de volver a la habitación, giró hacia la izquierda por el pasillo y siguió las señales amarillentas que indicaban el camino hacia placeres invisibles: la cabina de masajes, el despacho de asesoría y control dietético, el minicine y las mesas de pimpón. Resultaba extraño ver todo aquello de noche, envuelto en un silencio misterioso y en sombras. Se preguntó si alguien habría jugado últimamente al pimpón.

Continuó por el pasillo siguiente, reconfortada por paredes salpicadas con bordados polvorientos y acuarelas descoloridas y, a continuación, cruzó otras puertas y se encontró en el vestíbulo principal. Esta vez no se oía el tecleo de la máquina de escribir, la mustia auxiliar administrativa no estaba y tampoco había humo. Recorrió el perímetro, sumido en la penumbra, y se fijó en el mosaico y en la exposición de fotografías antiguas: grupos de alegres obreros y serios funcionarios del partido, jornadas de festival con banderines y montañas enormes de verduras saludables. En una vitrina adosada a una pared había una colección de copas y medallas obtenidas por miembros del personal para premiar su colaboración en la construcción del comunismo. Se le escapó una risilla floja.

Mientras examinaba aquel tesoro, percibió un movimiento a sus espaldas que se reflejó en el cristal de la vitrina. Se estaba abriendo una puerta y estaba entrando una sombra oscura. Se giró, dispuesta a gritar, pero se tapó la boca con el puño. Acababa de cruzar la puerta un anciano menudo con cabello gris y pantuflas que, silenciosamente, se dirigía hacia la entrada.

—¡Ah! —exclamó el hombre al detectar su presencia.

—¡Ah! —chilló ella a modo de respuesta.

El anciano apuntó las pantuflas hacia ella pero se quedó donde estaba.

—¡Buenas noches! —gritó desde el otro lado del vestíbulo.

—¡Buenas noches! —replicó Sveta sin poder evitar que le temblara la voz.

—¿Es usted residente?

—Estoy solo de paso —dijo, forzando la vista para ver al anciano—. Temporalmente. ¿Y usted?

—No. Bueno, sí. Más o menos. —Miró a su alrededor y señaló las paredes—. Estas obras de arte son feísimas.

Sveta asintió y decidió que lo más probable era que fuera inofensivo.

—No podía dormir —se arriesgó a decir.

—Yo tampoco.

—¿Será la luna?

—No es solo por la luna. Es que este lugar es horroroso para dormir. Tiene algo…

—¿Que da miedo?

—Sí, eso, que da miedo. —Asintió con vigor—. He tenido pesadillas espantosas.

—¿Sí? ¡Yo también!

—Y de noche se oyen ruidos. He llegado a pensar que había alguien escondido en mi armario. —Rio de forma ronca y sus ojos, sorprendentemente verdes, le hicieron pensar a Sveta en los de un niño.

—Seguro que no había nadie —dijo Sveta, tranquilizándolo.

—Es posible que no. Pero en los pasillos hay algo. ¡Y hubo un incendio, eso seguro!

—¡Oh, lo sé! ¡Ayudé a apagarlo! —dijo Sveta, dando un paso al frente y mostrándole las manos vendadas.

—¡Bien hecho! —Entonces fue él quien dio un paso hacia ella—. Yo también intenté apagar uno, hace mucho tiempo. —Dejó de hablar y se rascó la cabeza—. Pero me asusté. No tendría que haber pasado.

—Dicen que lo empezó un hombre que estaba haciendo trabajos de reparación.

—Qué va. —El anciano movió la cabeza con tristeza—. Seguramente fue Yuri.

—¿Yuri? Ah. A lo mejor ese hombre se llama así.

Sveta esbozó la sonrisa que reservaba para los niños revoltosos de tercer curso. El anciano suspiró.

—¿Quiere volver a casa?

—Sí. Ya estoy listo para volver a casa.

—Yo también. Esta gente no me entiende.

—¿No? En este caso, tal vez lo mejor sea volver a casa, si es que ya ha disfrutado de su periodo de reposo.

—Sí.

—¿Y usted puede ya volver a casa si quiere? —Sveta lo miró a los ojos, que brillaron como respuesta—. ¿Si ya está listo?

—Estoy listo para volver a casa. A casa con Baba.

Sveta asintió.

—Yo lo que estoy ahora es lista para ir a la cama. Estaba tomando un poco el aire, mirando esta vitrina.

—¿Sí? Oh, sí. ¿Hay muchas copas ahí dentro?

—Sí.

—Pues buenas noches —dijo el anciano, pero siguió sin moverse.

—¿No vuelve a su habitación? —dijo Sveta, arqueando una ceja.

El anciano dudó.

—Me parece que también le echaré un vistazo a esta vitrina. —Deslizó los pies por el suelo para acercarse a la vitrina—. Me encanta ver cosas.

—Pues buenas noches.

Sveta se dirigió hacia la puerta. Se cruzaron en el centro del vestíbulo y se saludaron con una sonrisa.

Sin abandonar la sonrisa, Sveta enfilo el pasillo hacia el ala Tereshkova. Qué extraña, y qué similar, era la gente.

LLENOS DE BARRO HASTA LAS OREJAS

Las mallas de lana de color rosa de Albina estaban embarradas hasta la rodilla. Con sus andares de pato, deambulaba de un lado a otro con las botas de goma que Gor le había encontrado, ajena al insistente frío y al barro que empezaba a filtrarse hacia el interior del calzado y rebozaba ya los calcetines. Tenía las manos sucias de tierra. Incluso las mejillas estaban manchadas por todas partes. Le recordaba a Gor un cazador recolector del Neolítico que había visto representado en cartón piedra en el Museo de Historia de Rostov: acuclillado en el barro, medio salvaje, sirviéndose de herramientas primitivas para obtener el sustento que pudiera darle una tierra helada. Albina sonreía. Y, sonriendo también para sus adentros, Gor abrió la puerta de su vieja dacha de madera para ir a buscar el samovar.

En días como aquel, en la parcela que tenía asignada y con la llovizna y el viento como única compañía, era cuando más valoraba el ingenio que escondía el samovar ruso: un objeto de latón de gran belleza, antiguo y moderno a la vez, diseñado para hervir agua, mantener el té caliente durante horas y ofrecer al hombre un lugar donde calentarse las manos, por fuerte que soplara el viento. Cogió el samovar de la estantería y lo depositó en la mesa del porche. Retiró la tapa e inspeccionó el interior por si había arañas. A continuación, cogió varios trozos de carbón vegetal ennegrecido y los apiló con cuidado en la chimenea central, combinándolos con algunas piñas secas como huesos. Luego, con la firme mano de la experiencia, vertió agua en la cámara que rodeaba el combustible. Encendió una cerilla larga y, con un poco de ánimo y unos cuantos soplidos, se vio finalmente recompensado cuando las piñas chisporrotearon y emitieron una llama dorada. Una vez tuvo el combustible ardiendo, colocó con cuidado la tapa y la coronó con la tetera, para que se calentase. Tomó asiento en el banco de madera, suave y lustroso después de tantos años recibiendo la presión de numerosos traseros, y esperó a que el vapor empezase a sisear.

—Albina, ¿qué te digo yo? ¿Te apetece un poco de té y una galleta?

Albina estaba en el otro extremo del huerto, explorando la zona donde el año siguiente, si todo iba bien, el suelo fértil haría que las patatas se multiplicaran. En ningún momento se había planteado Gor que la experiencia fuera a gustarle; de hecho, le había llevado un libro para leer, pensando que preferiría quedarse sentada dentro de la dacha y comer *pryaniki* mientras él trabajaba la tierra. Pero a pesar de que la idea de visitar la parcela le había contrariado de entrada, y de que se había mostrado enfurruñada durante el corto viaje en coche desde la ciudad, el aroma y el silencio del campo la habían fascinado desde el instante en que habían enfilado la cuesta que salía del aparcamiento y conducía a la casa. Los últimos pasos los había hecho corriendo a toda velocidad entre las parcelas, había estirado el cuello para observar el contenido de los barriles destinados a recolectar agua de lluvia, había asomado la cabeza para observar el interior de todas las dachas vacías y había sacudido los árboles nudosos en busca de alguna pieza de fruta que hubiera quedado allí olvidada. Al llegar a la parcela de Gor, había ido directa al huerto y había exclamado su sorpresa ante los restos esqueléticos de la última cosecha de verano y se había mostrado excitada al encontrar alguna que otra fruta silvestre o seta.

—¡No comas eso! —dijo Gor bruscamente, de manera automática, cuando vio que la mano de la niña se acercaba a una seta de aspecto ondulado con las láminas de la parte inferior de color naranja chillón.

—¿Comérmelo? —dijo Albina—. ¿Está loco?

Rio, y Gor sonrió. Los niños de hoy en día eran distintos… La escena le recordó, con una claridad que le cortó la respiración, a su hija, en el parque de Rostov, una mañana de otoño de finales de los sesenta. La niña se había mostrado fascinada con la capa de hielo que cubría los charcos: la había roto con palitos, había dado la vuelta a los fragmentos para examinar las hojas y las ramitas podridas que se habían adherido debajo, se había mojado hasta los muslos y se había enfangado las rodillas. Lo preguntaba todo, y era feliz por el simple hecho de estar allí. Se preguntó si su hija recordaría aquella visita al parque. Si se acordaría alguna vez de él.

Albina seguía dando zancadas por la plantación de patatas, a la sombra de los ciruelos desnudos. Tenía el anorak empapado por la humedad del ambiente y el esfuerzo que conllevaba la tarea de labrar la tierra. No eran más que las once. A pesar de que las mañanas eran oscuras y que el aire era gélido, una visita a la dacha siempre implicaba levantarse temprano. No le parecía correcto llegar cuando los pájaros habían dado por terminado su coro matutino y desaparecido entre los endrinos.

—¿En Armenia tienen dachas, señor Papasyan? —preguntó Albina cuando se dejó caer en el banco a su lado y empezó a sacudirse el barro fresco que se le había quedado adherido a la manga.

—Llámame Gor, niña. Creo que a estas alturas ya hemos superado las formalidades. Y, sí, supongo que tienen dachas.

—¿Qué quiere decir con esto de que supone? ¿No lo sabe? Es armenio, ¿no, Gor? —preguntó, levantando una ceja y en tono acusador, aunque sin dejar de sonreír.

—Eso tampoco lo sé —respondió Gor, que iba canturreando para sus adentros mientras depositaba en la mesa dos tazas descascarilladas, una caja con terrones de azúcar, una bolsa de *pryaniki* y una cuchara vieja y con manchas.

—¿Qué quiere decir?

—Que mi padre era de Armenia. Pero conoció a mi madre en Rostov… hace mucho tiempo, en los años veinte. Se casaron y entonces se fueron a vivir a Siberia, donde nací yo, en los años treinta. Después de la Gran Guerra Patria, regresé a Rostov y allí fundé mi hogar. En total, he estado en Armenia solo una vez, para conocer a parientes lejanos, enseñárselo a mi familia y descubrir las montañas. Dime entonces tú: ¿qué soy? ¿Soy armenio? ¿Siberiano? ¿De Rostov?

Albina tenía la mirada clavada en los *pryaniki* y se encogió de hombros.

—Pues no lo sé —dijo—. ¿Puedo?

Gor le pasó la bolsa de galletas.

—Mira, antes era un ciudadano soviético, y ya me iba bien. Todos éramos ciudadanos soviéticos. Pero ahora ya no existen. Ahora compensa más ser ruso.

—Mmm… —dijo Albina, masticando con ganas y sin escuchar la respuesta—. ¿Y sabe alguna cosa sobre Armenia?

—Veamos, sé cosas, puedo contarte cosas, pero lo que sé es sobre todo a partir de libros y periódicos, o de las noticias de la tele.

—Es muy pequeño, ¿verdad?

—Comparado con Rusia, sí.

—Cuénteme cosas sobre su padre.

—Mi padre murió siendo yo muy joven…

—¿Joven como yo? —inquirió Albina.

—No tan joven. Cuando llegues a mi edad, cualquier cosa por debajo de cincuenta es joven. Murió cuando yo tenía poco más de veinte años. Así que…

—¿De qué murió?

—Del corazón.

—¿Por qué le partieron el corazón? —preguntó Albina, abriendo los ojos como platos.

—De un ataque al corazón. La gente no muere porque le partan el corazón.

—¿No? —dijo, decepcionada.

—No. La gente sigue adelante. Es muy triste, pero no es mortal.

Albina cogió otra galleta. Gor se quedó en silencio, contemplando los huertos neblinosos desde el porche. El agua del samovar empezó a hervir con un sonido hogareño y burbujeante y abrió la portezuela de la parte delantera para llenar la tetera abollada de metal. Después de remover bien, volvió a colocar la tapa del samovar para mantener el calor.

—Ya está —dijo—. Tenemos té para toda la mañana. Echaremos un poquito en las tazas e iremos añadiéndole agua caliente. Ahí está el azúcar. Sírvete tú misma.

—No me gusta el té —dijo Albina.

—Ah —dijo Gor.

—Pero da igual.

—Ya —dijo Gor—. Pues toma solo agua caliente, si quieres, para mantenerte en calor. A lo mejor te apetecería un huevo hervido. Creo que sería mejor para tus dientes que tantas *pryaniki*.

La niña reflexionó unos instantes.

—Es posible —dijo por fin, limpiándose la boca de migas de galleta.

Gor sacó de debajo de la mesa su vieja mochila de lona y desenvolvió los huevos.

—Tengo sal y pimienta. No soporto los huevos sin sal y pimienta —dijo, sonriéndole a la niña y exhibiendo con el gesto sus dientes largos y torcidos.

Albina asintió de forma evasiva y empezó a quitarse fragmentos de barro que le habían quedado pegados en el pelo enmarañado. Gor se preguntó si debería haberle dicho que se lo recogiera. No tenía ni idea de cómo hacer coletas y tampoco tenía ningún cepillo.

—¿Conoces el truco del huevo que desaparece? —le preguntó.

—¡No! —Albina se giró hacia él con impaciencia—. ¿En serio que puede hacerlo desaparecer? ¿Es magia de verdad?

—Bueno —dijo Gor—. Es un truco, esa es la gracia. Hacer que desaparezcan las cosas de verdad sería… —Se interrumpió, consciente de que el interés de la niña se diluía—. Pero, sí, claro que sí: soy mago. Puedo hacer desaparecer todo tipo de cosas.

Albina sonrió y aplaudió la idea. Gor cogió una servilleta de cuadritos, presentó con gran floritura el huevo, presentó a continuación la servilleta, cubrió el huevo con la servilleta y «¡pop!», retiró la servilleta y el huevo había desaparecido.

—¡Aaah! —chilló Albina, brincando.

Gor sonrió, se inclinó hacia delante con una mirada diabólica, movió la mano cerrada detrás de la oreja de la niña, pronunció la palabra mágica «abracadabra» y «¡pop!», el huevo reapareció.

—¡Excelente! ¿Y puede hacerlo con dos huevos?

Gor dudó unos instantes.

—Errr… no. Sería imposible.

—¡No, inténtelo! ¡Quiero que lo haga!

Albina le puso otro huevo en la mano y la cáscara se resquebrajó.

—No, me temo que con dos huevos no funciona. ¡Déjalo correr! Aunque este huevo se ha vuelto mágico. —Le lanzó una mirada seria y misteriosa y la niña se quedó inmóvil, con una expresión que era tanto de enfado como de perplejidad—. ¿Eres lo bastante valiente como para comértelo, o me lo como yo?

Albina miró el huevo que Gor sujetaba con una mano esquelética.

—Si me lo como, ¿me convertiré en una buena persona? —preguntó muy seria.

—Albina, para ser buena persona no es necesario comerse ningún huevo mágico. Basta con verte a ti: eres… eres bondadosa. Lo único que tienes que hacer es escuchar tu conciencia y no acallarla con el ruido que generas. —Se encogió de hombros—. Sucede lo mismo con todo el mundo.

Albina reflexionó unos instantes.

—Vale, si es así, cómaselo usted. Me parece que lo necesita más que yo.

Gor resopló y rompió el huevo dándole contra el lateral de la mesa.

—¿Por qué le gusta tanto la magia?

Roció con pimienta la parte superior del huevo y le dio un mordisco.

—Está muy bueno. Cómete el tuyo, Albina: ¡come! Un huevo bien hecho es algo estupendo.

Albina asintió e imitó a Gor, recogiendo con los dedos mugrientos los pedacitos de cáscara. Gor bebió un trago de té, dulce y caliente, y se relamió.

—¿Qué por qué me gusta la magia? Pues no lo sé, la verdad. Cuando era pequeño, en Siberia, la gente de allí… era muy aficionada a las viejas tradiciones, a las viejas creencias. Tradiciones que sobrevivieron a los zares, que sobrevivieron la Revolución, que sobrevivieron incluso a Stalin. Y que creo que nos sobrevivirán a nosotros. La gente originaria de allí, no los rusos, sino la gente indígena, los nativos que llevan miles de años viviendo allí, los yakutas, los samoyedos… —Se interrumpió. Albina estaba confusa—. Pueblos nativos, como los esquimales. Aunque cuando vivíamos allí, éramos prácticamente todos rusos, que llevaban allí veinte o treinta años. Pero las historias de los pueblos nativos que vivieron en aquellas tierras durante miles de años habían empapado el territorio, los árboles, las casas. Lo veías y lo olías, en pequeños fragmentos. Sobre todo los niños: nos gustaba creer en la magia, en los espíritus, en los poderes especiales, en gente que era capaz de hablar con los espíritus, hacer hechizos, ahuyentar el mal y… y ese tipo de cosas. —Dejó de hablar un momento para aclararse la garganta—. Cosas que no se fomentaban, evidentemente. Tanto nuestros padres, como los maestros, como el Komsomol, todo el mundo nos decía que aquello eran tonterías, que las viejas creencias eran el resultado de la lucha de los campesinos por la supervivencia bajo el yugo del feudalismo y luego del régimen capitalista burgués y…

—¿Pero la magia era de verdad? —preguntó Albina, escupiendo trozos de huevo en el té.

—¡Pues claro que era de verdad! Si la percibes, lo es. Si la ves y la sientes, puedes juzgarla por ti misma. La sorpresa… el misterio. Es muy potente, sobre todo para los niños. A veces, demasiado incluso. —Calló un momento y se levantó para tirar las cáscaras de huevo a la montaña del compost—. Volví a ello cuando estaba trabajando en el banco. Era como… como la otra cara de la moneda. En el trabajo estaba obligado a ser muy serio y muy directo. El trabajo en un banco brinda escasas oportunidades a la imaginación, a la creatividad, a las sorpresas. Por eso decidí estudiar algo que me aportara… un poco de vida, profundizar en el poder mágico de hacer aparecer y desaparecer cosas. Me gustaba el espectáculo, hacer que la gente pensara y dudara… pero lo mío consiste simplemente en hacer trucos. Durante cientos, durante miles de años, Albina, la gente ha necesitado creer en la magia, en un poder externo. Y eso es algo que me fascina. —Se encogió de hombros, suspiró y bebió un poco de té—. Es mucho más interesante que el dinero. El dinero lleva poco tiempo en circulación, si lo comparamos con la magia.

—Ya, pero la gente necesita dinero, no magia —dijo la niña con certidumbre.

—¿Estás segura? —Hizo una pausa y observó la llovizna que empezaba a caer desde un cielo gris—. Tal vez sea porque eres aún muy joven. Cuando eres pequeño, la magia está por todas partes. Pero luego desaparece, lentamente, sin que ni siquiera te percates de ello. Y de pronto te has convertido en adulto, incluso en anciano, y te preguntas por qué has dejado de sentir el misterio. En mi opinión, necesitamos ambas cosas. ¿Para qué sirve el dinero si no tenemos misterio?

—¡Vaya! ¿Así que necesita más la magia que el dinero? —preguntó Albina, con su sonrisa zorruna—. ¡Lo dice porque tiene oro guardado en la cisterna del váter y la cuenta del banco llena a rebosar!

—Eso no es cierto, Albina. —Se mordió un instante el labio y sus ojos, negros y vacíos, pasaron de la mesa al árbol, miraron luego a la niña, y repitieron el recorrido—. Pero me parece que no estábamos hablando de dinero, ¿verdad? —Bebió otro poco de té—. Me encantaba entretener a la gente, dejarla estupefacta. —Sacó un pañuelo y se tapó con él la boca para toser—. Pero entonces… después de que mi hija se fuera, tan pequeña, los espectáculos se volvieron demasiado… dolorosos. Echaba de menos el sonido de su risa, que antes me resultaba una distracción, incluso un fastidio. Echaba de menos la expresión de sorpresa de su cara. Dejé de hacer espectáculos. Me olvidé de los clubes infantiles, de los hospitales, de las fiestas de cumpleaños y de Año Nuevo. No pude seguir haciéndolos. No soportaba ver aquellas caras.

—No sabía que tuviera una hija. ¿Murió? —peguntó Albina con expresión de preocupación.

La pregunta pilló por sorpresa a Gor.

—No, ni mucho menos. También tenía esposa. —Levantó la vista y sonrió al ver la cara de perplejidad de Albina—. Hace mucho tiempo.

—¡No! No me lo imagino… ¿Qué pasó?

—En realidad no pasó nada. Nada dramático. Me olvidé… de estar por ellas. Yo cumplía con mi deber profesional, trabajaba todas las horas del día. Y por eso estaba cansado, de mal humor. Mi esposa llegó a la conclusión de que no la quería. Y se fue, y se llevó con ella a nuestra hija.

—¿Así que sigue viva?

—Por lo que yo sé, sí.

—¿Ni siquiera lo sabe con seguridad? —insistió Albina, que estuvo a punto de atragantarse con lo que le quedaba de huevo.

—No. —Gor frunció el entrecejo y se sacudió las motas de barro que se habían acumulado en la pernera del pantalón—. Se marcharon. Un tiempo después recibí una carta explicándome dónde se habían ido y diciendo que estaban bien. Pensé… pensé que ella había tomado una decisión y que tenía que dejar que hiciera su vida.

—¿Y nunca fue a buscarlas? ¿Para que volvieran? —preguntó Albina con incredulidad, echándose hacia delante.

—No. Ella no me quería. Y yo solo no podía ocuparme de nuestra hija. Tenía que trabajar. Fue lo mejor —dijo, con un gesto de indiferencia.

—¿Cómo se llama? Su hija, me refiero.

—Olga.

—¿Y se quedó triste, cuando se fueron?

Gor miró el fondo de la taza y removió las hojas de té, que formaron pequeñas nubes de color marrón dorado.

—Desde que se fueron estoy triste cada día. Y a medida que me hago viejo, estoy más triste si cabe. Dirás que tal vez soy un viejo loco, pero ahora, con mi edad, lo veo todo con claridad: dejé que desapareciesen de mi vida. Y no tendría que haberlo hecho.

Albina extendió una mano para coger un terrón de azúcar y la mano de Gor se sumó a ella. Juntos, aplastaron el sólido dulce y el sonido resonó en sus oídos y más allá incluso de la cubierta del porche. Se oyó el graznido de un cuervo detrás del seto, que levantó acto seguido el vuelo agitando unas alas mojadas y aceitosas.

—¿Hay alguien más? —preguntó por fin Albina.

—¿Qué quieres decir?

—¿Familia?

—Bueno, sí. Tengo un primo. De hecho… —Le dio un puntapié a una piedra pasa sacarla del porche y observó la huella de humedad que había dejado en el suelo de madera—. Estoy un poco preocupado. Llevo unos días intentando contactar con él por teléfono, pero no responde. Y…

—¿Y?

—El viernes, en el sanatorio… dijiste que viste un anciano en una habitación. Y que daba miedo.

—Sí… ¿el viejo ese que hablaba solo? ¿El viejo que estaba asustado?

—Sí. Comentaste lo que decía, lo que estaba haciendo, ¿recuerdas?

—¿Que estaba cruzando los dedos y pidiéndole a Stalin que lo protegiera?

—Sí… Pues resulta que mi primo hacía exactamente eso, de pequeño.

—Pero aquel hombre era mayor, un viejo. No era un niño pequeño. —Abrió mucho los ojos—. ¡Oh! ¿Cree… cree que podría ser su primo?

—Podría ser. No estoy seguro.

266

—¿Y va a ir a comprobarlo?

—Bueno, yo...

—¡Vaya a verlo!

—A lo mejor no es él. Lo más probable es que no lo sea. Pero...

—¡Pero no está seguro! ¡Averígüelo!

—¿Tan sencillo lo ves?

—¡Sí! —Albina cogió otro terrón de azúcar y lo mordisqueó por una esquina, haciendo un ruido exagerado—. ¡Vaya a verlo cuando vayamos a visitar a mamá! No veo dónde está el problema.

—¡La sabiduría de la juventud! —dijo Gor en tono burlón, y apuró el té mientras fijaba la mirada en el ciruelo más alejado—. No sois conscientes de que la vida está llena de desgracias. Ni de que, en su mayor parte, esas desgracias las generamos nosotros mismos. Y de que a medida que vas haciéndote mayor, las cosas dejan de ser tan sencillas. Todo está enredado en una especie de telaraña de... dolor.

—Está usted muy melancólico —dijo Albina con preocupación—. Y no tiene por qué estarlo. —Hizo una pausa—. Vaya a verlo. No puede pasar nada malo. —Le dio unos golpecitos en la mano, que seguía sobre la mesa, y Gor levantó la vista, sorprendido. Albina sonrió—. Probaré un poco el té. Si le parece bien. Siempre y cuando pueda ponerle azúcar. Dice mamá que como demasiado azúcar, y que es muy malo. Y por eso me obliga a echarle mermelada de arrayán a las cosas. Dice que es buena para la piel. Pero yo la odio.

—¿No te gusta la mermelada de arrayán? —Gor la miró con incredulidad—. Podría ser peor; podría ser mermelada de nabos.

—¡Puaj! —gritó la niña. Y dijo a continuación—: Un poco más de azúcar, por favor.

Gor le sirvió el té y empujó la caja del azúcar hacia ella. Albina cogió tres terrones, echó dos al té y el otro se lo llevó a la boca. Se calentó las manos con la taza. Sopló el contenido y disfrutó de la sensación del vapor en la cara.

—Mmmm, huele bien —dijo.

—Es que es bueno, te lo aseguro. Anda, bébetelo y luego acabaremos de excavar, arreglaremos el compost y encenderemos el brasero.

—Ojalá nosotras tuviéramos también una dacha —dijo Albina, pensativa.

Gor hundió las mejillas.

—Es mucho trabajo. Sobre todo en primavera y verano. Tienes que venir a diario, te encuentres como te encuentres. Hay que sembrar, regar, sacar malas hierbas, recoger la cosecha: no es un *hobby*. E imaginó que tu madre no tiene tiempo para una dacha.

—Pero yo podría ayudarla.

Gor vació el fondo de la taza de té sobre la hierba mojada.

—Seguro que podrías.

—¿Cuándo volverá mamá a casa?

—En cuanto volvamos, llamaremos por teléfono al Vig a ver qué nos dicen. Mañana, espero, cuando vayamos a visitarla.

Gor clavó la pala en la tierra.

—¿Por qué no podemos ir a visitarla hoy?

—Son las reglas: los pacientes necesitan descansar y las visitas —la señaló, fulminándola en broma con la mirada— propagan infecciones. Sobre todo los fines de semana, por lo que se ve. Tenemos que ser valientes. Y ella está siendo muy valiente. Igual que tú.

Albina sorbió los mocos y clavó también su pala en la tierra.

—¿Me cuenta un cuento mientras trabajamos?

—¿Un cuento? ¡No sé ninguno!

Gor vio que le costaba cavar y hablar al mismo tiempo. El suelo necesitaba más compost: estaba pasado y empapado en agua.

—¡Seguro que sí! Del tipo que sea.

—Te digo en serio que no sé ninguno, Albina.

—¡Pero si es fácil!

—No tanto, no te creas —dijo Gor, dejando de cavar y enderezándose para estirar la espalda—. Por favor, hazlo tú, invéntate uno mientras yo voy cavando esto. Así tendré algo que escuchar y tú algo en qué pensar.

—¡Vale! —Tiró su pala al suelo y se agachó en la tierra labrada.

Con cuidado, con las manos cubiertas con guantes, capturó un gusano de color morado brillante y se lo acercó a la cara—. Érase una vez —dijo, lanzándole el aliento al gusano—, hace mucho, muchísimo tiempo, había un banquero rico. Lo tenía todo: un coche, un piano, un tocadiscos, incluso gatos, blancos y esponjosos. Pero un día, una malvada bruja siberiana lo convirtió en una triste lombriz...

—¡Albina! —exclamó Gor protestando, y a Albina le dio un ataque de risa.

—¡No, no pasa nada! Será un cuento bonito. Déjeme pensar. La bruja estaba enfadada porque el banquero le había denegado un préstamo para comprarse una escoba nueva de importación, con turbo cargador. ¡Una escoba BMW! Entonces, un día, nuestra pobre lombriz vio una manzana mágica enorme colgada del árbol más alto que había por allí...

Gor entrecerró los ojos y movió la cabeza de un lado a otro.

—Más te vale que sea un cuento con final feliz, Albina. No te olvides de que esta lombriz tiene que darte la cena esta noche.

Lo dijo ofendido y adulado a la vez, con una extraña combinación de emociones que hizo que la voz se le quebrase tanto de alegría como de indignación.

Dos horas más tarde, se habían contado muchos cuentos y se habían finalizado muchas tareas. El fuego había ardido con pocas ganas en el brasero, habían guardado las herramientas y habían recogido unas cuantas patatas y manzanas del oscuro almacén de la dacha. Albina le había cogido el ritmo a lo de contar cuentos, que en su mayoría entretejían las antiguas tradiciones con la publicidad de los tiempos modernos: Baba Yaga había sido derrotado por el yogur danés y una espada mágica, mientras que Kashei el Inmortal había sido capturado por el banquero lombriz y encerrado entre rejas.

Gor vació el samovar y tiró las cenizas, lo guardó luego en un armario un poco torcido junto con la tetera y las tazas. Como remate, barrieron el suelo y Albina hizo una demostración de movimientos de kárate, suplicándole a Gor que la imitara.

—No volveremos en muchas semanas, por eso es importante dejarlo todo correcto y como tiene que ser.

—¿En invierno no viene?

—No tiene sentido: no se puede hacer nada. Dejamos la tierra tal y como está hasta primavera.

—¿Hiberna? —preguntó Albina, dándole unas palmaditas a la dacha, como si fuera un caballo.

—Sí, podría decirse que sí.

Gor cubrió con las fundas de plástico los asientos del pequeño Lada y subieron a bordo, doloridos y enfangados, para emprender el camino lleno de baches de vuelta a casa.

—¿Está usted al corriente de la mala suerte de mamá? —preguntó Albina mientras iban aproximándose a las luces de la ciudad.

—Sí, supongo. —Se calló unos instantes—. Me contó lo de tu padre, y que era imposible que estuvieran juntos.

El silencio llenó el coche y Gor se preguntó si habría dicho algo fuera de lugar. Pero Albina se echó entonces a reír y el sonido aporreó las ventanas como la lluvia.

—¡Nooo! ¡No me refiero a esa mala suerte, tonto! No necesitamos para nada a un padre acróbata. Nos manda postales desde todas partes y nos prometió que nos compraría un coche cuando fuese rico. Mamá dice que no son más que sandeces. No, lo triste es lo de sus padres.

—¿Ah sí? —dijo Gor, momentáneamente aliviado—. ¿Y qué…?

—Es huérfana —dijo simplemente la niña—. Murieron… en un incendio.

Gor se mordió el labio justo en el momento en que el coche brincaba sobre un bache.

ZELENKA POR TODAS PARTES

—¡Feliz domingo! —exclamó Valya, instalando su generoso trasero en el asiento y acercándose la taza de té. Agarró a su amiga y, en broma, le pellizcó un pedazo de carne del antebrazo—. ¿Eres real? ¡Estás palidísima! Si no te recuperas un poco, me parece que la semana que viene tendré que hablar contigo a través de *madame* Zoya. ¡No me empieces ahora con tus quejas y cuéntame qué tenemos de nuevo en esta luminosa mañana!

—¿No te has enterado? —preguntó Alla, vertiendo un poco de miel en su taza de agua caliente, flaca y desgreñada como una fregona puesta boca arriba, aunque con una sonrisa atípicamente petulante.

—¿Si no me he enterado de qué? —replicó Valya, entrecerrando los ojos y bajando la cara hacia su taza.

—De lo de anoche. De lo de Polly.

—¡Vaya, esto suena bien! ¿Cómo quieres que me entere de lo que no me entero? ¡Anda, desembucha! —exclamó, frotándose las manos.

—De lo de Polly y Vlad, mejor dicho.

Valya frunció el entrecejo a la vez que abría la boca.

—¡Pero si han cortado! El viernes. ¡Me lo dijo Vlad! Me puse contentísima. Fue en la heladería Estrella del Norte… un lugar espantoso, en mi opinión.

271

—¡Ah, claro! —Alla, triunfante, se pasó la lengua por los labios agrietados—. Ahí es donde te equivocas. Ayer lo volvieron a arreglar... ¡aunque con resultados catastróficos!

—¿Cata qué? ¿Cómo? ¿Por qué? ¿Cuándo? —preguntó Valya, moviéndose con nerviosismo en su asiento mientras el color de su piel adquiría una resplandeciente tonalidad cereza.

—No sé si debería decírtelo. Es bastante sorprendente, la verdad, y muy personal. A mí me lo contó Maria Trushkina en plan confidencial. Como tutora de Polly, ya sabes.

Alla miró a su alrededor, vio las mesas vacías y se mordió el interior de la mejilla.

—¿En plan confidencial, eh, tienes vía directa con esa farmacéutica gorda? —Valya se abalanzó un poco más sobre la mesa y colocó su cabeza de bulldog justo debajo de la mejilla de Alla. Los ojos le echaban chispas—. Pero ahora tienes que contármelo, ¿eh, All-inka? ¿Qué escándalo es ese?

—Jamás te lo imaginarías.

—Pues si no lo imaginaría jamás, cuéntamelo.

Valya le dio un sonoro sorbo a su té.

—La cosa fue como sigue: Maria llevaba todo el día hasta más arriba de trabajo: clientes ancianos, preguntas, quejas, recetas. Ya sabes cómo va eso: hay veces que parece que nada sale bien.

—Sí, eso nos pasa también en el banco.

—Sí, pero en el banco no tienes gente que te quiera enseñar sus pústulas, ¿verdad?

Valya reflexionó su respuesta.

—No con frecuencia, no, ¡pero tampoco lo descartaría!

—¡Eso te lo estás inventando! Bueno, el caso es que Maria estaba atendiendo a una anciana. Y la mujer insistía. «De verdad se lo digo, ciudadana, no puedo ver su pústula. Llévese este ungüento a casa y se lo aplica. Solo un poquitín, como un guisante. No es necesario que se aplique más cantidad». «¡Pero es que no llego! Créame que lo he intentado. ¿Qué quiere que haga? ¿Qué se lo pida al vecino?».

—Te imaginas la escena, ¿verdad? Es al final de la jornada, todo el mundo está cansado y te llega esa clienta con lo de la pústula. Bueno, el caso es que Maria estaba haciendo lo que podía y entonces vio a Polly, plantada en el otro mostrador mirando el reloj, con cara de insolencia, toqueteándose las uñas… así, como hacen las chicas.

—¡No es necesario que me des detalles! En el banco teníamos una que se pasaba el día leyendo revistas y…

—¡No me interrumpas! Entonces resulta que entra un niño con un billete en la mano y empieza a formularle a Polly una pregunta larguísima sobre cataplasmas de mostaza para su madre. ¿Y sabes qué hace ella?

—No.

—Le dice: «¡Calla, mocoso! ¡Lárgate!». Así, como te lo cuento. El niño se queda tartamudeando, pero no se da por vencido. ¡No! Lloriquea un poco y vuelve a empezar. Maria ve que Polly es como una olla a presión a punto de estallar… y que la tapa saltará por los aires. ¿Y qué hace entonces la chica? ¡Le enseña los dientes al niño y gruñe como un perro rabioso! ¡Gruñe! ¡El niño, espantado, suelta el billete y huye corriendo!

—¡Necesita entrenamiento! —dijo Valya, riendo—. ¡Guau! ¡Guau!

—¡Yo no le veo la gracia! Maria se vio obligada a hablar con ella, evidentemente, y Polly le dijo que era una broma que el niño no había entendido. Pero Maria conoce a la chica. Polly siempre se muestra maleducada, distraída, llega tarde o se pone enferma. Ya le han puesto un expediente disciplinario. De modo que Maria decidió vigilarla durante lo que quedaba de tarde. Le dijo a Polly que tenía que marcharse antes y le pidió que se encargara ella de cerrar. Ya lo había hecho en otras ocasiones. Pero esta vez no se fue a casa: lo fingió, y lo que hizo fue esconderse en la trastienda, donde suele descansar. Decidió vigilarla.

—¿No me digas? ¡Muy astuta la farmacéutica! —dijo Valya, y le dio un mordisco a su pasta.

—Llegaron las ocho menos cinco, casi la hora de cerrar, y sonó la campanilla de la puerta. Polly se puso a gritar: «¡Váyanse, está cerrado!», pero de pronto se calló. Maria asomó la cabeza y… ¿adivinas quién había entrado?

—Pues no tengo ni idea. ¿Breznev?

—Resulta que era tu Vlad, con un ramo enorme de rosas. ¡Entró y se arrodilló delante del mostrador!

Valya se quedó tan boquiabierta que la mandíbula le rozó prácticamente la mesa.

—¡No me digas! ¡Ese chico es tonto!

—Así que charlaron un rato, no sé, sobre una discusión que habían tenido…

—Sí, sí. El viernes llegó a casa muy tarde y compungido. Tuve que obligarlo a comer, porque él no quería. No me quiso contar qué había pasado.

—¿No? Pues ya lo sabes. Así que se pusieron a hablar y Polly empezó a mostrarse… amistosa…

—¡Ja! ¡Conozco bien lo que es mostrarse «amistosa» para esa!

—Cuando se marchó el último cliente, Polly le dijo a Vlad que fuera a cerrar la puerta.

—¡Lo sabía!

—Y cuando volvió a su lado, le dijo: «Si me quieres, Polly, podríamos empezar de nuevo. ¿Me quieres?». A lo que ella le respondió: «¿Por qué no vienes aquí, detrás del mostrador, y te lo demuestro?». Y levantó la parte móvil del mostrador para dejarlo pasar.

—¡No me digas que hizo eso! —Valya hizo una mueca de exasperación y cogió una servilleta de papel de la mesa—. ¿Un hombre detrás del mostrador? ¿No crees que eso es motivo suficiente para un despido? ¿Y luego qué pasó?

—Espera, que la cosa va a peor. Empezaron… ya sabes… a besarse. Maria no podía ver nada desde donde estaba, pero sí oírlo todo. Y oyó cremalleras… cremalleras bajando y ropa que iba cayendo al suelo. Y jadeos: frascos que se zarandeaban en las estanterías, gemidos, gruñidos…

—Me imagino la escena.

Con las mejillas encendidas, Valya se secó el sudor de la frente.

—¡Y allí en medio de la tienda con las luces encendidas y todo! ¡Con medicamentos por todas partes!

—¡Tienes razón! ¡Imagínate los medicamentos! ¿Y luego qué pasó?

—Pues que el mostrador empezó a crujir. ¡A crujir! Y luego se oyó un traqueteo y, de golpe y porrazo… ¡un montón de frascos cayendo al suelo y rompiéndose! ¡Naturalmente, a Maria no le quedó otro remedio que salir y poner el grito en el cielo! ¡Y puso de patitas en la calle a Polly al instante!

—¡Ajá! ¡Dios mío! ¡Polly! ¡Ja! ¡Mi pobre Vlad!

—¡Se ve que estaban los dos con los pantalones bajados y con todas sus cosas al aire, como tomates expuestos en el mercado! ¡Haciéndolo en el mostrador, sin pensar siquiera en que estaban rodeados de medicamentos!

—¡Ja, ja! ¡Vaya ocurrencia más espantosa! ¿Dónde iremos a parar? —La risa de Valya siseaba como una serpiente—. ¡No sé si reír o llorar! —dijo, secándose los ojos con la servilleta.

—Polly se puso a gritar como una fiera, echándole a Vlad la culpa de todo y maldiciéndolo. Maria Trushkina la amenazó con llamar a la policía, de fea que se puso la cosa… ¡temió incluso por su seguridad! Y Vlad, evidentemente, salió zumbando de allí como un gato escaldado y desapareció en la noche. —Alla hizo una pausa para respirar—. ¡Pues eso es todo! ¡Fin! Ya no podrá conseguirme más pastillas de esas, imagino.

—¿No me digas? Eso sí que es terrible. Pobrecita mía.

—¡Vaya fresca! ¡Me ha decepcionado por completo! Yo le ayudé a conseguir ese puesto. Se lo supliqué a Maria Trushkina. Aunque siempre supe que era una mala pieza. ¡Lo hice solo como un favor para su pobre madre!

—Bueno, ya sabes lo que opino.

—¿Y ahora sabes qué pasa? Que Maria no soporta ni tocar

aquel mostrador después de lo que pasó, no puede ni poner encima las pastillas… ¡cómo si estuviera encantado!

—¡Caramba! —dijo Valya, moviendo las nalgas en el asiento mientras Alla escondía la cara para esbozar una mueca de asco.

—Y lo que es peor: lo dejaron todo lleno de Zelenka.

—¿No me digas? —Valya se llevó las manos a las mejillas—. ¿El antiséptico?

—Eso fue lo que se rompió: ¡dos frascos grandes de Zelenka!

—Ya me pareció a mí esta mañana que en el cuarto de baño había un olor curioso —dijo Valya, mirando el té con lágrimas en los ojos—. El olor a Zelenka cuesta muchísimo de quitar.

—¡Qué tonta es esa chica! —Alla tosió y se secó los ojos con una servilleta—. Tanto que me he esforzado por ayudarla. Se ha echado a perder. La expulsarán de la universidad.

—Mmm… —Valya sorbió ruidosamente el té—. No me inspira la más mínima simpatía. Se lo merece. ¿Y qué pasará con mi Vlad?

—La culpa no fue de él, ¿no te parece? Fue ella la que lo arrastró a eso. Al fin y al cabo, él no es más que un hombre.

—Sí. Cierto. Pero, aun así, es una situación incómoda para él. ¡Pobre Vlad! Espero que no le afecte en los estudios. Es un chico muy sensible.

Las dos mujeres apuraron las tazas. Pasaron por su lado una chica y su novio, de la mano y riendo.

—Polly te resultaba útil con lo de las pastillas —dijo Valya—. Eso, al menos, hay que reconocérselo.

—Y me daba buenos consejos sobre lo que tú ya sabes —replicó Alla—. Pero ahora tendría que romper con ella, ¿verdad? ¿Después de lo que ha pasado? Y tendré que explicárselo a su madre. —Alla asintió sin soltar la taza de agua caliente—. Es una chica extraña. Nunca se la veía feliz, ¿no te parece?

—No, nunca se la veía feliz. Pero eso no es excusa.

—Tienes razón. Al fin y al cabo, ni sabemos quién es. Para mí es como si estuviese muerta. ¡Muerta!

—Venga, es hora de irse. Tengo que ir a ver si Vlad sigue bien, el pobrecito. Al menos mañana tendrás algo de qué hablar con la clientela, ¿no?

Alla se acabó el agua y se puso los guantes.

—Sí, claro. Aunque ya sabes que los chismorreos no me gustan.

—No. A mí tampoco. Eso de los chismorreos es espantoso.

ALBINA A LA CAZA

—Mamá parece que está mejor —dijo Albina una vez terminada la llamada telefónica de diez minutos que tenían permitida.

—Sí, ha dejado de toser, ¿te has fijado?

Albina asintió.

Gor puso un cazo con leche a calentar en el hornillo para preparar el cacao mientras Albina liberaba a los gatitos del corralito donde estaban encerrados. Los suaves maullidos se hicieron audibles en cuanto ella regresó a la cocina con todos los cachorros a la altura de su barriga, metidos en la bolsa que había formado con el bajo del jersey.

—Son tan bonitos que me los quedaría todos, de ser usted. Parecen más de peluche que Kopek.

Gor iba a replicarle diciéndole que las cosas con pico rara vez parecían peluches cuando sonó el teléfono. Miró hacia donde estaba el aparato. Albina miró a Gor, pero ni el uno ni el otro se movió.

Sonó cinco veces más, seis, siete, ocho.

—¿Lo piensa coger?

Gor no dijo nada.

—¿Por qué no responde nunca al teléfono? ¡Lo cogeré yo! —Corrió hacia el teléfono, sujetando con una mano el jersey bolsa donde seguían los gatitos. Gor continuó con la leche y prestó atención a lo que pudiera decir Albina. Regresó enseguida—. Nadie. He preguntado y preguntado, pero no han dicho nada. Así que le he deseado a quien fuera buena suerte… en japonés, claro —explicó, con una sonrisa.

—Buena chica.

—Anoche también sonó el teléfono, ¿verdad?

—Sí.

—Y cuando estaba ya acostada, oí como si llamaran a la ventana.

Gor suspiró.

—Sí, ya imaginé que lo habrías oído. Lo siento.

—¿Son los espíritus?

—No.

—Yo tampoco creo que lo sean. ¿Por qué no hace alguna cosa para solucionarlo?

—Albina, recuerda que ya estamos haciendo alguna cosa para solucionarlo. Pero tu madre sufrió ese accidente y ahora… ¿qué puedo hacer? —Dejó caer los hombros y se giró hacia ella—. ¿Qué puedo hacer, dime? Tenemos que ignorarlo. Tengo otras cosas de las que preocuparme —sentenció, y se pasó una mano por el cuello, piel seca sobre piel seca, para, a continuación, concentrarse de nuevo en el cacao.

—Pero —dijo Albina, arreándole un puntapié a la jamba de la puerta—, eso es como darse por vencido, ¿no? Dejar que ganen ellos.

—Ellos, quien quiera que sean ellos, no ganan. Y, además, aquí no hay nada que ganar, Albina. Todo esto es… ridículo.

Llamaron a la puerta. Albina miró fijamente el rostro agotado de Gor y fueron juntos a abrir.

—Hay que ir con cuidado —le alertó Gor.

Gor acercó el ojo a la mirilla.

—Nadie.

—Pero sí han llamado.

—Albina…

—¡Abra! ¡No tenga miedo!

—De acuerdo.

Abrió las cerraduras de seguridad y la puerta crujió. No había nadie. Pero la mortecina luz amarronada del pasillo acabó perfilando en la alfombrilla el cadáver de un cuervo, empapado, negro y plagado de gusanos. Debajo había una nota con un mensaje. Gor apartó el cuerpo con el pie.

—¿Qué dice? —musitó Albina.

Tus gatos serán lo siguiente... o tal vez tú. ¡Márchate ahora mismo, mientras puedas!

Se quedaron mirando.

—¿Lo ves? Abrir la puerta no tiene sentido.

Gor cogió con cuidado el cuervo para echarlo por el colector de la basura y cerró bien la puerta.

Se sentaron a la mesita para beber el cacao. Albina empezó a columpiar las piernas, a rozar con los talones el gastado linóleo del suelo. En el exterior del edificio, un viento gélido siberiano soplaba con fuerza.

—Freiré unas patatas y unas costillas. Creo que hay una lata de guisantes por algún lado... no vamos a permitir que nos venzan.

—No se preocupe por los guisantes —murmuró Albina, pasando un dedo por el fondo de la taza para apurar lo que quedaba de pasta de chocolate.

Los golpecitos empezaron después de cenar, mientras Albina le daba a Gor su opinión sobre su colección de discos. Él estaba sentado en su sillón, al lado del piano, Albina acurrucada en el suelo, con los gatitos y una manta. Se había traído un par de cardos de la dacha y los cachorrillos estaban jugando con ellos y llenando la moqueta de pinchos.

Los golpecitos, suaves e insidiosos, se diseminaron por el apartamento. Gor se mordió las mejillas por dentro y Albina levantó la cabeza.

Gor se restregó los ojos.

—No hagas caso. Al final, lo dejan correr.

Los gatitos no paraban de saltar sobre los maltrechos cardos desde detrás de la pierna extendida de Albina; proyectaban sus garras afiladas sobre las puntiagudas semillas y arqueaban el lomo, con el pelo erizado, cuando los cardos se movían.

«Tap tap tap».

Albina se levantó del suelo. Se quedó en silencio, a la escucha. Con la ayuda de las uñas, uno de los gatitos intentó escalar por las medias. Se lo quitó de encima y se oyó un sonido, como si se rasgara alguna cosa.

—Me voy a cepillar los dientes —dijo.

—Buena chica.

Gor cogió una sobada revista de musical. La hojeó. Las partículas de polvo, iluminadas por la lámpara de pie, giraron en círculos en el aire como si fueran diminutas polillas luminosas.

«Tap tap tap».

—¡Ajjj! —gritó Albina, con el cepillo entre los dientes, desde el cuarto de baño.

Apareció al instante en el pasillo, secándose la boca con la manga.

—¡Es en la cocina! —exclamó, su voz retumbando de emoción.

—¡No hagas ni caso! —dijo Gor desde la sala de estar—. No pienso permitir que me molesten. Yo no les hago ni caso.

Canturreó «pom-pom-pom» mientras desviaba la mirada hacia la ventana.

Albina encendió la luz de la cocina y tomó asiento detrás de la mesa. Prestó atención al reloj mientras iban pasando los segundos. Contó hasta ciento treinta y nueve y entonces se volvió a oír.

«Tap tap tap».

—¡Gor!

Su voz resonó en el pasillo como una sirena. Los gatitos huyeron despavoridos.

—Ya lo he oído —respondió Gor, pasando otra página arrugada.

—¡Tengo miedo! —vociferó.

—No hay que tener miedo. Bueno, no mucho.

Albina sonrió en la oscuridad e hizo desfilar el cepillo de dientes por encima de la mesa siguiendo el ritmo del tictac del reloj, convirtiéndolo en su aliado, haciéndose la valiente.

«Tap tap tap».

Pero entonces lo vio, además de oírlo. La silueta de un dedo largo y fino que golpeaba la esquina superior del cristal. Se quedó blanca: la sangre le abandonó la cara para acumulársele en las piernas, provocándole sensación de pesadez. Mantuvo los ojos clavados en la ventana y parpadeó para impedir que le cayeran las lágrimas de emoción. Había dejado de oír el reloj y lo único que escuchaba ahora era el latido de su propio corazón. Esperó.

«Tap tap tap».

Esta vez lo vio con claridad. No había la menor duda. Y esta vez, en la ventana, vio también una cara.

Saltó de la silla y corrió al pasillo.

—¡Gor!

El tono de la voz de Albina silenció el canturreo de Gor. Dejó caer al suelo la revista.

—¿Qué pasa?

—¿Q-qué… —dijo, tartamudeando como si tuviera un nudo en la lengua— qué hay encima de nosotros?

—¿Encima de nosotros?

—¡Aquí arriba! —dijo Albina, señalando hacia el techo.

—Nada. La azotea.

—¡La azotea!

Echó a correr hacia la puerta de entrada y tiró de los pestillos de seguridad para retirarlos.

—¡Albina, espera!

—¡Tenemos que subir! Los golpes vienen de allí.

Se calzó sus botas mientras Gor se quedaba mirándola, dubitativo.

—¡Quiénquiera que está haciéndonos esto, está ahora en la azotea!

—Pero…

—¡Con un palo! ¡Así de simple! ¡Está en la azotea y da golpes a la ventana con un palo!

Gor la miró fijamente, esbozando una sonrisa confusa.

—¿Así de simple? ¡Eso es el diablo! —Se calzó las botas dando dos sonoros puntapiés—. ¡El diablo! Subo contigo. ¡La azotea no es lugar para una criatura!

Le hervía la sangre. Buscó apresuradamente las llaves y una linterna en el aparador y salió corriendo al vestíbulo vacío detrás de la niña.

Se detuvieron al llegar a la caja de la escalera y se quedaron frente a frente, a la escucha: no se oía nada, no había nadie abajo saliendo del edificio ni tampoco indicios de que arriba pudiera haber alguien. Empezaron a subir, colocando con cuidado los pies en los estrechos peldaños, con las puntas de las botas aplastando colillas y chapas de botellas abandonadas allí por la juventud del vecindario. En la puerta de madera oscura que coronaba la escalera había un cartel que rezaba: *¡Alto! Prohibido el paso a personal no autorizado.*

—La puerta debería estar cerrada —dijo Gor.

Extendió la mano y empujó. La puerta cedió con facilidad y se abrió por completo para dejar a la vista tres peldaños más de hormigón y, a continuación, el cielo azul oscuro casi negro de Azov.

Cogió la mano de Albina. Agachados, cruzaron el umbral y se pegaron a la pared para inspeccionar la azotea, plana y rectangular, plagada de antenas parabólicas, claraboyas, basura y conductos de la ventilación. Dedicó unos instantes a ubicarse. Si habían recorrido el largo pasillo desde el apartamento, y habían vuelto sobre sí mismos al subir por la escalera, y si aquello que se veía a la izquierda era el edificio de la biblioteca, las ventanas de su apartamento tenían que estar...

A cuatro patas, dio media vuelta y forzó la vista. ¿Era una figura eso que se veía allí, agachada junto al antepecho, justo encima de donde tenían que estar sus ventanas? ¿O era simplemente un montón de basura, o una bolsa de plástico que se agitaba con el viento? Le dio un leve codazo a Albina y señaló hacia allí.

—¿Es... es una persona eso de allí?

Albina chasqueó la lengua. Pero mientras Gor estaba sopesando las distintas alternativas de actuación, Albina se incorporó de repente y saludó a la figura moviendo los brazos.

—¡Hola! ¡Tú! ¿Qué haces ahí? ¿Intentando asustar a un pobre viejo, eh?

Se lanzó hacia la figura. Gor gateó para seguirla y cuando los pies le patinaron sobre el revestimiento frío y húmedo de la azotea, el rayo de luz de la linterna se proyectó hacia todos lados. La forma agachada se enderezó y quedó perfilada contra las luces de la ciudad. Se volvió hacia ellos.

—¿Sí?

Los pasos de Albina se volvieron titubeantes, pero extendió los brazos delante de ella desafiando a la figura con una postura de kárate. La figura se giró de nuevo y se acuclilló. La niña aceleró el paso.

—¡No, Albina!

El enemigo corría hacia el otro extremo de la azotea, esquivando claraboyas, rodeando antenas parabólicas y tumbonas viejas. Albina decidió saltar por encima de las claraboyas para reducir distancias con su presa. Con una sensación angustiante, Gor comprendió que no conseguiría darle alcance.

Bajó la vista para sortear una claraboya que se interponía en su camino y, cuando volvió a levantar la cabeza, el intruso estaba saltando hacia el antepecho: por un instante se quedó inmóvil, perfilado contra el cielo nocturno, mirando hacia la calle, que quedaba abajo a mucha distancia.

—¡Tú! —le gritó Albina—. ¡Detente!

Se oyó un sonido de metal raspando el hormigón. La figura se perdió de vista en cuanto inició su descenso por el retorcido esqueleto de la salida de incendios.

Albina se lanzó hacia el antepecho y sus botas rechinaron cuando se encaramó sobre la estrecha repisa. Su presa estaba ya escaleras abajo. Se dispuso a seguirla.

—¡No! —rugió Gor—. ¡Es peligroso!

Albina saltó a la escalera de incendios. Los anclajes se movían y las tuercas y los tornillos oxidados crujían al rozar con el revestimiento del edificio. El suelo oscilaba de un lado a otro por debajo de ella. El miedo le soldó las manos al frío pasamanos metálico.

—¡No te muevas, Albina! ¡Es peligroso!

—¡Se escapará!

—¡No puedes seguirlo! ¡No es seguro!

El intruso bajaba a toda velocidad y la escalera de incendios seguía balanceándose y crujiendo. Albina fijó la mirada en el hueco que se abría entre sus pies, el suelo y el edificio. El pelo le azotaba la cara y el suelo se movía.

Cerró los ojos.

—No puedo moverme —musitó—. No me gustan las alturas.

—Tranquila. Estoy aquí. —Gor se colocó de rodillas en el antepecho para verla bien—. Abre los ojos, Albina. Estoy aquí mismo. ¿Lo ves? —Ella lo miró—. Lo único que tienes que hacer es levantar un pie y subir un peldaño. Inclínate hacia aquí, hacia mí, y ahora salta. ¡Vamos!

Uno a uno fue despegando los dedos de la estructura, se dio impulso y abandonó la escalera.

—¡Uf!

Con el impulso, chocó contra el pecho de Gor, empujándolo hacia atrás en el antepecho y haciéndolo caer en el suelo de la azotea.

—Qué miedo —dijo Albina en voz baja, y entonces empezó a reír hasta que se quedó prácticamente sin aliento.

—Lo has hecho muy bien —dijo Gor cuando consiguió incorporarse. Tosió y la ayudó a levantarse—. ¡Eres una camarada valiente de verdad! ¡Pero nunca más salgas corriendo de esta manera! Me has dado un susto de muerte.

—No he podido evitarlo. Podría haberlo atrapado.

—¡Eres una chica que vale muchísimo!

Le tiró de la oreja y se asomaron los dos por encima del antepecho, en dirección a los árboles. Gor proyectó el haz de la linterna hacia la escalera de incendios. La figura misteriosa estaba al final, una forma diabólica, oscura y huidiza. Era imposible vislumbrar sus facciones. El sonido metálico se interrumpió y se escuchó entonces un golpe seco y, luego, un grito sofocado. Acto seguido, unos pasos irregulares cruzando el patio.

—¡Anda! ¿Ha oído eso? Espero que se haya roto el tobillo —dijo Albina.

—¡El muy sinvergüenza! ¡Se lo merecería!

—Sea quien sea —dijo Albina—, lo que es evidente es que es humano.

—Eso está claro.

Cruzaron la azotea hasta llegar al punto donde habían visto la figura.

—¿Qué es eso?

Gor se sirvió de un dedo huesudo para señalar un abedul plateado que se mecía con el viento. Albina enfocó la linterna. Allí, entre las ramas del árbol, se veía un palo largo con una máscara de plástico, como las que podían adquirirse en el mercadillo de Rostov, sujeta en uno de sus extremos.

—¡Caramba, caramba! Esto se ha acabado, Albina —dijo Gor con una sonrisa de satisfacción y acariciándose la barba—. Me parece que ya no habrá más caras en la ventana.

—Ni golpecitos —añadió Albina, sonriendo.

PASTILLAS DE BROMA

Las noches de Polly empezaban a distinguirse muy poco de los días. Tenía la sensación de pasarse el tiempo caminando al atardecer o sentada, temblando, en un sinfín de autobuses malolientes. Hacía nada era una princesa, dispuesta a reclamar su reino. Tenía a su alcance las llaves de su futuro. Pero se le estaba derrumbando todo. Y el peso de los acontecimientos le impedía moverse. Llevada días sin asistir a clase. No dormía. Había perdido el trabajo y el novio. Pero peor, mucho peor, era que los viejos, tan frágiles, tan decrépitos, no se daban por vencidos.

El tobillo derecho le dolía un montón. Tanto, que apenas podía pensar. La decepción era tan grande que se sentía herida, medio muerta, loca incluso. Cada vez que movía el pie, veía las estrellas. Era posible que se lo hubiera fracturado. Y fracturado tendría que quedarse: no podía seguir perdiendo.

Había pasado el lunes por la mañana mirando las paredes, masticando pastillas que había robado en la farmacia, fumando Pall Mall como una carretera e intentando urdir un plan. Tenía que encarrilar la situación.

Mejillas arrugadas no estaba todo lo mal que debería. En vez de convertirse en una masa gelatinosa de viejo chiflado, de quedarse postrado en cama, aterrado, estaba mejorando. La idiotez del caso casi le provocaba risa. Había pensado que asustarlo y que recayera como consecuencia de ello iba a ser facilísimo: al fin y al cabo, conocía bien todos sus miedos. Conocía la presión que ejercía sobre él el peso de la conciencia, las visiones que lo obsesionaban en el crepúsculo de su vida. Había ido a visitarlo un par de veces, sin hacer ruido, de noche, para infundirle un miedo de muerte. Polly estaba con los nervios de punta, puesto que había empleado toda su astucia. Pero el viejo le había salido asquerosamente resistente; no se había alterado ni un pelo. Y pronto volvería a casa, al piso que ella tenía comprometido con un inquilino; el mismo inquilino cuya fianza ya se había gastado. El mismo inquilino que tenía que mudarse allí en cuestión de días. Tendría que ligárselo. Eso es lo que haría: iniciaría con él un romance apasionado, tal vez; lo convencería para que le cediera los derechos del apartamento y luego lo mandaría a paseo.

Y luego estaba Papasyan: la niña lo estaba transformando en un valiente. Solo jamás se habría atrevido a subir a la azotea, eso estaba claro. Y ahora ya no podría seguir golpeándole los cristales; no podía ni siquiera subir una escalera. El viejo cabrón se mantenía firme y ningún tipo de fantasma le había hecho cambiar de postura. No le quedaba otro remedio que reconocer que su estrategia psicológica había fracasado.

Hacia el mediodía, mucho después de que sus compañeras de habitación se hubieran largado a clase y hubieran terminado con sus chismorreos sobre sexo y castigos, había saltado de su grumoso colchón, había reprimido el tembleque de los brazos y se había cepillado el cabello, cien veces. Empezaría por lo fácil, y sería meticulosa. Continuó con las medias negras, luego la falda de lana, las botas, aunque no consiguió abrocharse la derecha. Se aplicó un poco de polvos e intentó hacer caso omiso a las ojeras azul grisáceas que lucía bajo los ojos y a los rugidos del estómago. No tenía té, ni *pryaniki*, ni pan. Tiritando en el trolebús que la llevaba a la ciudad, las pastillas se le mezclaron con la bilis, como un batido en mal estado, y estuvo a punto de vomitar.

Finalizado el recorrido, destensó las facciones y, ensayando una sonrisa, se encaminó hacia los escaparates del Flamenco Blanco. Notaba la piel rara: correosa, pesada sobre los huesos. Recorrió con la mirada el mar de cabezas cubiertas con sombrero y las espaldas encorvadas, buscando pelo cano, palidez en la piel, ojos mortecinos inspeccionando el material. Era posible que hubiera sido un error haberse mostrado descortés con ella en la sesión de espiritismo. Era posible que se le pusiera difícil de entrada. Polly tendría que adularla y cortejarla, mimarla y prepararla. Pero aquella bruja acabaría cayendo. No dejaría colgada a Polly en sus momentos más complicados.

Un puesto de trabajo en el Flamenco Blanco le serviría como parche temporal. Y podía funcionar: allí había mujeres enfermas, muchos chismorreos, información sobre la familia de la gente. Las posibilidades eran infinitas, aunque poco excitantes. Lo único que necesitaba era tener un pie dentro, y tomar prestado algo de dinero en efectivo.

Siguió caminando, arrastrando con pesadez sus burdas botas y con las manos sudando en el interior de los guantes. Se acercó al mostrador, con un intento de sonrisa amistosa dibujándose alrededor de su dentadura, y sus ojos oscuros perfilaron una expresión de sorpresa.

—¡Alla! ¡Qué alegría verla! ¿Qué tal está?

Alla levantó la cabeza de golpe. Lanzó una mirada gris a Polly antes de girarse. Tenía las manos ocupadas poniendo el precio a las etiquetas de un montón de calcetines polacos de colores estridentes.

—Me parece que el otro día quería comentarme alguna cosa sobre su estómago. Últimamente no me he dejado ver mucho, lo siento. Pero no tiene usted muy buena cara, la verdad.

Polly se quedó a la espera, consciente de que aquella mujer sería incapaz de resistirse. Pero en vez de morder el cebo como una piraña, Alla no dijo nada, aspiró por la nariz ruidosamente y siguió escribiendo etiquetas con una caligrafía clara y curvilínea.

—¿O era sobre los pies? —insistió Polly, tamborileando con las uñas sobre el mostrador. Miró fijamente a la mujer y levantó las cejas en un gesto de clara preocupación. Esperó. El tobillo le daba punzadas de dolor—. ¿O sobre qué era? —dijo, de forma casi incoherente.

—No necesito tu ayuda —dijo Alla, sin levantar la vista, aunque su fino labio superior se curvó al pronunciar esas palabras—. Vete.

—¿Qué quiere decir con eso?

—¡Eres una deshonra! —Levantó la cabeza, tenía la expresión muy seria—. Aléjate, por favor, de mi mostrador. ¡Apestas!

Polly se ruborizó levemente. Y se echó a reír.

—Así que se ha enterado. Pero quiero que sepa que no tendría que creer todo lo que se oye por ahí. Son simples chismorreos. Permítame que…

—¿Cómo has podido hacerme esto a mí? ¿Cómo has…? —Alla aspiró de nuevo con fuerza y cerró las manos sobre las etiquetas que aún le quedaban pendientes de preparar—. ¡Mantener relaciones sexuales en el mostrador! Después de todo lo que he hecho…

—Fue un error. Todo el mundo comete errores. Pero ahora necesito su ayuda para…

—¡De mí no obtendrás jamás más ayuda! No quiero ser vista hablando contigo, francamente. Soy una mujer respetable.

Alla se alejó hacia el extremo opuesto del mostrador. Polly la siguió, cojeando.

—Le prometió a mi madre…

—¡Ya le he mandado un telegrama a tu madre! —Se quedaron mirando—. De modo que, a no ser que quieras comprar calcetines, será mejor que te vayas.

Polly se inclinó por encima del mostrador, con los ojos saliéndosele de las órbitas.

—¡Yo la he ayudado! La he estado escuchando, día tras día. Le he conseguido pastillas, a un precio excepcional. Ahora necesito un trabajo y usted podría conseguírmelo. ¡Vamos!

Polly cogió las manos de Alla entre las suyas, pero la mujer las retiró bruscamente y los calcetines cayeron al suelo.

—¿Tú? ¿Trabajar aquí? —Miró a la chica con cara de asco—. ¿Para que luego vayas dejando huellas de tu culo por todos los mostradores? ¡Ni en broma!

—¿Cómo se atreve?

—¡Oh! ¡Ahora resulta que la atrevida soy yo! No vas a conseguir ningún trabajo a través de mí. ¡Ya te ayudé en su momento y no pienso volver a hacerlo!

Se desplazó de nuevo hasta el otro extremo del mostrador y continuó preparando etiquetas. Polly se quedó mirándola fijamente unos instantes.

—¿Sabe una cosa? No me extraña que tenga mal el estómago —dijo, ronroneando—, sabiendo lo que eran en realidad esas pastillas.

Alla levantó la cabeza de golpe, olvidándose por completo de los calcetines. Pero Polly había desaparecido ya entre la clientela.

DÍA DE VISITAS

Sveta oyó a Albina incluso antes de verla. Un portazo seguido por el alegre repiqueteo de las tazas del carrito de la merienda, un murmullo de voces y...

—¡Mamá! ¡Nos hemos divertido muchísimo! —Cruzó la puerta y saltó a la cama, enlazó las manos por detrás del cuello de Sveta en un abrazo y presionó la cara contra su pecho antes de retirarse un poco para lanzarle una mirada de evaluación—. ¡No te has peinado! ¡Y no te has pintado los labios! —La miró fijamente—. ¿Pero qué haces aquí?

—Albina, cariño, no te alarmes. He estado descansando y todo el mundo se porta maravillosamente conmigo. No es lugar para andar pintándose los labios. —Sveta cogió el ramo de rosas arrugadas que Albina sujetaba con fuerza—. Son preciosas, *malysh*. Qué detalle. ¡Cuánto te he echado de menos!

—Hoy te llevamos a casa. Lo hemos decidido. Y, no te lo creerás... ¡ya sabemos quién daba golpes a las ventanas!

—¿En serio?

—¡Es un ser humano! Lo vimos anoche. ¡Estaba en la azotea con un palo! ¡Y yo casi lo pillo! ¡Fue emocionante! —Albina hizo un gesto de asentimiento para subrayar sus palabras mientras Gor se acercaba a los pies de la cama de Sveta, bolsa en mano y con una mancha de té en la parte frontal del jersey.

—¿Subiste a la azotea? —preguntó Sveta, regañando con la mirada a Gor.

—Err... sí. Fue todo muy seguro, claro está. Yo supervisé la operación. —Sus palabras intentaron acallar apresuradamente el gruñido de desaprobación de Sveta—. Pero el muy canalla se escapó. Le dimos un buen susto, y es muy probable que resultase herido. Desde entonces, todo ha estado tranquilo. —Su rostro se iluminó brevemente con una sonrisa torcida—. Me siento casi... Pero no. ¿Y usted qué tal se encuentra, Sveta? —preguntó, fijándose en su aspecto descuidado y la palidez de su cara—. ¿Todo solucionado? La necesitamos en casa, ya sabe.

—Y yo intento volver a casa. —Se sentía mucho mejor solo de verlos—. La verdad —dijo, bajando la voz— es que no me gusta nada estar aquí. La gente es encantadora, pero hay un ambiente raro. Y no he tenido ni acceso al minicine, ni he podido darme el capricho de un masaje. Lo único que recibo son tres visitas diarias del médico.

—¿De Vlad? —preguntó Gor, y sus cejas descendieron tanto que le ocultaron incluso los ojos—. Se ha mostrado muy atento...

—No, Vlad no. —Hizo un mohín—. Del médico de verdad, el doctor Spatchkin. Es muy entendido... y muy pequeño. Dice que ya estoy bien para volver a casa. Que solo queda hablar con la supervisora. Está muy ocupada, dicen. ¿Dispone de tiempo para quedarse a esperar? —preguntó Sveta, ladeando la cabeza.

—Sí. Además, como que... —Gor se quedó dudando, sin soltar todavía la bolsa—. Resulta que de aquí a un momento tengo una visita en el ala Gagarin.

—¿Oh? Ah... ¿Para pescar a Vlad? —dijo Sveta, con un gesto de asentimiento—. Me parece muy bien. —Puso mala cara—. Ni me ha visitado. A lo mejor es que le remuerde la conciencia. Al fin y al cabo, si estoy aquí es por él.

—Espero que tenga algo más grave que remordimientos de conciencia... una fractura de tobillo, tal vez. —Gor sonrió con tristeza—. Lo averiguaremos. Pero... —bajó la vista— lo que voy a investigar es otra cosa.

—¡El primo de Gor, mamá! —anunció Albina, pataleando en el suelo con sus botas y lanzándole una mirada alentadora a Gor—. ¿Verdad que es increíble? ¡Creemos que está aquí!

—¿Su primo?

Klara se agitó en la cama y murmuró alguna cosa sobre cuarenta barras de pan negro.

—¿De vacaciones? —La luz desalentadora de los ojos de Gor sirvió para darle a entender la verdad—. ¡Oh no! ¿Es un… huésped con carácter permanente? ¡Después de lo que me contó usted sobre este lugar! —Cerró la boca con fuerza—. ¡Me deja usted sorprendida!

—¡No lo sabía! A lo mejor no es él. No estoy seguro.

—Lo cual es incluso peor.

Gor asintió.

—Es posible. Por lo que sabía, mi primo vivía en Rostov rodeado de sus cuadros y sus libros. Tiene un buen piso, en las afueras. ¡Jamás he recibido una llamada informándome de que estuviera aquí ingresado! Pero necesito averiguarlo. Albina la informará sobre los…

—Prueba la levadura —murmuró con urgencia Klara.

Tatiana Astafievna relamió el aire e hizo un gesto de aprobación con la cabeza.

—De acuerdo. Vaya a cumplir con su deber, Gor. Albina y yo esperaremos a que pase la supervisora y veremos si conseguimos firmar esos papeles. Y tú, pequeñuela, cuéntame ahora más cosas sobre tus aventuras.

Sveta acarició la mejilla de Albina y esta puso cara de armarse de paciencia.

—No tardaré —dijo Gor desde el umbral de la puerta—. Y me alegro de verla, por cierto.

Saludó con un gesto a las dos mujeres y a la máquina de los pitidos y enfiló el pasillo.

La recepción estaba igual que siempre, la chica de las gafas seguía tecleando en la máquina de escribir. Ignoró por completo a

Gor cuando este pasó por delante de ella. El pasillo que conducía al ala Gagarin era igual de largo, aunque ahora había obreros trabajando en él, embadurnando las paredes con una pintura de un verde que ofendía los ojos. Gor los saludó y continuó su camino. Al cruzar la Sala de Estar Comunitaria Número Dos, que también era verde con la excepción de las tres cicatrices negras del techo, allí donde las losetas se habían fundido, percibió todavía en el ambiente un fantasma de plástico chamuscado. Ralentizó el paso para fijarse en las marcas y pensó en Sveta corriendo por allí, intentando apagar el fuego con su sombrero, sin darse cuenta de que nadie corría peligro excepto ella: tonta, impulsiva, valiente.

Pensó en el hecho de que había tardado varios días en acudir allí para averiguar si aquel ingresado tan aterrado era su primo. El retraso era fácilmente explicable: Vigor y Vitalidad tenía una política de visitas muy estricta; había tenido que cuidar de Albina; había tenido que acabar todo el trabajo que tenía pendiente en la dacha; el dinero que había que destinar a gasolina era considerable. Aunque, a decir verdad, no se trataba tan solo de aquel retraso de unos días, sino que antes de eso habían transcurrido años, docenas de años, todo un pasado, que se extendía hasta donde su memoria alcanzaba a recordar, durante el cual había evitado voluntariamente a su primo. Estos días no eran más que los últimos de una ristra larguísima de días, interrumpidos tan solo por la visita anual con motivo del cumpleaños de Tolya, para comer la tarta y rendir homenaje a la compota.

Y eso era lo peor. Había estado tan concentrado en sí mismo, que no había sido hasta aquella ridícula sesión de espiritismo, cuando *madame* había escarbado un poco más en la cámara acorazada donde guardaba a su familia, que había caído en la cuenta de que se le había pasado por alto el cumpleaños de Tolya. ¿Cómo era posible que hubiera caído tan bajo? Era el único día en que tenía que cumplir un deber familiar: hacer una visita, sonreír y charlar; mostrar interés. Y se le había olvidado.

Se maldijo por imbécil y siguió caminando hacia la puerta en la que Albina se había llevado el susto. Estaba cerrada. Llamó, esperó, tosió, volvió a llamar, y la empujó. Se abrió con un crujido. El interior estaba oscuro, las persianas bajadas.

—¿Tolya? —empezó a decir, en voz baja—. Creo que te debo una disculpa...

Sus ojos se adaptaron lentamente a la oscuridad y la frase que estaba pronunciando se interrumpió abruptamente.

Tenía ante él una cama sin hacer con un colchón hundido y con manchas. Miró a su alrededor, sintiéndose como un imbécil, y cruzó la habitación para subir la persiana. Lo único que se movió fue el polvo, que trazó lentos y perezosos círculos en el aire para caer delicadamente sobre sus zapatos, un vaso de medición de líquidos vacío, la silla para las visitas, el suelo. Ni rastro de efectos personales.

Salió otra vez al pasillo y abrió la puerta contigua; a lo mejor se había equivocado. Encontró un hombre pelirrojo y con barba grisácea que dormía con la cabeza caída hacia un lado. Gor dio marcha atrás, probó en la puerta siguiente, y en la otra. Abrió todas las puertas del pasillo, negándose a sucumbir al miedo que se había apoderado de él al ver la cama vacía. Cuando llegó al final del pasillo, el terror empezaba a estrujarle el cuello con sus dedos y a acariciarle los globos oculares. Parpadeó para impedir que le cayeran las lágrimas. En la última habitación encontró dos pacientes, despiertos y charlando entre ellos, y una auxiliar limpiando las persianas.

Su intención era darles los buenos días y presentarse, pero lo que hizo en cambio fue espetarles:

—¿Dónde está Tolya?

La auxiliar se volvió ligeramente hacia él y, plumero en mano, lo miró con mala cara.

—¿Tolya?

—Anatoly Borisovich. Estaba en una habitación unas cuantas puertas más allá, en la número seis, me parece. Un hombre bajito, rollizo, mayor. Un artista. Nervioso. Le encantan las galletas. Un hombre tranquilo.

—Ah, sí —dijo la auxiliar, volviéndose más decidida hacia él y mirándolo con curiosidad bajo un moño cardado negro azulado—. Anatoly Borisovich. ¿Es usted amigo suyo?

—No. Es decir, soy su… su primo —dijo Gor, añadiendo, por costumbre—: No estamos muy unidos.

—En este caso —dijo la auxiliar—, mejor que hable con la supervisora. Vaya al despacho del final del pasillo y dígales quién es. Se encargarán de localizarla.

Gor se dispuso a obedecer pero, al llegar a la puerta, se giró de nuevo. Su expresión era tensa.

—¿Se… se ha ido? —preguntó en voz baja, sin ganas de escuchar la respuesta.

La auxiliar sonrió con tristeza por encima del hombro.

—Sí, se fue. El sábado por la noche: en silencio y de forma repentina. Sin circunstancias sospechosas. Pero mejor que vaya y hable con la supervisora.

La garganta de Gor emitió un leve sonido.

El mundo se volvió granuloso. La aspereza de la luz de los fluorescentes le traspasó los ojos. Avanzó titubeante hacia la puerta, atravesó de nuevo la sala de estar, recorrió otra vez el pasillo recién pintado, emergió en la resonante recepción, cruzó las puertas dobles y descendió los maltrechos peldaños de Vigor y Vitalidad para alcanzar la seguridad de su pequeño coche de color marrón. Le temblaban las manos y se le cayeron las llaves. Le costó situarse detrás del volante, las piernas le daban sacudidas y las rodillas se negaban a doblarse. Finalmente, consiguió colocar debidamente los pies. Flexionó los codos y se apoyó en el volante, encerró la frente entre ambas manos.

No lloró. Ojalá pudiera: llorar y acabar con ello, sentir y expresar alguna cosa. Pero no pudo más que quedarse sentado, rebosante de arrepentimiento, dolor, alivio y confusión. En su cabeza bullían tantas emociones que empezó a sentirse físicamente enfermo.

En la oscuridad de los párpados cerrados, vio a su familia, a mayores y a jóvenes, a la gente que amaba y había amado durante mucho tiempo. Podía contarlos con los dedos de una mano. Y de pronto empezaron a difuminarse, a difuminarse y a alejarse, a hundirse en el túnel del tiempo. ¿Por qué todos sus familiares desaparecían de esta manera, sin previo aviso, como por capricho?

Tolya, el más complicado, el más necesitado y el más problemático. Tolya, cuyo carácter resistente lo había mantenido vivo cuando todo estaba perdido. Después de batallar con la vida durante más de sesenta años, daba la impresión de que Tolya había desaparecido en plena noche, sin poco más que un saludo de despedida con el sombrero o un guiño de aquellos ojos tan verdes.

Gor recordó: ojos de niños, fríos y duros como guijarros, pechos cargados, pulmones en ascuas por el esfuerzo de aspirar aire gélido, el latido del corazón aporreándoles la garganta cuando, al anochecer, observaban y esperaban junto a la ventana, guardando silencio. Días perdidos en los que el aullido del viento obligaba a los espíritus a salir del bosque, igual que los murciélagos salían de su cueva, y los proyectaba hacia las mentes sanguinolentas de los niños. Los niños habían sido crueles. Notó un escalofrío en la espalda.

Los maestros habían hecho todo lo posible para hacerlos entrar en razón. Con Tolya no había funcionado. Su imaginación era incontenible. En manos de Gor, Tolya había sido como una cometa, sus pensamientos habían volado a merced del viento. Antes del incendio, Gor había sido el elemento que daba sentido al mundo de Tolya. Había cuidado de su primo, lo había guiado. Pero después, a pesar de vivir juntos, lo había abandonado. Había pasado sesenta años abandonándolo.

Intentando no pensar, sujetó con fuerza el volante y los nudillos se le quedaron blancos como la porcelana. Las gotas de lluvia empezaron a aporrear el cristal y el sonido se combinó con el de los latidos de su corazón. Con la boca seca como un estropajo, permaneció a la escucha y se preguntó cuándo pararía aquello. El martilleo se hizo insoportable: soltó el volante, movió la mano hacia la radio y empezó a pulsar botones con movimientos rápidos, desesperados y temblorosos. El sonido inundó sus oídos y su cerebro se llenó de acordes familiares. El viento sacudía el aparcamiento, zarandeaba incluso el coche. Siguió sentado en su interior.

Sabía que debería hablar con la supervisora y comprender los detalles de los últimos momentos de su primo. Que debería ver los informes que hablaban sobre cómo respiraba, cómo luchaba, cómo fluía la sangre por sus venas, cómo había perdido intensidad y cómo se había enfriado. Pero no tenía valor para ello. Abrió la puerta del coche y posó el pie en la gravilla. ¿Haría bien volviendo a la habitación donde había dejado a Sveta y Albina, las únicas personas que se preocupaban por él, y explicándoles lo que había pasado, contándoles su traición y su pérdida? Se quedó inmóvil mirando una lluvia que rebotaba sobre los setos y la gravilla, sin hacer nada.

Las gotas de lluvia le resbalaban por la frente y por el cuello, empapándole la camisa. Con el tiempo paralizado, bajo el siseo de la lluvia y las sacudidas del viento, cobró de repente consciencia del sonido de unos pasos irregulares que se acercaban poco a poco. En el camino de acceso al aparcamiento había alguien. Se pasó las manos por el pelo mojado y buscó el pañuelo.

Era una mujer. Caminaba encorvada, era flaca como un palillo y el viento agitaba su abrigo negro y la bufanda con que se protegía la cara. A medida que fue aproximándose, Gor vio que tenía la ropa salpicada de barro hasta la altura de las rodillas. La mujer no levantó la vista, sino que siguió caminando con prisa, hablando sola en un monótono bajo. Las botas emitían un ruido sordo al chocar contra el suelo. Cuando llegó a la altura de la escalera de entrada y se disponía a subirla, Gor pudo verle bien la cara. Se quedó boquiabierto.

—¿Polly?

Dio un pequeño salto al girarse hacia él, sin soltar la bufanda que se agitaba en su cuello. Estaba pálida y empapada, y entrecerró sus ojos oscuros para forzar la vista y ver mejor a Gor.

—¿Papasyan?

La blancura le alcanzaba incluso los labios y, cuando habló, apenas se le movieron. Se quedaron mirándose.

—¿Va todo bien? ¡Estás empapada!

Gor extendió los brazos como si fuera a tocarla y ella retrocedió un paso y tropezó con el primer peldaño.

Se quedó mirándolo. Su cara, ancha, bellamente sobrenatural, parecía sacada de un cuadro. Pero sus ojos parecían vacíos y empezó a morderse los labios. Bajó la vista hacia su ropa mojada y asintió.

—El autobús ha tenido una avería. Y venía a visitar… venía a visitar…

El viento se llevó sus palabras y Gor se acercó para oírla mejor. El aliento de la chica olía a vodka rancio y a algo más, a algo medicinal.

—No tienes muy buen aspecto. Permíteme que…

—Voy mal de tiempo. Tengo que arreglar unos asuntos.

Gor se sintió ligeramente mareado cuando ella le clavó las pupilas durante un segundo y apartó acto seguido la vista.

—Entiendo —dijo, con un gesto de asentimiento—. ¿Algún familiar? ¿Puedo ayudarte en algo? ¿Quieres que te lleve a la ciudad cuando termines?

—No —respondió ella, con un suspiro y esbozando una sonrisa triste—. No, no. Estaré un buen rato. Pero tengo que hacerlo —dijo, mirándolo de nuevo a los ojos.

—Como quieras. Qué tengas suerte, Polly. Estás haciendo lo correcto, tenlo por seguro. —Polly empezó a subir la escalera—. ¡Acabo de perder a mi primo! —exclamó, aun sin quererlo—. ¡Cuida de tus seres queridos mientras puedas!

Polly se detuvo y se giró.

—¿Su primo? —dijo en un susurro.

—Sí. Murió el sábado por la noche.

—¡No!

Gor bajó la vista, conmovido y avergonzado al ver la preocupación de Polly.

—Me temo que sí. He llegado tarde a arreglar las cosas con él. De modo que ve, ¡ve a ver a ese familiar tuyo! ¡Buena chica!

Levantó la vista y sonrió, aunque las lágrimas le nublaron la mirada. Ella lo miró a los ojos, con expresión desgarrada y desalentadora.

—No —articuló con la boca, sin decirlo en voz alta.

Gor hizo un gesto, como si fuera a tocarle el brazo, pero ella le dio la espalda. El viento levantó largos mechones de cabello castaño y Polly subió cojeando los peldaños hacia las puertas de cristal de la entrada.

La gente buena era así. Aquella chica había recorrido medio camino andando desde la ciudad para hacer una visita, mientras él se había quedado esperando, alimentando excusas basadas en Albina y el elevado coste de la gasolina. Se apoyó en el coche. Sus piernas se negaban a moverse. Era tan incapaz de mirar a Sveta a los ojos como de resucitar a su primo. El cielo gris le golpeaba la cabeza y el mundo, impulsado por el viento, giraba a su alrededor. Perdió la mirada en la planicie del estuario, hacia el punto donde cielo, tierra y mar se fundían en una línea marrón fangosa.

UN LUGAR AZOTADO POR EL VIENTO

Sveta levantó de repente la cabeza.

—¿Qué hora es, mi niña?

—No lo sé, mamá.

Con la ayuda de un dedo y saliva, Albina estaba haciendo dibujos en el polvo acumulado en el alfeizar de la ventana.

Sveta dejó el libro y se incorporó un poco.

—Ya hace mucho rato que Gor se ha ido.

—Sí.

—Pronto anochecerá.

—Sí.

—Encended los hornos —gritó Klara, desde detrás de su sábana almidonada.

Tatiana Astafievna aspiró con fuerza y se pasó la lengua por unos labios finos y grisáceos. Sveta asintió.

—Algo va mal.

—¿A qué te refieres?

Albina se estaba adormilando con el calor de la habitación. Era incapaz de pensar.

—No sé. Tengo… una intuición. ¿Por qué tendría que tardar tanto? El ala Gagarin está solo a cincuenta metros de aquí. A estas alturas, podría haber dado ya una vuelta completa a la luna.

Klara asintio afanosamente para sus adentros y la máquina emitió un pitido prolongado. Sveta miró hacia la ventana, hacia la luz verde grisácea del otro lado.

—A lo mejor se ha perdido —sugirió Albina, espabilándose.

—No me estás ayudando en nada, *malysh*. Pásame el batín.

Sveta giró sobre sí misma en la cama y, con determinación, puso los pies en el suelo.

—¿Qué haces, mamá?

Pasó las manos vendadas por las mangas del batín.

—¡Tengo un presentimiento! ¡Eso es lo que tengo! ¡Este edificio está lleno de malos presagios! Voy a buscar a Gor.

—¿Y si te ve la supervisora?

—¡Me da igual si me ve la supervisora! ¡Llevo todo el día esperando a la supervisora! —Se levantó para que Albina pudiese anudarle el batín a la cintura—. Ya empiezo a pensar incluso que esa mujer es un mito. Pásame las zapatillas, por favor.

Albina se encogió de hombros y buscó las zapatillas debajo de la cama.

Albina abrió la puerta, Sveta la cruzó y salieron de puntillas al pasillo. Miraron por encima del hombro, pasaron rápidamente por delante del cuarto de enfermeras y bajaron por la escalera. Fue fácil: nadie estaba prestando atención. Oyeron a lo lejos el eco del minicine y se dirigieron hacia el vestíbulo, donde confluían los diversos pasillos.

La administrativa estaba encorvada sobre el mostrador discutiendo con una visita.

—No puedo facilitarle información confidencial —decía con rabia—. ¿Cómo quiere que se lo haga entender?

No había posibilidad de pasar sin ser vistas por el vestíbulo, de modo que aceleraron el ritmo como si marcharan, con la espalda erguida y la cabeza bien alta. Casi lo consiguen.

—¡Un momento! ¡Ciudadana… mujer! ¡Paciente! ¿Dónde va? ¿No puede pasar por aquí —La administrativa estaba furiosa.

Sveta no se paró.

—He perdido a un amigo. Pasó por aquí. Tengo que encontrarlo.

Fueron directas hacia la puerta que daba acceso al ala Gagarin.

—¡A usted la conozco! ¡Estuvo aquí el viernes! ¡Es la ciudadana que se quemó las manos!

—¡Ajá! —dijo Sveta, moviendo la cabeza en sentido afirmativo, agitando las manos y sin interrumpir su recorrido hacia la puerta.

—¿Busca a ese hombre, verdad?

Ralentizaron el paso.

—¿A ese hombre alto, moreno y de aspecto triste?

Se pararon del todo.

—No lo encontrará. —La administrativa se subió las gafas y la miró con aire triunfante—. Ha salido corriendo por la puerta hará cosa de media hora.

Albina y Sveta intercambiaron miradas.

—No se ha ido. Eso no lo haría nunca —susurró Sveta.

Cogió a Albina del brazo y cambiaron de dirección para encaminarse a la puerta de entrada.

—¡Oiga! ¡No puede salir! ¡La matrona…!

La puerta se cerró de un portazo.

El coche estaba abandonado en el aparcamiento, con la puerta abierta y las llaves en el contacto. No había ni rastro de Gor.

—¡Tiene que haber pasado algo terrible! Mira, los asientos están todos mojados. Gor no dejaría nunca el coche en este estado. ¡Esto es cosa del diablo!

Empezaron a llamarlo y la brisa transportó sus voces hasta los confines del estuario. La única respuesta fue la del viento que seguía soplando con fuerza desde la esquina del edificio, arrastrando sal del mar y lluvia hacia ellas.

—¿Lo habrán secuestrado, mamá?

—¿Secuestrado? ¡Quién sabe, el mundo está tan loco! Tenemos que encontrarlo. Tú ve por ese lado, *malysh*, rápido, echa un vistazo, busca pistas, pero mantente en todo momento alejada del agua. Yo iré por el otro lado. Si me necesitas, grita.

Albina asintió obedientemente.

Sveta corrió hacia el edificio, dejando atrás la llanura y el mar, mientras Albina se dirigía por el camino que conducía hasta la carretera y seguía el curso del riachuelo. En lo alto de la escalera de entrada, una figura oscura y goteante las observaba.

Sveta avanzaba lentamente, perjudicada por unas zapatillas traicioneras que rápidamente se empaparon de agua. Rodeó el edificio y se encontró en el patio trasero. Las cocinas estaban allí y el aroma caliente a costillas y alforfón se filtraba a través de la puerta para depositarse en el aire húmedo. Se oían voces, y los sonidos de la gente corriendo de un lado a otro. En el patio había un perro sentado, bien alimentado y desgreñado, que ignoraba por completo dos gatos de ojos brillantes que hurgaban en un cubo de basura. El perro bostezó cuando vio a Sveta cruzando el patio adoquinado y, a través de una valla rota de madera, emerger a la hierba y el fango del mundo que se extendía al otro lado.

Vislumbró una figura alta a lo lejos, saltando por encima de lechos de algas marinas, caminando tambaleante hacia el árbol solitario que se perfilaba con dureza contra el cielo.

—¡Gor! ¡Gor Papasyan! ¡Vuelva!

No la oía. Sveta siguió avanzando a trompicones entre aguas fangosas, matas de hierba, cubos de madera viejos, piezas podridas de coche, redes deshilachadas, huesos blanqueados por el sol.

—¡Gor! ¡Espere! —le gritó al viento.

La figura se detuvo, pero no se giró.

Sveta jadeaba. Las zapatillas habían desaparecido en el fango y la parte inferior del batín, completamente empapada, le azotaba las pantorrillas. Los vendajes de las manos habían adquirido un sucio color amarronado y el pelo se le metía en los ojos. Forzó la vista para ver mejor la figura que se había detenido junto al árbol. Miraba hacia el agua, en dirección a la luz que empezaba a menguar. El viento silbaba con fuerza.

—¿Qué está haciendo? —gritó Sveta.

Gor se volvió. Su rostro demacrado parecía distorsionado.

—Necesitaba… necesitaba tomar un poco el aire.

—¿El aire? ¡Vaya! —Se recogió la parte inferior del camisón, que ondeaba a merced del viento, para superar una última duna de barro y llegar adonde estaba Gor—. Pues de aire hay mucho.

Titubeante, Gor dio un paso atrás cuando ella se plantó delante de él.

—¿Qué sucede? ¿Por qué no ha vuelto?

—Yo… oh, Sveta, lo siento muchísimo, ¡mírese cómo va! Usted aquí fuera… corriendo… preocupada por mí. Mientras que yo… él. ¡Oh, esto es demasiado!

—¡No es más que barro! Lo superaré. Pero usted…

Lo miró fijamente.

—¡No diga eso, Sveta! ¡No merezco que se preocupe por mí! ¡Soy un fracasado, no soy un ser humano!

Se dejó caer al suelo y se encogió de tamaño ante los ojos de Sveta. Se arrodilló en el barro y arrancó puñados de hierba mientras pronunciaba aquellas palabras a gritos.

—¿Se trata de su primo?

Gor negó con la cabeza.

—Lo he hecho mal. Todo lo he hecho mal. Tantísimas cosas… no sé qué hacer.

—¿Tiene esto que ver con esa cosa… con esa cosa vergonzosa que me mencionó en una ocasión? ¿Con esa cosa que dijo que yo no sabía? Cuénteme.

—¡Ja! Si solo fuera una cosa vergonzosa. Solo una. —Levantó la vista y, entre lágrimas y carcajadas, esbozó una mueca que dejó al descubierto sus dientes. Escupió en el barro—. ¡Mi querida Sveta, me avergüenzo ante usted! Este será el fin de nuestra amistad. No sé ni siquiera por dónde empezar.

—Empiece por lo que le salga primero. —Se acuclilló a su lado y le cogió la mano—. Luego ya le daremos sentido.

—Mi primo se ha ido.

—¿Que se ha ido?

—Está muerto.

—¡Ah! —Sveta asintió, lentamente—. Lo siento mucho, Gor.

—¡No tanto como lo siento yo! No quise venir, ¿sabe? Me preocupaba lo del gasto de gasolina… ¡no, en realidad no era eso! Me puse cualquier excusa para no tener que saber qué pasaba. Y al final he decidido venir, para soltarle un montón de tópicos y decirle que lo siento y preguntarle si quería una tarta. ¡La habitación estaba vacía! Se ha ido. —Las palabras le salieron entrecortadas, desligadas—. Sin mí. ¡Yo no estaba aquí a su lado! Después de tanto tiempo…

—Usted no tenía por qué saberlo.

Le presionó la mano, pero él la retiró y su mirada se perdió en dirección al pino que se mecía a merced de los gemidos del viento.

—¡Pero tendría que haberlo sabido! Mi madre me dijo que cuidara de él. Me dijo que fuera amable. Pero no lo hice. ¡Incluso se me pasó por alto su cumpleaños! El resumen es este: le he fallado. Y no solo una vez, sino muchas veces. Estoy seguro de que todo esto no le pilla por sorpresa, ¿verdad?

—Oh, no, Gor. No sea tan duro consigo mismo. Ha hecho todo lo que ha podido y…

—No, Sveta, ¡he hecho lo mínimo de lo mínimo! —Se alejó de las manos de ella. Su mirada era furibunda—. Olvídese de palabras amables. Hice lo que pude para zafarme del tema. No lo quise como tendría que haberlo querido.

Se llevó las manos a la boca y cerró los ojos.

—¡Esto es típico del ser humano! ¡Dios sabe bien que no podemos elegir la familia que nos toca! Pero… cumplimos con nuestro deber. Y estoy segura de que usted cumplió con el suyo.

—¿Me habla de deberes familiares? Pues le garantizo que yo no he cumplido con mi deber en este sentido. ¡He fracasado, Sveta! ¡En todo! ¿Es que no lo entiende? En-to-do. Con la gente a la que tendría que haber amado y protegido. ¡Con mi Marina!

—¿Marina?

—Mi esposa. Mi bella y dulce Marina. Fue ella quien se fijó en mí. Yo era demasiado tímido, de joven, para… Pero ella me eligió, y me amó, me quiso de verdad… ¿Pero qué pasó? Pasó que al cabo de un tiempo yo no me di cuenta de lo que pasaba. Yo estaba muy ocupado, siempre ocupado con las estupideces de la vida, con los préstamos y con las cuentas de ahorro. Y cuando ella se fue, en busca de un amor mejor, yo dije con desprecio: ¿quién necesita el amor, eh? ¿Y quién se lo merece? ¡Yo no! Me encerré en una armadura y fingí que ella nunca había existido. Y lo mismo hice con Olga.

—¿Y Olga es…?

—¡El regalo que me dio Dios! ¡Mi niña, mi hija! —exclamó, levantando hacia el cielo unas manos agarrotadas.

—Ah. Claro, sí, ya me acuerdo. —Sveta frunció sus facciones—. ¿Y ella qué tiene que ver con lo que ha sucedido?

—¡No tiene nada que ver! No tiene nada que ver con nada. ¡No forma parte de mi vida! No me di cuenta… intenté no pensar en nada. Cuando Marina se fue, la encerré en un lugar remoto de mi mente. Pero cuando Albina me preguntó al respecto, en la dacha, y me dijo «¿Está muerta?», pensé, «¡No! Claro que no está muerta. ¿Cómo se te ocurre decir eso? Se fue, simplemente».

—Ah.

Sveta estaba confusa.

—¿Por qué actué como si hubiera muerto? —gritó Gor—. Aquella situación no tenía por qué ser para siempre, ¿verdad? ¿Por qué no le escribí ni la llamé por teléfono? ¿Por qué no fui a visitarla en vacaciones?

Sveta abrió la boca para decir algo, pero Gor siguió hablando.

—Le diré por qué. ¡Porque fui un cobarde! Porque me habría hecho demasiado daño: porque habría sentido de todo y habría sufrido cada vez que nos hubiéramos despedido. ¡Porque habría tenido que fingir que era un hombre fuerte! ¡Y no podía hacerlo! De modo que la alejé de mi cabeza y di la espalda a la situación. Igual que hice con Tolya, igual que hice con Baba, igual que sucede con las familias que…

Sveta miró el cielo e impulsó hacia fuera el labio inferior.

—Todo esto que me cuenta es muy triste, Gor. Tristísimo. Pero no tiene que seguir siendo así. La felicidad, igual que la tristeza, es algo que a veces nos construimos nosotros mismos. Cometió un error, pero no es aún demasiado tarde.

—Ahórrese palabras amables, Sveta. Es tardísimo. En mi vida ya no queda nada. Nada que compartir con nadie. Soy un simple caparazón, un ladrón con nada que ofrecer. Me miento a mí mismo y...

La tierra retumbó. Albina corría hacia ellos. Sus botas avanzaban con dificultad por la hierba y se hundían en el barro.

—¡Ya está, *malysh*! ¡Ya lo he encontrado! —gritó Sveta, agitando los brazos. Se volvió hacia Gor—. ¿A qué se refiere con lo de ladrón?

Antes de que a Gor le diera tiempo a responder, Albina se tiró al suelo al lado de ellos, colorada y sin aliento.

—¿Qué hacéis aquí sentados? —preguntó, en tono de reprimenda—. ¡Estábamos muy preocupadas por usted, que lo sepa!

—Calla, *milaya*. Gor está malo.

—¿Qué?

Cuando se giró para mirarlo, sus pelos serpentearon en el ambiente húmedo como si fueran gusanos.

—No es que esté malo. ¡Soy malo! Sí. Cuanto más lo pienso, más miserable me siento: malvado... ridículo...

—¿Qué? —dijo Albina con incredulidad.

—Esas personas —dijo muy despacio, deliberadamente—, mi primo, mi mujer, mi hija... eran mis tesoros, mi responsabilidad, los tres. Y les fallé. Me olvidé de todos ellos. Los hice desaparecer como por arte de magia, los eché de mi vida. Incluso a ustedes, mis queridas amigas. Se preocupan por mí. ¿Y cómo se lo devuelvo yo? Permitiendo que entre en un edificio en llamas, Sveta, y dejándote corretear por la azotea, Albina. Las he puesto a las dos en peligro cuando su única intención era protegerme. —Esbozó una sonrisa enfermiza y sus dientes amarillos brillaron—. Estoy absolutamente avergonzado. Soy un fracaso como ser humano. ¿Y qué es un pequeño robo en comparación con todo esto?

—¿Un robo?

Albina se incorporó para quedarse en cuclillas al lado de Gor. Abrió los ojos como platos, mirándolo. El olor a barro, sal y algas se filtraba entre su cabello.

—Dinero. Se apoderó de mi cabeza. Y yo lo permití. Al fin y al cabo era dinero, no amor, y era lo único que me preocupaba. Solo el dinero.

—¿Así que robó dinero? —preguntó Albina, alborozada y sonriente.

—Sí. Pero ya te eché un sermón sobre la importancia de ser buen estudiante y sacar buenas notas. Yo soy un ladrón de lo más vulgar.

—¡Fantástico!

—Gor, usted nunca ha sido vulgar. Pero, cuéntenos, ¿de verdad que ha sido ladrón?

—¿Robó algún banco?

Gor dudó unos instantes.

—¿De verdad creen que es necesario conocer los detalles?

—¿Un orfanato?

Gor suspiró.

—No. Ningún orfanato. Abuse de la confianza de quienes me respetaban. Me… —Levantó compungido la vista para mirar a Sveta y se encogió de hombros, derrotado—. Me hice con el dinero del Círculo de Magia. Ahora casi me rio. Pero… estaba desesperado.

—¿Qué? —Sveta frunció el entrecejo—. ¿El Círculo de Magia?

—Soy el tesorero. Mi intención era tomar el dinero prestado, para invertir. Estaba desesperado. Había perdido los ahorros de toda una vida, debido a la inflación. Allí, en el banco.

—¿La inflación? —cuestionó Sveta, dubitativa.

—Cada vez iban sumando más ceros a los billetes de rublo. ¿Nunca ha pensado qué pasa con los rublos de las cuentas de ahorro antiguas? Pues ya se lo digo yo: desaparecen. Me quedé sin nada. Empecé a vender cosas para llegar a fin de mes, me lo luché. Y entonces se me ocurrió lo de la cuenta del Círculo de Magia. Pensé que podía invertir el dinero que había allí acumulado, cuadruplicarlo, recuperar mis ahorros y devolver el capital que había sacado. Pensé que si invertía bien en el mercado…

—¿No lo metería en PPP Invest? —musitó Sveta—. Dígame que no…

—Justamente ahí. Resulta casi gracioso, ¿verdad? En la pirámide de PPP.

—¡Oh, Gor! —Sveta se llevó las manos a la cara, presionándose las mejillas. Meneó la cabeza con incredulidad—. ¡Qué tonto!

Albina frunció el ceño y perdió la vista en el horizonte, muy seria.

—Una inversión muy poco inteligente. ¿Cuánto perdió?

—Cerca de… cerca de un millón de rublos.

El rostro de Albina se iluminó.

—Oh, pues entonces tampoco está tan mal.

—Me pareció que lo había perdido todo, que aquello era el final. Estaba tan obsesionado con todo ello, tan obsesionado con el dinero. El día que lo robé… el día que fui al banco… era el cumpleaños de mi primo. ¡Por eso se me pasó! ¿No lo ven? El dinero era mi obsesión, y me olvidé de mi primo… ¡durante semanas! Si me hubiera acordado, me habría enterado de que estaba enfermo. ¡Podría haberlo ayudado! Mi avaricia lo mató, fue como si le clavara un puñal en el vientre.

—No, no diga estas cosas, es una ridiculez. ¡Primero resulta que es un ladrón y ahora un asesino! Gor, ¡este no es usted!

—¿Ha muerto? —Albina se quedó blanca. Se inclinó hacia delante y pasó un brazo por el hombro de Gor mientras él se sentaba en una zona de fango arenoso—. Lo siento mucho.

Sveta se secó los ojos con el dorso de las manos vendadas y sorbió con fuerza los mocos.

—Independientemente de lo que haya pasado, independientemente de lo que diga usted que es, Gor, creo que es una buena persona y estamos aquí para ayudarle. —Le pasó el brazo por el otro hombro—. Somos sus amigas. Saldremos de esta. No le abandonaremos.

Gor permaneció sentado, cabizbajo, asintiendo levemente, sin derramar una lágrima, cargando en la espalda con el peso de todos sus pensamientos. La llovizna hacía brillar su piel. Una gaviota planeaba en las cercanías.

—¡Ahí está!

El grito venía del lado donde estaba el edificio del Vig. Sveta levantó la cabeza. Se aproximaba una figura, avanzaba a saltos para superar los charcos y las hierbas. Era una mujer en bata, con el pelo lacio y gafas. Parecía muy enfadada.

—¿Qué hacen aquí? Ciudadano anciano, en serio, ¿qué hace sentado en el suelo mojado? Y usted, ciudadana paciente, ¿cómo se le ocurre? ¡Y tú también, niña! ¿Están todos locos o qué? La supervisora los ha visto desde la torre y está muy angustiada. ¡Tienen que volver enseguida! ¡Enseguida, ha dicho!

La administrativa señaló la anodina torre gris que se alzaba en un extremo del edificio. Vieron una figura en la ventana, que rápidamente se ocultó tras las cortinas.

—Oh, vaya —dijo Sveta a regañadientes—. Mejor que vayamos. Vamos, Gor.

Se levantaron a la vez y juntos, cogidos del brazo, emprendieron el camino de vuelta al gigantesco edificio. Los pies de Sveta pisaban directamente el fango, y empezó a temblar. El perro desgreñado se quedó observándolos cuando cruzaron el patio y meneó el rabo a modo de saludo.

—Sveta —dijo Gor en voz baja cuando llegaron a los pies de la escalera de acceso al edificio—, vaya a prepararse. Sé que tendría que ir a hablar con la supervisora por lo de mi primo, pero no tengo fuerzas. En este momento, solo pienso en volver a casa. La esperaremos aquí.

Gor apenas podía levantar los pies, uno tras otro, para acceder a los maltrechos peldaños de la entrada.

—Me temo, Gor, que la supervisora no me ha dado todavía el alta —replicó Sveta con voz débil. Levantó la vista hacia la puerta donde la esperaba una auxiliar, armada con una manta. La mujer la miraba fijamente—. Y no creo que vaya a dármela ahora. —Se volvió hacia Gor—. Mañana será otro día.

—Es una lástima, Sveta. Pero si le parece que quedarse una noche más es lo mejor, vendré mañana a recogerla a la hora de comer —dijo Gor, mirándola a los ojos.

—Gracias, Gor. —Cogió las manos de Gor entre sus manos vendadas—. Mañana marcará un punto de inflexión. Un punto de inflexión en su viaje. Cuando mañana vuelva a casa, hablaremos largo y tendido. Arreglaremos esto. Y todo irá bien. Y esta noche, descanse y duerma. Duerma tranquilo.

—Es usted muy valiente. Gracias, Sveta. Y ahora, márchese. No podemos tenerla aquí…

No terminó la frase. La auxiliar había envuelto ya a Sveta en la manta.

UNA NIÑA QUE DESAPARECE

—*Kalinka, Kalinka, Kalinka, moya*, rum-pum, pum-pum...

Albina canturreaba y movía las patitas del gatito blanco más pequeño de todos para que siguiera el ritmo. El gato estaba en posición supina, extasiado, mirando embelesado los ojos de la niña como si fueran estrellas brillantes en el firmamento. Estaba sentada en la vieja alfombra de tonos rojizos que ocupaba la zona central de la sala de estar de Gor. El resto de los cachorros estaban diseminados bajo el piano, afilándose encantados las uñas con una partitura. Pero aquel gatito era especial. Albina le había puesto por nombre Ponchik, o rosquilla, de dulce que era. Pasó entonces a rascarlo debajo de la barbilla. Encantada, rompió a reír cuando Ponchik estiró el cuello para entregarse a ella por completo.

Albina miró el reloj. La una del mediodía. Gor la había dejado al cuidado de los gatitos, aunque decía que los gatos sabían cuidarse solos. Todo se había desarrollado con tranquilidad, pero Gor no era él. El día anterior, cuando había vuelto a casa a última hora de la tarde, había ido directo a su habitación y había permanecido allí encerrado durante dos horas. Albina le había llevado un poco de té y luego se había quedado jugando con los gatitos, a la espera. No había habido golpes en las ventanas. Ni llamadas telefónicas. El piso había quedado sumido en el silencio más absoluto.

Al final, Gor había salido de la habitación arrastrando sus raídas zapatillas por el suelo de linóleo, y le había preparado una costilla a Albina. Él no había comido. Se habían sentado el uno junto al otro en el viejo sofá amarillo, con la radio de sonido de fondo, y habían pasado la velada clasificando fotografías antiguas que Gor había sacado de un cajón del aparador. En ellas aparecía Tolya de joven, flaco y pálido, recién salido de la academia militar, posando muy rígido y con expresión desconcertada, mostrando su diploma. Una pareja de novios, felices en un restaurante: Gor tan sombrío como siempre, pero con una luz especial en los ojos, su esposa orgullosa y cohibida a la vez. Luego estaba Olga, de pequeña, con los bracitos rollizos y llena de pecas, jugando con una pelota en la playa. Olga algo más mayor, el primer día de clase, una niña seria de ojos oscuros, alta y delgada, con unas trenzas que le llegaban hasta la cintura. En otra, se veía a madre e hija flanqueando un mono de cuerpo musculoso y dientes afilados, sujeto a una cadena. Las fotografías se acababan en 1975. Albina le dijo a Gor que tendría que guardarlas en un álbum. Y él se había limitado a sorber por la nariz y a decir: «Tal vez, tal vez».

Por la mañana, el plan de Gor había sido ir al colmado y a la lechería y luego coger el coche para ir a buscar a Sveta, dijera lo que dijera la supervisora.

Había dicho que no tardaría mucho, pero llevaba una eternidad fuera y aquel rato se le estaba haciendo interminable, a pesar de los gatos y de la radio. Albina estaba aprendiendo que no le gustaba estar sola, aunque tampoco le gustaba la compañía. Gor le había sugerido que saliese a dar un paseo, que era muy sano, y ella se había reído. No le gustaba andar. En realidad, no le gustaba salir de casa: la gente la miraba y se sentía como una imbécil.

Desvió la mirada hacia el cuerpo reluciente y musculoso del piano. Estaba llamándola, y el silencio reinante era excesivo. Se levantó del suelo con Ponchik todavía en el hombro. Se sujetaba clavando las uñitas en el jersey. Levantó la tapa y contempló el dibujo perfecto que formaban las teclas blancas y negras. Gor había tocado el piano y la melodía le había parecido inmensa, cascadas continuas de notas que brotaban de su cuerpo como el agua de una fuente. Gor había dicho que con los pianos de cola había que ir con cuidado, sobre todo con los pianos de media cola. Acercó la mano y tocó la tecla correspondiente al Do central, presionándola con delicadeza. No hubo ningún sonido. La presionó con más fuerza y dio un brinco cuando el piano emitió una nota, clara y cristalina. Rio y tocó con más fuerza, presionando las teclas con los puños, los codos, la frente, recorriéndolas arriba y abajo con las manos, hacia uno y otro lado, creando truenos y tormentas, rocío y copos de nieve. Ponchik maulló flojito reclamando a su madre, que se escabulló despreocupadamente hacia la cocina.

Un ruido de golpes en la puerta de entrada silenció finalmente su interpretación. Se apartó del piano con sentimiento de culpabilidad. ¿Se habría metido en problemas con tanto ruido? ¿Haría bien abriendo la puerta? Dejó el gatito con sus hermanos y recorrió sin hacer ruido el pasillo. Sabía manejarse bien con los vecinos enfadados. Se mostraría firme y echaría la culpa de todo a los gatos. No diría palabrotas.

—Hola —dijo al llegar delante de la puerta, aunque sin abrirla.

La voz resonó y sonó a niña tonta. Se puso de puntillas para alcanzar la mirilla, pero perdió el equilibrio y se aplastó la nariz contra la puerta. No se veía nada. El timbre volvió a sonar. Se peleó con el cierre de seguridad, enganchándose el pelo con el mecanismo. Finalmente, consiguió abrir.

Gor y Sveta llegaron a casa media hora más tarde, después de un viaje en coche que transcurrió mayoritariamente en silencio. Sveta intentó iniciar una conversación animada, pero su acompañante no estaba para nada. Sveta tenía ganas de llegar. Al entrar, encontraron a los gatitos durmiendo entre una montaña de zapatos viejos, a Dasha y a Pericles felices y relajados en el sofá. Todo perfecto. Pero Albina no estaba.

Perplejo, Gor se quedó en el salón mientras Sveta inspeccionaba todas las habitaciones llamando a su hija empleando un tono de voz cada vez más fuerte. Reapareció, pasmada. Gor dejó caer al suelo la bolsa de *pryaniki* que llevaba. Miraron en los armarios, detrás de las puertas, debajo de las camas; abrieron incluso las ventanas para mirar fuera y llamarla. ¿Y si estaba en el balcón? Pero allí solo había silencio y negrura. La niña no estaba, y tampoco había ninguna nota. Después de repasar otra vez todo el piso con un nerviosismo que iba en aumento, de examinar habitación tras habitación, se reencontraron en la cocina, jadeantes, y fue entonces cuando se percataron de la presencia, en un rincón, de dos tazas de té con motivos de flores rosas sin tocar, junto a una caja de terrones de azúcar medio llena.

Sveta se abalanzó sobre las tazas y acercó la mano a una de ellas.

—¡Está caliente! ¡Ni siquiera han bebido! ¿Qué significa todo esto?

Gor meneó la cabeza, apesadumbrado.

—¿Que ha venido alguien?

—¡Dos personas! —dijo Sveta, realizando un gesto de asentimiento—. ¡A Albina no le gusta el té!

—Le gusta si le deja añadir azúcar. —Sonrió con tristeza y se adelantó para probar el contenido de las dos tazas—. Esta —dijo, tosiendo—. Esta es la de Albina: hasta las abejas la encontrarían dulce. ¿Por qué no va a mirar a casa de las vecinas? Galina Petrovna está a la izquierda y Baba Krychkova a la derecha. A lo mejor está en casa de alguna de ellas. O les ha dejado algún mensaje. Yo seguiré investigando aquí. Puede haber una nota que hayamos pasado por alto.

Gor inició una nueva inspección del apartamento. Examinó la sala de estar, en busca de algo fuera de lo común, de algo que no encajara. Las cosas de la niña seguían en el antiguo comedor: un revoltijo de ropa, libros y deberes, y un osito de peluche muy sobado. El monedero estaba entre sus cosas.

Salió al pasillo y se rascó la cabeza. Dos tazas de té en la cocina, y no habían bebido ni una gota de su contenido. Se acercó de nuevo a las tazas y examinó los bordes y el anillo de color marrón que había quedado junto a ellas como consecuencia de un poco de líquido que debía de haberse vertido. Cogió un paño de cocina para limpiar la marca y entonces captó un olorcillo, la sombra de un aroma a algo. Se olisqueó las manos, luego el paño: sí, estaba allí, sin la menor duda, un olor fuerte característicamente medicinal que estimulaba sus nervios olfativos. Frunció el entrecejo: había olido aquel mismo olor recientemente, en otro lugar. ¿En el Vig, tal vez? ¿Con las enfermeras? ¿O tal vez en casa de *madame* Zoya?

Oyó pasos en el pasillo y Sveta apareció al instante en el umbral. Sus ojos, que mostraban una expresión preocupada, estaban vidriosos.

—No tienen noticias. Baba Krychkova dice que ha oído el piano, que lo tocaban muy fuerte, y que luego ha oído un portazo y ha imaginado que sería algún vecino quejándose. Galina Petrovna no ha podido aportar nada. Acababa de llegar de su clase de baile. He mirado también por el patio: ni rastro de Albina.

Gor meneó la cabeza.

—Yo tampoco he encontrado nada. Solo esto: un olor especial. A ver si puede identificarlo.

Le tendió el paño. Sveta lo olió, dudando un poco, frunció el ceño y se lo acercó más a la nariz.

—Es Zelenka. ¿Qué pasa?

—¡Pues claro! ¡Eso es! —Chasqueó los dedos—. ¡Y yo no tengo en casa! —Sus miradas se cruzaron—. Y acabo de oler a eso hace muy poco. Lo que pasa es que no consigo recordar cuándo.

—Pues piense, Gor. —A Sveta casi se le salen los ojos de las órbitas—. ¡Podría ser importante!

—¡Ya lo intento! —Tensó las facciones, concentrándose—. Es un olor muy tenue… a lo mejor si me siento. Tengo la mente tan confusa que no sé ni qué día es.

Se dejó caer en un taburete, sin soltar el paño. Sus ojos reflejaban tristeza.

—¿Dónde puede estar? Me prometió… me prometió que sería buena. Ella nunca iría a ningún lado, sobre todo sabiendo que su madre estaba a punto de volver a casa.

—No, nunca lo haría. Es una buena chica.

—Sí, es una buena chica.

—Creo que ha venido alguien…

—Sí.

—¿Una amiga?

—Sveta, ya me conoce…

—Esto no me gusta nada.

—A mí tampoco.

—¿Qué hacemos?

—No lo sé.

Sonó el teléfono en el pasillo. Gor abrió un ojo y lo observó sin levantarse.

—¡Responda, hombre!

—¿Y sí…?

—No tiene miedo, ¿verdad? —dijo Sveta, cuyos ojos echaban chispas.

—No, no tengo miedo. Voy a responder.

Se impulsó para levantarse del taburete y fue corriendo a descolgar el auricular.

—¡Papasyan! —espetó.

—Veo que ya están de vuelta. Me alegro.

—¡Albina! ¡Gracias a Dios!

Notó que le flaqueaban las piernas y se sentó, dejándose prácticamente caer. La voz de Albina sonaba fuerte, ceceante, llena de vida, y solo un poco insegura. Movió el brazo en dirección a Sveta, indicándole que se acercara al teléfono. Aproximaron las cabezas al auricular y escucharon.

—¿Dónde estás, criatura?

—En un piso, huele muy fuerte, y me parece que está en Rostov. Es lo que me ha dicho ella, de todos modos. ¡Y tengo yogur danés! De frutas del bosque.

—Espera un momento.

—¡Mamá está aquí, *malysh*! —dijo la voz de Sveta, sobreponiéndose a la de Gor.

—¡Mamá! ¡No sabes cuánto me alegro de oírte!

—¿Quién es esa «ella», pequeñuela? ¿Con quién estás?

—¡Oh, tengo muy buenas noticias! ¿Gor? ¿Sigue ahí? No se lo va a creer: ¡es Olga! ¡Sí, su añorada Olga!

—¿Olga? —exclamó Gor—. ¿Mi Olga? ¡Imposible! ¡No entiendo nada!

—Vino a su piso cuando usted no estaba. Imaginé que era ella… ¡lo supe! Es alta y morena, como usted. Le preparé un té y me quemé un poco la mano y todo eso. Y entonces dijo que teníamos que irnos para asistir a una reunión familiar. Y ahora estamos aquí, y usted no está. ¿Por qué no ha venido?

—¿Dónde es «aquí», *malysh*?

Sveta se había quedado blanca, pero al menos había sido capaz de articular algunas palabras. Gor siguió sentado, con el paño de cocina pegado aún a la boca, como si hubiera visto un fantasma.

—Ya te lo he dicho. Estoy en Rostov. Me ha dicho que llamara por teléfono. Te echo de menos. ¿Por qué no has venido?

—¡Déjame hablar con esa tal Olga! —dijo Sveta con energía—. ¿A qué se piensa que está jugando?

—Oh, no, mamá, ella no quiere hablar contigo. Solo quiere hablar con Gor…

Se oyó un sonido metálico. Alguien al otro lado de la línea había cogido el auricular y había apartado a Albina.

—¿Papasyan? —susurró una voz ronca.

—El mismo. ¿Con quién hablo?

—No haga preguntas. Limítese a escuchar. Tengo a la niña conmigo. Si quieren recuperarla, entrégueme su oro.

—¿Mi qué?

—¡Su oro, tacaño! ¡Su oro!

—¿Pero qué locura es esta? ¡Yo no tengo oro! ¡Y usted no es Olga!

—¡Miente! ¡No sé dónde lo tiene escondido, pero sé que lo tiene! ¡Y lo necesito! ¡Se le está agotando el tiempo, Papasyan!

Sin soltar el auricular, Gor cerró los ojos y hundió la nariz en el paño de cocina que seguía sujetando con la mano. De pronto se materializó ante él una cara, mojada por la lluvia, una cara con ojos oscuros y un matiz de crueldad. Y aspiró el olor que transportaba el viento, un olor acre a medicamento.

—¡No! ¡No puede ser! ¿Por qué habría de...? —Soltó el paño para llevarse la mano a la boca—. Y yo que pensé que era una buena chica.

—¿Gor?

Sveta infló las mejillas. Gor tapó el auricular con la mano.

—No... no se lo va a creer. El olor... ayer... el Zelenka. ¡Era Polly!

—¿Qué? ¿La chica de Vlad?

—¡Papasyan! —gritó la voz del teléfono—. ¡Oye lo que estoy diciéndole!

Los ojos azules de Sveta temblaron al reconocerla.

—¡Podría ser!

Gor no se contuvo.

—¿Eres tú, Polly?

Hubo un sonido que parecía un rugido, animal y salvaje.

—¿Lo eres, verdad? Estoy... pasmado. ¿Por qué te has llevado a Albina? ¿Qué significa todo esto?

En la línea se oyeron interferencias, pero ninguna voz.

—¿Polly? —dijo Sveta, interviniendo—. ¿Cómo has podido? Te has llevado a Albina, ¿pero para qué? Gor no tiene nada. ¡Eres una criatura malvada!

—¡Cierra el pico! —chilló la voz.

—¿Qué sucede? —rugió Gor—. ¿A qué estás jugando? ¿Hay alguien que esté controlándote? ¿Es eso? ¿Se trata de Vlad?

—¿Ese idiota? —La voz vibró con indignación—. ¡Todo esto lo he hecho yo sola! Y es muy sencillo: ¡entrégueme su oro y tendrán a la niña!

—¡Pero si no tengo oro! —le gritó Gor al auricular—. ¡Soy igual de rico que tú!

—¡Claro que no! ¡Eso lo sabe toda la ciudad! Lo ha trasladado a otro sitio para fastidiarme, ¿verdad? ¡Me odia, como todos los demás! ¡Pero no se saldrá con la suya! Mejor que vaya y empiece a desenterrarlo. ¡Métalo en una bolsa, todo lo que tenga! —La voz bajó de volumen para transformarse en un gruñido—. Si no paga por ella, no esperaré. Encontraré a otro que lo haga gustoso.

—¡Oh! —gritó Sveta, mordiéndose los nudillos.

—Reúna el oro. Llamaré otra vez a las seis para darle instrucciones. Y no se le pase por la cabeza llamar a la policía. Me enteraré, tengo contactos.

Se oyó que colgaban y el teléfono se quedó mudo. Sveta y Gor se miraron.

—¡Esta chica está loca! —dijo Sveta.

—Creía… creía que era una buena chica —dijo Gor. Se encorvó y se acarició la barba—. La vi ayer, en el Vig…

—¿Una buena chica? —Sveta enarcó una ceja—. Si no sabemos nada de ella, Gor.

—Iba a visitar a un familiar.

—¡Chorradas! ¡Lo más probable es que fuera a visitar a Vlad!

Gor se dirigió tambaleante a la cocina y se sentó de nuevo en un taburete.

—Me ha hecho pensar en Olga. —Se pasó por los ojos una mano temblorosa—. Todo esto empieza a ser demasiado. Me supera.

Sveta dejó una taza en la mesa, delante de él.

—Beba un poco de té con azúcar, Gor, y bébalo rápido. Le revivirá. Lo necesito vivo. —Empezó a deambular de un lado a otro—. Hay que pensar. ¿Por dónde empezamos?

Gor apartó la vista para dirigirla hacia la ventana y la pálida luz del sol que acariciaba las copas de los árboles del jardín. Recordó la nota odiosa que había aparecido arrugada en su asiento en el Palacio de la Juventud. Recordó cuando había estado en el mercado y se había sentido observado, y le habían empujado. Cogió la taza y bebió obedientemente el té. Los recuerdos brotaban como setas en su cerebro, adquiriendo forma y claridad. En ambas ocasiones, cayó en la cuenta, Polly había estado presente. Por eso le sonaba. Cerró los ojos. Retrocedió en el tiempo, hasta agosto, tal vez primeros de septiembre, y recordó una visita a la Farmacia Número Dos, para ir a buscar alguna cosa que le ayudara a dormir. La chica se había mostrado muy atenta, le había formulado preguntas sobre su rutina diaria, sobre la ayuda que pudiera tener en casa, y por parte de amigos y vecinos. Se rascó la nuca.

—A lo mejor era eso, Sveta, todo este tiempo.

—¿El qué?

—Ya sabe, los sucesos… las cartas, el conejo, las llamadas. Los golpes en la ventana. ¿Y si era ella?

Se levantó bruscamente.

—Mantenga la calma, Gor. —Sveta le cogió ambas manos con firmeza—. Cuénteme más.

—Ella… y él. ¡Al fin y al cabo, Tolya estaba allí! ¡Eso es!

Se apartó de ella para empezar a recorrer la estancia de un lado a otro.

—No sé de qué habla.

—¡Los golpes en los cristales, mujer! ¡Las polillas! Es posible que… que Tolya recordara. ¡Por supuesto que recordaba! —Se alejó de ella y le habló a la ventana y a las hojas que volaban arrastradas por el viento otoñal—. Albina me dijo que le estaba rezando a Stalin. ¿Por qué tendría que hacerlo? Pues porque había recordado, porque había recordado todo lo que le daba miedo. ¡Los golpecitos en las ventanas y el niño polilla! ¡El incendio! —Se giró de nuevo hacia Sveta—. ¡No me estaba volviendo loco! ¡No había nada sobrenatural!

—No entiendo nada. —Movió de un lado a otro la cabeza hasta que sus mejillas empezaron a bambolearse—. Nada de nada. Gor…

—No hay tiempo. Es una vieja historia, una tragedia, además. La tragedia de mi familia. Y esa gente ató cabos.

—¡A *madame* Zoya no le contó nada de ninguna tragedia! —exclamó Sveta, y tanto sus ojos como su boca expresaron un gesto de desaprobación.

—¡*Madame* Zoya, chorradas! ¡Esos sinvergüenzas ya lo sabían! ¡Y lo utilizaron para ir a por mí!

—¿Cómo?

—¡En la sesión de espiritismo! ¡En casa! Todo encaja a la perfección. Sabían lo de los golpes en las ventanas. Lo hacíamos de pequeños, no sé si me explico. Nos asustábamos mutuamente. —Miró a Sveta a los ojos—. Creí que me estaba volviendo loco. Pero eran ellos. ¡Eran ellos los que estaban intentando volverme loco!

—¿Pero por qué, Gor? Polly y Vlad, ¿por qué?

—¿Por qué? —Se detuvo en medio de la cocina y abrió sus ojos negros de par en par—. ¡Porque me odian, evidentemente!

—¡Ah! ¿Y por qué tendrían que odiarlo? —Sveta se levantó de un salto del taburete—. Si ni siquiera lo conocen. —Se miraron a los ojos, frente a frente con la mesa de la cocina de por medio. Sveta levantó la barbilla—. A menos que… Sí, la verdad es que está claro. —Asintió con energía—. ¡Sí! Gor, todo el mundo que no lo conoce sabe que es millonario… que esconde joyas bajo el colchón y oro en la cisterna del baño. No le odian. ¡Lo que querían era robarle!

Gor abrió más si cabe sus ojos negros y echó la cabeza hacia atrás.

—¿Cree que es eso? ¿De verdad cree que es eso?

—¿Y usted no? Son jóvenes, y estúpidos…

—¿Lo del oro en la cisterna? ¿Piensa de verdad que creían que…? ¡Espere un momento!

Cayeron en la cuenta a la vez y Gor echó a correr para salir al pasillo antes que Sveta y cruzar la puerta del cuarto de baño.

—¡Es increíble! ¡Tiene usted razón! ¡Venga a ver!

Gor parecía la Parca, con un dedo huesudo señalando el váter de color amarillo. Sveta lo vio también y asintió, haciendo un mohín: la tapa de la cisterna estaba ladeada y era evidente que la había devuelto a su sitio una mano inexperta. En las baldosas del suelo había marcas de gotas de agua y huellas de botas sucias de barro.

—Oro en la cisterna —dijo Sveta en voz baja—. Ni siquiera se ha puesto zapatillas, del poco tiempo que ha estado aquí.

—¡Ya ve! —dijo Gor—. ¡Avaricia y chismorreos!

Marchó corriendo a su habitación e intentó examinarla con otros ojos.

—Sí, sí, ya lo veo. ¡Los cajones están mal cerrados y las almohadas torcidas! Hay que ver las cosas de la manera correcta y todo queda claro de repente. ¡Estaba buscando un tesoro! ¡Y no encontró nada!

—¡Pero tiene a Albina!

—Bueno, sí, claro.

—¡Tenemos que encontrarla!

—¿Y la policía? —inquirió Gor, preocupado.

—Ya ha oído lo que ha dicho.

—De modo que tenemos que apañarnos por nuestra cuenta. ¿Pero cómo?

—¿Con Vlad?

—Con Vlad.

Gor asintió.

EL ADONIS ROTO

Localizar a Vlad fue sencillo. Una llamada al Vig sirvió para informarlos de que había cogido una semana de permiso para estudiar, de modo que Sveta llamó a Valya, que con orgullo le comunicó que estaba realizando trabajos voluntarios para la comunidad… en casa de *madame* Zoya.

—Pero no responde al teléfono. Ya lo he intentado dos veces. Necesito saber a qué hora vuelve a casa para tener el té a punto. He preparado un bizcocho de vainilla especial, porque es martes.

—Iremos en coche —dijo Gor en cuanto Sveta colgó.

Madame Zoya entreabrió la puerta con pocas ganas. Llevaba un vestido gris que le daba un aspecto fantasmagórico y que dejaba en evidencia el perfil de unas extremidades esqueléticas.

—Estamos ocupados —refunfuñó—. No podéis pasar. ¡Mi trabajo con vosotros ha terminado! Os ayudé todo lo que pude. ¿Acaso queréis que haya sangre?

—Déjese de dramas, *madame* Zoya. Sabemos que Vlad está aquí —dijo con resolución Sveta—. Y venimos a hablar con él, no con usted.

—¡Por favor, *madame*! —intervino Gor—. Se trata de una urgencia. ¡Creemos que puede haber una niña en peligro!

La puerta se abrió un poco más y Zoya esbozó un mohín con el labio, arrugando a la vez su afilada nariz.

El interior estaba iluminado con un foco y el haz de luz enfocaba un cuerpo desnudo recostado sobre un montón de cojines uzbecos repartidos por el suelo. La luz proyectaba sombras sobre unos bíceps, unos hombros anchos y los abdominales más marcados que Sveta había visto en su vida. Desvió la mirada hacia un pájaro carpintero disecado.

—Lo siento, Vlad, tenemos que acabar la sesión. Tengo gente… bueno, preguntan por ti.

Zoya acarició con la punta de los dedos el hormigón armado de su hombro y recogió los pinceles que tenía en el caballete. Vlad se incorporó, se desperezó y cogió un albornoz.

—¿Por mí?

—Sí —dijo Sveta, levantando la vista del pájaro carpintero para fijarla en los pectorales de Vlad.

—¡Sveta! ¿Ya se ha recuperado? —Sonrió y la saludó inclinando la cabeza—. ¡Papasyan! —Se puso serio—. Esto sí que es una sorpresa.

Se cubrió con el albornoz y, descalzo, se encaminó al sofá.

—¿Qué sucede?

Sveta y Gor se quedaron bajo la luz del foco y el haz endureció sus facciones.

—¡Lo sabes perfectamente bien! ¡Estáis los dos metidos en esto! ¡Criminal! —gritó Gor, apuntándolo con un dedo acusador.

—¿Criminal? No he cometido ningún crimen, que yo sepa. —Intentó hablar en tono despreocupado y lanzó una mirada de desdén a Gor—. He estado ayudando a una amiga, simplemente eso. No he hecho ningún daño.

—¿Ayudando a una amiga? ¡Han secuestrado a mi hija!

La voz de Sveta resonó en las paredes.

—¿Qué?

Parpadeando, *madame* Zoya se volvió hacia Vlad.

—¿De qué va esto, Vovka?

—¡No tengo ni idea! —respondió Vlad, con el tono de despreocupación desaparecido por completo.

—Dinos dónde está Polly —exigió Sveta—. Tenemos que encontrarla, enseguida.

—¿Cómo quieren que sepa dónde está?

—Eres su novio.

—Ya no.

Vlad dirigió una media sonrisa a Sveta, luego a Zoya.

—Pobrecillo —murmuró Zoya, posando la mano en el brazo de Vlad—. Han reñido.

—¿Cuándo fue eso?

—El sábado —explicó Vlad—. ¿No se han enterado? Deben de ser los únicos en todo Azov que no están al corriente.

—No nos van los chismorreos —replicó Gor con mordacidad.

—Y yo he estado mala —añadió Sveta.

—Sí, pues resulta que…

—Pero estabais confabulados, ¿no? —lo interrumpió Sveta.

—¿Confabulados en qué? No entiendo nada. Salíamos juntos. Polly es una chica… extraña. Me pidió que la ayudase en un… un proyecto. Pero, díganme: ¿qué es lo que piensan que ha hecho? —preguntó Vlad, mirando a Sveta y a Gor.

Sveta se abalanzó hacia él, sujetando su bolso marrón contra el pecho.

—¡No es que lo pensemos, lo sabemos! ¡Ha secuestrado a mi hija!

—¿Pero cuándo? ¿Cómo? ¿Por qué? —preguntó Vlad con incredulidad. Una carcajada le acechaba en el fondo de la garganta y luchaba por salir.

—Cree que tengo oro… igual que cree media ciudad. Ha estado intentando asustarme para que abandonara mi piso, para que me volviese loco y así poder entrar y robarme. ¡No me vengas ahora con que no sabes nada! ¡Has estado metido en todo esto con ella! ¡Confabulando!

—¡No! ¿Pero lo dice en serio? Me parece increíble. ¿Que iba detrás de su dinero? ¿Que se creyó todo eso que dicen? —La risa burbujeaba en la garganta de Vlad—. ¡No tenía ni idea! ¡Me parece ridículo!

—No es asunto para tomarse a risa. Si no paras, te arrearé un bofetón.

Sveta dio un paso al frente con la mano preparada. La risa se apaciguó y Vlad cogió el cojín de terciopelo morado que le quedaba más cerca y, levantando una nube de polvo, se protegió el pecho con él.

—No tenía ni idea de todo esto —dijo.

—De ser así, cumple con tu deber y dinos todo lo que sepas, y rápido. —Sveta saltó por encima de uno de los cojines del suelo y se arrodilló delante de Vlad—. Trataremos cualquier cosa que puedas decirnos con carácter estrictamente confidencial.

Vlad suspiró y frotó entre sí las suelas de los pies.

—Les diré lo que sé… A ver, un momento, tengo que poner en orden mis pensamientos.

—¡Poner en orden tus mentiras, me parece más probable! —murmuró Gor.

—Tranquilo, tranquilo, viejo, eso no me parece correcto. Al fin y al cabo, el principal mentiroso que hay aquí es usted.

Las palabras de Vlad salieron como un rugido. Y la acusación se quedó flotando en el ambiente.

—¿Qué quieres decir con eso, Vlad? —preguntó Sveta.

—Le dijo a *madame* Zoya que en su vida no había habido ninguna tragedia. Pero no era cierto, ¿verdad?

La cara de Gor resplandeció como una calavera amarilla bajo el foco de luz.

—No sé a qué te…

—Polly me lo contó todo.

—¿De qué hablas, corazón? —preguntó *madame* Zoya, agarrándolo por el brazo.

—Hablo de él.

—Hemos venido aquí para localizar a Polly.

—De cómo destruyó la familia de Polly.

—Polly tiene a Albina secuestrada —dijo Gor, con voz vacilante.

—Les negó un crédito, los echó de la tienda que tenían…

—¿Qué?

Recuperó aquella mirada de poseso, estaba confuso.

Vlad se levantó del sofá para encararse a Gor.

—¡Acabaron en la calle y su madre en un asilo! —Respiraba de forma entrecortada—. Sí, Polly quería venganza. Sí, quería aterrorizarlo. ¡Quería vengarse de usted por haberle arruinado la vida! Y yo me dije, «¿por qué no?». ¡Es usted un hijo de puta, Papasyan! Y se lo merecía.

Madame Zoya se adelantó para cogerle la mano.

—Vlad, *petuchka,* me parece que… —*Madame* Zoya ladeó la cabeza—, que estás un poco confuso.

—Tal vez no parece un hombre malvado, *madame* Zoya, pero…

—Vlad. —*Madame* Zoya se plantó a su lado, menuda pero insistente, y le cogió la cara para obligarlo a mirarla—. Querido mío, préstame un momento atención. La madre de Polly no está en ningún asilo. Vive en Florida. Con su hermano menor. Lleva ya un año allí. Se casó con un yanqui, un banquero de inversión. Lo conoció en un hotel, en Yalta. Dejó a Polly aquí, bajo la responsabilidad de Alla. Alla me lo contó todo el otro día. Por lo que se ve, la madre vive en un yate de lo más elegante.

Los atractivos ojos grises de Vlad parpadearon.

—¡No puede ser! ¿Y qué me dice de su padre? Papasyan lo echó a patadas del banco, lo echó a la calle e incluso le escupió. Se hizo alcohólico después de eso. Polly me lo contó.

—El padre trabaja en una plataforma petrolífera, en el mar Caspio. Siempre ha trabajado allí. Me parece que nuestra Polly te ha tomado el pelo bien tomado.

Le presionó las manos. La boca firme y sensual de Vlad tembló de impotencia al emitir un sonido intensamente gutural.

—¡Oh, Vlad! —Sveta se sintió atraída a acariciarle la cara—.

¡Oh, no! Aterrorizaste a Gor, preparaste una sesión de espiritismo trucada, y todo eso… ¡por una mentira!

—¡Me llamaste por teléfono, golpeaste mis ventanas, me dejaste animales muertos en la puerta!

—¡Yo no sabía nada!

Vlad se había quedado blanco.

—¡Jamás eché a nadie a patadas de mi banco! ¡Ni le negué un medio para ganarse la vida! ¡Tal vez no sea perfecto, pero soy un ser humano!

Madame Zoya acompañó a Vlad hasta el sofá donde, acongojado, tomó de nuevo asiento. Hundió la cabeza entre las manos.

—Me ha utilizado. Eso es lo que ha hecho: ¡utilizarme!

—Tranquilo, tranquilo, no te pongas así. Acurrúcate aquí conmigo y nos tomaremos un vodka. Todo irá bien.

—Me ha mentido… todo este tiempo. ¡Y solo porque se creyó un chismorreo estúpido sobre ese oro! —Empezó a subirse los calzoncillos por unas piernas blancas y firmes—. ¡Todas esas historias que me contó sobre lo dura que había sido su vida! ¡Sobre su lucha! —Se puso el pantalón—. Recordándome cuánto había sufrido cada vez que yo me mostraba en desacuerdo con ella, fingiendo lo mucho que me necesitaba…

—¡Pero tú te mostraste dispuestísimo a creerla! —lo interrumpió Gor, desde el rincón—. ¡Sin tener ni la más mínima prueba!

—Decía que yo era único.

—Fueron actos despreciables —dijo Sveta, que se plantó delante de él con las manos en las caderas.

Vlad la miró a los ojos.

—Pero yo creía que la amaba. ¡La amaba!

—Eso no es excusa —dijo Sveta, regañándolo moviendo un dedo.

—¡Deseaba hacerla feliz! —insistió Vlad, después de que Sveta le diera la espalda—. ¡Y con eso parecía feliz!

—¡Qué retorcido! —murmuró Gor, dirigiéndose a un tejón disecado.

Vlad se calzó un zapato. Con una agilidad sorprendente, *madame* Zoya se arrodilló en el suelo delante de él y le ayudó a calzarse el otro zapato.

—Ya está.

Retuvo la mano en el tobillo de Vlad y acarició con delicadeza la lana del calcetín a la vez que recostaba el peso de su cuerpo sobre los talones.

—Pues muy bien, ahora que ya sabes lo que es Polly y lo que ha hecho, ¿piensas decirnos dónde está? —preguntó Sveta, desde el umbral de la puerta.

—Comparte una habitación en una residencia de estudiantes, en las afueras de la ciudad.

—Esfuérzate un poco más —dijo Gor, hablando desde su rincón en la penumbra—. Ha dicho que estaba en Rostov.

—¿En Rostov? —Se quedó boquiabierto durante un segundo—. Pues entonces supongo… —empezó a decir, tímidamente— supongo que podría estar en el piso de Anatoly Borisovich.

—¿Qué? —dijo Sveta, y sus mejillas se bambolearon con violencia.

—Bueno… Polly sabía que él tenía un apartamento allí. Decía que podríamos utilizarlo los dos, si quieren saberlo. ¡Pero nunca lo hicimos! Aunque… tenía una llave. Podría estar allí.

—¡No! —Gor resopló y avanzó hacia la luz—. Tu trabajo consistía en ayudar a mi primo y lo que hiciste en cambio fue…

—¿Cómo has podido? —cuestionó Sveta, desencajada.

—¡Le dije que aquello estaba mal hecho! Pero… me amenazó. Dijo que me pondría las cosas muy difíciles si no hacía lo que ella quería.

—¡Pobre Vovka! —*Madame* Zoya se derrumbó en el sofá y aspiró sus sales—. Has sido un tonto.

—¡Rostov! —dijo Gor, saltando por encima de la montaña de cojines del suelo.

—¡Rostov! —repitió Sveta, abriendo ya la puerta.

—¡Lo siento! —gritó Vlad al oír el portazo—. ¡No fui yo, *ma-*

dame Zoya! —Se volvió hacia ella y sus ojos grises le lanzaron una mirada suplicante—. ¡No tenía ni idea de lo que pensaba hacer! Creía que solo quería asustarlo un poco.

—Te creo, Vlad —dijo *madame* Zoya, enlazándole la mano y mirándolo a los ojos—. Te creo. Te ha llevado por el mal y te ha mentido. Es evidente que esa chica está desequilibrada. ¿Qué te parece si tomamos un poco de vodka, con fines medicinales, claro está?

—¡No, *madame*! No puedo quedarme. Tengo que ayudar, tengo que intentar solucionar todo esto. ¡Ha secuestrado a Albina, por el amor de Dios! Y sé muy bien cómo es… Puede… ¡puede descontrolarse!

—Caramba, pues sí, supongo que tal vez sí que deberías ir. Aunque estoy segura de que todo saldrá bien. De tener que suceder algo catastrófico, los espíritus me habrían puesto sobre aviso.

Vlad ya estaba a medio camino de la puerta, saltando sobre los cojines.

—*Bon chance, mon brave!* —Le lanzó un beso—. Y vuelve pronto. ¡El retrato está a medias y todavía no te he pagado!

¡CUCÚ!

—Ya no me queda yogur, Olga.

Albina estaba tumbada en el sofá y eructó tapándose la boca con la mano. Tenía el estómago revuelto, tal vez por el yogur o tal vez por la extraña mezcla de aburrimiento y ansiedad que se respiraba en el piso. Miró a la otra chica, a la tal «Olga». No se parecía mucho a Gor.

—Deja de llamarme Olga.

Estaba de pie junto a la ventana, mirando el jardín y la masa de abedules escuálidos que habían plantado allí, tantos, que no podías ni ver el otro extremo del recinto y, a duras penas, las ventanas de los vecinos, que reflectaban el fuego del sol poniente. Solo se veía la oscuridad de los árboles y sus sombras, que se tejían en una tonalidad gris piedra perfecta. Murmuraba para sus adentros de vez en cuando.

—¡Olga, ya no me queda yogur!

Albina restregó los pies contra el brazo del sofá y se tocó las puntas abiertas del pelo. El reloj de la pared, que tenía la forma del Sputnik 1, avanzaba lentamente hacia las cuatro.

La chica siguió con la mirada fija en el jardín.

—¡No has comprado bastante, Olga! ¡Me muero de hambre!

—Es imposible que tengas hambre. Acabas de comer. —Se volvió hacia Albina—. Y estás gorda.

Albina abrió la boca en una expresión ofendida para formar una «O».

—Has dicho que habría una fiesta, Olga. Y esta fiesta es una porquería. ¿Y dónde está mi madre?

Polly pegó la frente al cristal frío y cerró los ojos, intentando aislarse de aquella niña gorda y de su voz y concentrarse en por qué estaba allí, en para qué servía todo aquello: lo hacía por su futuro, por una vida que mereciera la pena vivir, para demostrarles que era capaz. Aquel piso sería suyo. Se había esforzado por conseguirlo. Pero haciendo gala del egoísmo típico de los viejos, mejillas arrugadas se había ido y había muerto antes de que pudiera convencerlo de que se lo legara. Y ahora lo único que tenía eran sus recuerdos asquerosos y ropa vieja que apestaba a humedad. Las mejillas le ardían de rabia.

—Esto no es ninguna fiesta. ¿Dónde están? ¿Por qué no han venido? —Albina se dio la vuelta para quedarse tumbada boca abajo y fingió lloriquear un poco. Hizo temblar los hombros e inhaló la pelusilla y las migas acumuladas entre los cojines—. ¡No me gustas! ¡Quiero que venga mi mamá!

—¡Calla! ¡Quieres callar de una vez! ¿Cómo quieres que piense si no paras de berrear?

Polly se giró en redondo y le arrojó lo primero que le vino a mano: un sólido cenicero metálico que pasó volando muy cerca de la cabeza de Albina y se estampó con un ruido sordo contra el marco de la puerta.

Albina dejó de llorar de golpe, sorprendida, y miró por encima del hombro.

—¡Te odio! —Aporreó el sofá con los puños—. ¡Te odio!

Polly frunció los labios.

—¡Y yo a ti!

Renqueante, rodeó el sofá, entró en la minúscula cocina y cerró con fuerza la vieja puerta corredera.

—¡Te odio! —gritó Albina, alzando aún más la voz.

Polly cerró también la ventanilla del pasaplatos para acallarla.

Exhausta e ignorada, Albina se sentó y miró a su alrededor con atención por primera vez. Era un piso pequeño y oscuro, repleto de objetos extraños: una alfombra asquerosa de pelo de oveja, un tapiz tejido con hilos de seda donde se representaba una familia de osos. Muestras de pirograbado y artesanía con cuentas de colores, frascos y botellas abarrotaban las estanterías. En la esquina había una mesa de trabajo llena de dibujos y mapas y, detrás de ella, un maniquí vestido con una blusa de estilo campesino, una estola de piel sarnosa, una pañoleta y un sombrero estrafalario. Se levantó para examinar mejor aquellos tesoros, empezando por el sombrero.

—¿Pero esto qué es? —gritó por encima del hombro, con tanta fuerza que las puertecillas del pasaplatos vibraron en el interior de su marco.

El sombrero no era un sombrero: era un tocado hecho con cuero, de tonos rojizos y marrón descolorido. Al pasarle la mano por encima, crujió. Era un tocado alto, con frágiles tiras de cuero que salían de la parte superior. En la parte que iba en la frente, había una especie de flequillo con cuentas multicolores que debían de caer sobre los ojos. En la parte inferior había otro flequillo, confeccionado esta vez con tiras de cuero adornadas con campanillas y pequeñas piezas de madera. Parecía el objeto más antiguo del mundo, más antiguo que la vida. Se acercó para olisquearlo y el tufillo le erizó el vello de la nuca: era un olor que le resultaba familiar aunque a la vez olvidado, vagamente amenazador, como un sueño recurrente, o como una pesadilla.

De repente, se abrió la ventanilla del pasaplatos y la chica asomó la cabeza.

—¡No toques!

Fue como si la voz cortase el aire.

—¡Es que me aburro, Olga!

—¡No me llames Olga!

La ventanilla volvió a cerrarse de golpe.

—¿Y por qué no, Olga? ¿Cuándo va a empezar la fiesta, Olga? ¿Dónde está mi madre?

—¡Calla! —dijo de nuevo la voz, apenas amortiguada por la ventanilla cerrada.

Albina se tumbó otra vez en el sofá.

—Valentina Yegorovna, he hecho algo terrible.

Vlad estaba en el recibidor del piso situado encima de la Tienda de Comestibles Número Seis. Su expresión era grave y parecía completamente inmune al aroma a bizcocho de vainilla que flotaba a su alrededor.

Valya meneó la cabeza.

—Mira, ya hemos hablado de lo que sucedió en la farmacia, y te lo dije: estás perdonado. Esa chica te llevó por mal camino, pero ya se ha acabado. No vamos a volver hablar del tema.

Dio media vuelta, dispuesta a entrar en la cocina y con la idea de convencer al joven de que permaneciera sentado el tiempo suficiente como para comer un par de trozos de bizcocho.

—No, no me he explicado bien. La cosa ha ido a peor.

—¿A peor?

Se detuvo en seco, intrigada, y lo miró fijamente con unos ojos codiciosos que se abrieron de par en par bajo unas pestañas de color azul marino.

—Sí. —Carraspeó antes de seguir hablando—. Al parecer… al parecer, Polly ha secuestrado a la hija de Sveta.

—¿Un secuestro? —Valya dio varias palmadas y empezó a dar brincos sin moverse del sitio. Sus pendientes bailaban de un lado a otro—. ¡Lo que dices es espantoso!

—Sí. Pero creo que sé dónde están. Sveta y Papasyan han ido ya para allí. Quiero ayudarles. En parte es culpa mía. Y Polly podría ser peligrosa. Necesito que me acompañe en coche… hasta Rostov.

—¿Qué? —Los brincos se detuvieron y, entrecerrando los ojos, Valya proyectó su cabeza anaranjada hacia él—. ¿Quieres que te lleve en coche? ¿A Rostov? Yo solo conduzco en verano, y solo de día, además. Y te he preparado un bizcocho.

—Por favor, Valya.

Valya observó el rostro atractivo de Vlad, miró a continuación sus guantes de conducir, que estaban en la cómoda, y repitió otra vez el gesto. Vlad le cogió la mano y su nuez de Adán se movió al tragar saliva.

—Podríamos llevarnos el bizcocho.

Valya frunció los labios con determinación.

—De acuerdo. Pásame la bufanda, sí, y los guantes de conducir. Dame las llaves del garaje, que están ahí, en la estantería. ¿Necesitamos algo más?

Vlad se detuvo un momento a pensar.

—¿Coraje? —propuso, con una sonrisa.

—Coraje. Y también a Alla.

—¿A Alla?

—Es la tutora de esa chica… ¡y ha hecho un trabajo nefasto! Tendría que venir. A lo mejor podría hacerla entrar en razón. La recogeremos de camino hacia allí.

—Me parece que no eres Olga, ¿verdad? —gritó Albina, rompiendo el silencio—. No sé quién eres, pero vas a meterte en problemas.

Polly saltó del taburete de la cocina y se abalanzó hacia la puerta corredera: emitió un chirrido espantoso, de metal sobre metal, pero no se movió. Volvió a tirar: otra vez el chirrido pero ni pizca de movimiento. Tiró y tiró. El pelo se le pegó a las gotas de saliva que salían proyectadas de su boca. Gruñó y empezó a soltar tacos. La puerta se había quedado atascada, mal cerrada por la parte de arriba: se había salido de los rieles. La había cerrado con excesiva fuerza. Abrió de mala gana la ventanilla del pasaplatos y sacó por allí la cabeza. Albina estaba riendo.

—¡Cucú! ¡Cucú!

A Polly le ardían los ojos y esbozó una mueca de asco, pero no logró emitir sonido alguno. La rabia se había apoderado de sus palabras.

—¡Cucú! ¡Jajá! ¡Estás muy graciosa!

—¡Cierra la boca! —consiguió espetar por fin, y cerró de golpe la ventanilla.

—Creo que voy a disfrazarme.

—¡Ni se te ocurra!

Se abrió la ventanilla de nuevo y apareció la cabeza.

—¡Cucú! ¡Me aburro, Olga! —Albina se acercó al maniquí con el tocado antiguo de cuero—. Voy a ponerme este sombrero.

—¡No! ¡Es antiguo! ¡Vale mucho dinero!

—¡Perfecto! ¡Allá vamos!

Albina retiró con cuidado el tocado de su lugar y sacudió el polvo acumulado en la superficie rugosa. Le echó otro vistazo y se lo colocó en la cabeza.

—¡Idiota!

—Lo que tú digas —dijo Albina, suspirando—. ¿Qué te parece?

La chica asomó la cabeza e intentó pasar también los hombros por la ventanilla. Su voz sonó como la tiza cuando rechina sobre la pizarra.

—Vuelve a dejarlo donde estaba. ¡Si te lo cargas, acabo contigo!

—¿Es tuyo? —preguntó Albina, con una mirada de astucia.

—¡Todo es mío!

—¿Ah sí?

En el exterior, al otro lado de la ventana, entre el viento inquieto y los árboles temblorosos, se oyó un sonido débil, como de zarpas rascando corteza.

—¡Quítatelo! ¡No es tuyo!

—¡Cucú! Ahora en un momento. Antes, tengo que hacer una llamada.

Albina sonrió. Estaba menos asustada. De hecho, empezaba a sentirse cómoda, como si controlara casi la situación.

—¡Nada de llamadas! ¿Quién te ha dicho a ti que podías usar el teléfono?

Polly cerró la ventanilla de golpe y regresó a la puerta, dispuesta a tirar de ella con todas sus fuerzas. La parte inferior se movió aproximadamente un centímetro, pero la parte superior seguía aferrada a su anclaje con sus afilados dedos de acero. Regresó a la ventanilla para abrirla de nuevo, pero su mano chocó dolorosamente contra la solidez de la madera: también se había quedado atascada.

Albina corrió hacia el teléfono y tragó el nudo que se le había formado en la garganta.

La chica encerrada en la cocina estaba gritando. Albina marcó el número de la casa de Gor y esperó a que la línea siguiera su curso a través de conexiones invisibles. La chica de la cocina chillaba como una energúmena. Se estableció por fin la llamada. Sonó, un sonido prolongado y grave, sonó y sonó. Animó mentalmente a Gor a coger el teléfono. Siguió sonando, llamando al cosmos, llamando a ninguna parte, hasta que la conexión se cortó y los «pips» le dieron a entender que no había nadie. Probó con el número de su madre: un zumbido, mil susurros que viajaron por la llanura enfangada, por el río, por el campo y los pastos, entre los árboles y los cuervos. Nadie cogía el teléfono.

Colgó el auricular y se lanzó hacia la puerta de entrada. Estaba tapizada con cuero sintético de color negro, y cerrada con llave. Probó a abrirla con todas y cada una de las llaves que encontró en una cestita que había en la mesita del teléfono; no entró ninguna. La aporreó con todas sus fuerzas, gritó y, con el movimiento, los flecos del tocado bailaron sobre sus hombros. Solo los golpes más débiles lograron escapar de la negrura del cuero sintético, su voz quedó engullida por la oscuridad del recibidor. Cayó de rodillas, sin aliento, y se vio obligada a taparse los oídos con las manos para amortiguar los gritos procedentes de la cocina.

—¡Ayúdame! —Polly se estaba poniendo histérica—. ¡Abre la ventanilla! ¡Ábrela! ¿Dónde te has metido?

Albina observó la puerta corredera atascada y la ventanilla del pasaplatos, atascada también. Se rascó la nariz, nerviosa.

—No sé quién eres —dijo por fin—, pero me parece que no

eres Olga. Quiero volver a casa. De modo que no te ayudaré hasta que no me digas dónde están las llaves.

—¡Las tengo aquí, imbécil, en mi bolsillo! ¡Así que abre de una vez esta puta ventanilla!

Albina reflexionó unos instantes. Poco podía hacer si era cierto que la chica tenía las llaves en el bolsillo. Decidió abrir la puerta corredera, tiró de ella, hacia un lado y hacia otro, intentó moverla tanto hacia arriba como hacia abajo. Nada.

—¡Prueba con la ventanilla, tira de la ventanilla! —gritó la chica desde dentro. Empezaba a quedarse afónica.

Albina intentó abrir la ventanilla.

—¡Está atascada! ¡Le has dado demasiado fuerte al cerrarla, cucú!

Forzó una vez más los pequeños tiradores de plástico. Uno de ellos se partió como si fuera un hueso de los deseos. Cerró los ojos, y aprovechó para pedir un deseo.

—¡Ay, ay, ay!

La voz del interior de la cocina había empezado a gimotear. Albina se apartó de la ventanilla y pegó la espalda a la ventana. El viento gemía también y los árboles crujían. El viento arremolinaba las hojas.

Se escuchó entonces un alarido de dolor, una patada en el suelo y un chasquido. La chica atravesó la ventanilla con la cabeza. La madera se astilló por completo y, ante los atónitos ojos de Albina, la chica se arqueó en el aire como un salmón nadando corriente arriba. El elegante vuelo quedó interrumpido por el respaldo del sofá. El crujido fue escalofriante. Polly cayó sin sentido en el suelo.

—Vaya —murmuró Albina, colocándose las cuentas del tocado detrás de las orejas e inclinándose sobre la chica—. ¿Olga? —musitó, empujándola un poco con la punta del pie—. ¿Cucú?

Estaba fría, o muerta, era imposible saberlo. Con dedos temblorosos, introdujo la mano en el bolsillo derecho del pantalón de la chica y descubrió con alivio un llavero metálico. Lo retiró con cuidado. La libertad estaba en sus manos. Se acercó de puntillas a la puerta.

Pero justo en el momento en que se disponía a introducir la llave en la cerradura, oyó un ruido. Alguien acababa de meter otra llave por el lado opuesto de la puerta. Se apartó, y repasó mentalmente distintas versiones sobre quién podía haber al otro lado. Ninguna de ellas era apetecible. Contando con solo escasos segundos para prepararse, apagó la luz, cerró los puños y flexionó las piernas: una buena posición siempre resultaba útil. Lo atacaría por abajo, intentaría tumbar en el suelo a su oponente y saltaría sobre él aprovechando la inercia. Con el corazón retumbándole en el pecho, esperó, aterrada, y se pasó con impaciencia la lengua por los labios.

UN LARGO VIAJE

—¿Está seguro de que es el camino más rápido para ir a Rostov?

Los ojos de Sveta vagaron por la ventanilla, intentando vislumbrar las luces de la ciudad. Pero lo único que se veía eran campos neblinosos, árboles de escasa altura, alguna edificación baja de hormigón para protegerse de la intemperie y alguna que otra marquesina junto a la carretera. Casi no había luz. La ansiedad que tanto había tratado de controlar serpenteaba ahora en su cuerpo.

—Sveta, créame, he probado todas las rutas para ir a la ciudad y esta es la más rápida, sobre todo a esta hora del día y con las condiciones climatológicas actuales.

—¿Y está seguro de que recordará dónde está el apartamento?

Mientras hablaba, tocó con la punta de los dedos las arruguillas que le envolvían la boca, amortiguando con el gesto su voz. Notaba el sabor del miedo en la lengua.

—Sí. He ido muchas veces. A menos que hayan arrancado la calle de donde estaba para colocarla en otro lugar, sé perfectamente dónde es —declaró, acompañando sus palabras con un gesto de asentimiento y manteniendo una velocidad regular de cuarenta kilómetros por hora.

—Es usted siempre muy prudente, Gor —dijo Sveta, nerviosa al verlo tan calmado.

—Ya.

—¿No se cansa de ser tan prudente?

Gor captó la acidez de las palabras.

—No soy un autómata, Sveta, lo sabe bien. Siento lo mismo que todo el mundo. Los acontecimientos de esta semana me están machacando el alma, créame. Pero, en este momento, intento ayudar de la mejor manera que puedo, lo cual se traduce en conducir correctamente el coche para llegar sanos y salvos a nuestro destino y no salirnos de la carretera.

Sveta asintió, a pesar de tener el estómago revuelto.

—Lo sé. Lo siento. Son los nervios. —Toqueteó el pañuelo, tirando de un hilo suelto—. ¿Cuál es el plan? —preguntó de repente.

—¿El plan? —repitió Gor con el rostro muy serio.

Sveta lo miró de soslayo.

—¿Qué estrategia vamos a seguir? ¿Policía bueno y policía malo? —preguntó, sin apenas abrir la boca—. ¿O los dos malos?

—Creo que lo que tenemos que hacer es subir y pedir que nos devuelva a Albina.

—¿Y si no quiere abrir la puerta? ¡Dios mío, no tenemos ningún plan! —dijo Sveta, subiendo la voz—. Ella mirará quién es y verá que somos nosotros. A menos que decidamos fingir que le traemos el oro.

—En ese caso, querrá verlo. Aunque siempre podemos decirle que está en el banco y que tiene que venir con nosotros para recogerlo.

—Eso no lo hará. Necesitamos algún truco que nos garantice que nos abre la puerta. Tal vez podríamos pedirle a algún vecino que la llame… no sé, le decimos a un vecino que somos una visita sorpresa para que vaya simplemente a ver si está en casa y…

Gor esbozó un mohín y levantó una ceja.

—¡Y yo qué sé! ¡No me mire de esta manera! Me parece un plan razonable.

—Sí, al menos es una idea, Sveta. O, para simplificar las cosas, y siempre en el caso de que no quisiera abrirnos, también podría sacar el hacha que llevo en el maletero y tirar abajo la puerta.

—¡Ja! ¡Una idea estupenda! —Sveta estaba radiante—. Sí, me parece que será lo mejor.

—De acuerdo.

Sveta secó con su gorra de lana la condensación que se había acumulado en las ventanillas, dejándolas manchadas con un montón de hilillos.

—¿Queda lejos, Gor?

—Aún falta un poco. Intente no preocuparse.

—¡Que intente no preocuparme, dice!

Sveta se limpió unas manchas imaginarias de carmín y se quedó seria.

Al otro lado de los cristales, las nubes de color plomizo se separaron un momento y el sol se derramó como sangre sobre el horizonte.

—Ayúdeme a no pensar en este interminable viaje, Gor. Cuénteme alguna cosa sobre su primo, si no le resulta excesivamente doloroso —dijo, girándose en el asiento para quedarse de cara a él.

—Veamos… —Dio un golpe de volante para esquivar un camión negro que avanzaba hacia ellos por la parte central de la carretera. Juntó las cejas—. Cuando éramos pequeños y vivíamos en Siberia, estábamos muy unidos.

—De eso hace mucho tiempo…

—Yo cuidaba de él. No era mucho mayor en edad, pero sí era más alto, más grande… tengo mis dudas en cuanto a decir que era más listo, pero era así, la verdad. Él… él era todo un personaje, incluso entonces: gracioso, descarado, tontuelo. Vivía con su Baba y su padre también rondaba por la casa… cuando estaba sobrio. Supongo que era un hombre complicado. Su madre, mi tía, ya había muerto. No la recuerdo en absoluto.

Sveta asintió.

—¿Y?

—Siempre fue… excéntrico. Podía estar contigo en la misma

habitación, y ni siquiera ser consciente de tu presencia. Tenía una imaginación potentísima. Le encantaba dibujar, y dibujaba cuentos. Siempre quería que le contasen cuentos. Y se creía todo lo que le contaban. Si le decías, «Tolya, en el jardín hay una bruja», él pegaba un brinco y se giraba para mirar, siempre te creía. Tenía los ojos enormes y redondos, llenos de…

—¿Inocencia?

—Sí, no, más que eso. Crédulo, más bien, demasiado dispuesto a creérselo todo. Un poco… tonto. Los niños de la escuela, yo incluido, le contamos una leyenda local sobre un monstruo que vivía en el bosque; el niño polilla, lo llamábamos. Una tontería.

—Sí, lo recuerdo, mencionó el niño polilla una tarde. ¿Y? —preguntó Sveta, frunciendo el ceño.

—Era una vieja historia. La embellecimos, la actualizamos, como suelen hacer los niños. Le contamos a Tolya que el niño polilla llamaba a las ventanas por las noches, para entrar en las casas. Le explicamos que tenía unos ojos fríos, como de muerto, que tenía unas alas que vibraban sin cesar. Se lo creyó a pies juntillas, y nosotros animamos además su creencia. Porque así nos reíamos de él. Éramos crueles.

Gor suspiró. Sveta se giró para mirarlo.

—Acabó obsesionado con el tema. Tenía miedo a quedarse solo en casa, tanto miedo que a veces no podía ni ir a la escuela. Creía que el niño polilla iba a menudo a visitarlo, que llamaba a la ventana de su casa. Y empezó a echarle la culpa al niño polilla de todas las cosas que él hacía mal. Su Baba no sabía qué hacer. Tolya tenía pesadillas, era incapaz de dormir si no era con una lámpara encendida. Y esa fue… la causa de la tragedia. Siempre necesitaba tener una lámpara encendida. Lo cual no es seguro, sobre todo si vives en una cabaña de madera con techo de paja.

—No.

—No. Hubo un incendio terrible. En casa de Tolya… se prendió fuego, era de noche. —Gor hizo una pausa y tosió, acercándose el pañuelo a la boca—. Todos corrimos a ayudar. El cielo estaba anaranjado. Recuerdo correr, correr por la calle principal, gritando, oyendo el rugido del fuego, sabiendo perfectamente qué casa era. Aquella noche hubo gente muy valiente. Lucharon por entrar en la casa. Pero el calor era tan fuerte que te chamuscaba los pelos de la nariz incluso a distancia. Solo Tolya consiguió escapar del fuego.

—¡Oh! ¡Es terrible! ¿Y su Baba?

Gor hizo un gesto de negación con la cabeza.

—Fue una tragedia para todo el pueblo.

—Espantoso.

—Tolya pasó varios días con fiebres muy altas. Todo el mundo pensaba que se iba a morir. A mí no me reconocía, me miraba pero era como si no me viera. Durante el delirio de la fiebre, dijo que todo era obra del niño polilla, que había estado en la casa, que había cogido la lámpara y la había tirado al suelo. ¡Le echó la culpa de todo al niño polilla!

—¿Pero no era simplemente un cuento, todo eso del niño polilla?

—¡Exactamente! Tuvimos que asumir que Tolya había cogido la lámpara, que se acercó a la ventana para ver si veía al niño polilla y que se le cayó al suelo e inició el incendio. Pero cuando se despertó de las fiebres, mucho, muchísimo más tarde, no recordaba nada. Preguntó por su Baba, como si estuviera viva.

—¡Qué triste!

—De modo que decidimos no hablar nunca más del tema. Vino a vivir con nosotros, pero no fueron tiempos felices. Tolya había cambiado. Todo él daba miedo, por las noches gritaba en sueños… recuerdo perfectamente el sonido. Me pone aún los pelos de punta. Mi padre decidió que sería mejor que se fuera y lo apuntó en la academia militar de Krasnoyarsk. Ahora me parece ridículo, pero confiaban en que allí se hiciese un chico más duro. Mis padres eran gente sencilla, fueron incapaces de gestionarlo bien. Hicieron lo que consideraron que era mejor para todos.

—¿Y usted?

Se giró para mirarla a los ojos.

—Yo me quedé muy satisfecho, la verdad. No me gustaba tenerlo en casa, compartiendo mi habitación, agobiándome con sus miedos. Cuando se marchó, me alegré.

—Es comprensible. Usted también era un niño. ¿Y cómo fue que acabó aquí, en Rostov?

—A mi madre luego le supo muy mal. Insistió en que teníamos que cuidar de él y le prometí que haría lo que pudiera. Cuando nos trasladamos a vivir a Rostov, le invitamos a que viniera de nuevo a casa y al final nos hizo caso. No pensábamos que fuera a venir. Teníamos un apartamento de solo dos habitaciones y él se quedó con nosotros casi un año. Al final, consiguió un apartamento para él solo. Yo me casé, fundé una familia… y él siguió con sus libros, sus obras de arte y una buena vista, dominando los árboles.

—No estaban muy unidos, por lo tanto.

—No. Siempre llevamos vidas separadas. Y… yo había querido mucho a su Baba. Quería tener buenos recuerdos. No quería pensar en el incendio, en la lámpara. Tolya tenía la cara llena de cicatrices, y eso siempre me recordaba… Pero él nunca jamás volvió a hablar de ella después de que se lo contaran.

—Debió de quedarse traumatizado.

—Supongo. Pero… todo aquello era demasiado complejo para mí. Demasiadas emociones. Ya me conoce: era más fácil no sentir nada.

—Pero en realidad usted no es así —dijo Sveta, negando con la cabeza.

—Solía ir a visitarlo cada año en septiembre, para su cumpleaños.

Gor clavó los ojos en la carretera y sorbió por la nariz. Sveta se mordió el labio inferior.

La carretera se volvió de repente más ancha, más lisa, los bloques de pisos, las tiendas y los garajes empezaron a aparecer a ambos lados, escondidos detrás de setos descuidados y muros de hormigón.

—Ya no falta mucho.

—Estoy lista —dijo Sveta.

A medida que avanzaban entre los gigantescos bloques de pisos, Gor notó que la tensión muscular de su cuello iba en aumento. Era demasiado tarde para Tolya, demasiado tarde para el remordimiento. Pero tal vez… tal vez, si conseguía salvar a Albina, podría empezar a enmendar de alguna manera las cosas.

PRYANIKI A LA HORA DEL TÉ

La puerta crujió y la luz del pasillo dibujó sus perfiles. Se abrió por completo. Albina vislumbró un hombro, un abrigo oscuro. No era su madre. Tampoco era Gor. No disponía de tiempo para pensar. Se lanzó al ataque, por lo bajo, con la intención de dar un empujón lo más potente posible.

—¡Uuuf!

El golpe de la cabeza al impactar contra carne dura le clavó prácticamente el cuello en el hombro. El cuerpo que escondía el abrigo era rollizo y sólido. Empujó. El cuerpo se combó, se tambaleó sobre los pies, pero no cayó al suelo. Albina notó el contacto de unas manos frías en los hombros, deshaciéndose de su sujeción. Al retroceder, se golpeó la cabeza con la pared que quedaba detrás. Lanzó un grito coincidiendo con el momento en que se cerraba la puerta.

—¡Ay!

Se apartó el pelo y los flecos de los ojos.

—¡Vaya sorpresa! No esperaba… no, ¿qué es esto?… ¡No me esperaba esto! —Era un hombre. Encendió la luz. Lo primero que vio Albina fue un voluminoso gorro de piel de conejo, una vestimenta desaliñada—. ¿Juegas a los disfraces? Eres… veamos, no sé… —La silueta, gris y desgreñada, la miró fijamente—. ¿Un chamán?

—No soy ningún chamán —dijo Albina resoplando e intentando incorporarse.

La figura le tendió una mano para ayudarla y Albina se preguntó si haría bien aceptándola.

—No tengas miedo, pequeño chamán.

El abrigo del hombre era de color caqui y llevaba adheridas hojas secas, los fantasmagóricos restos de telarañas mojadas y fragmentos de lodo seco. Y debajo parecía estar en pijama. Albina aspiró un olor a árboles y a mantillo, a noches de lluvia y días oscuros. En la solapa, era evidente el rastro plateado y líquido de un caracol. El causante del delito estaba, de hecho, posado en el hombro derecho del hombre, mordisqueando tranquilamente una hoja podrida.

—Soy una niña —replicó Albina con firmeza.

—¡Vaya sorpresa! Y dime, ¿te apetecen unos *pryaniki* para acompañar el té? ¡A mí sí! Estoy un poco mareado, la verdad, con la impresión de volver por fin a casa.

Se despojó del abrigo y, no sin cierta dificultad, lo colgó en la percha negra que había junto a la puerta.

Albina no sabía qué le apetecía, aparte de volver a casa. Se quedó en la puerta de acceso a la sala de estar, con las piernas abiertas, las manos enlazadas.

—Creo que deberías probarlos. ¿A quién no le gustan los *pryaniki*? Al fin y al cabo, estamos de celebración. ¡Estoy en casa!

El hombre quiso entrar en la sala, pero Albina no se movió. Más bien al contrario, extendió los brazos hasta que sus dedos rollizos alcanzaron, a ambos lados, las paredes empapeladas con papel pintado de tonos marrones.

—¿Y usted quién es?

El hombre la miró, sorprendido.

—¡El hombre de la casa! —respondió, con un gesto afirmativo—. Déjame pasar, por favor.

—¡Dígame quién es!

—¡Mira que preguntarle a un hombre quién es! ¡Qué desfachatez!

El hombre se quitó el gorro y abrió los brazos, como si fuera a abrazarla. Albina se apartó. Bajo el pelo canoso y despeinado, vislumbró entonces unos ojos verdes que brillaban por encima de unas mejillas recorridas por arrugas muy marcadas.

—¡Oh, no! Es… ¡es el hombre del Vig! ¡El primo! Pero si está… ¡está MUERTO! —El tono de voz fue subiendo hasta convertirse en un grito.

—¿Quién, niña? ¿Yo, niña? Yo no estoy muerto. Lo puedes ver aquí perfectamente. ¡Tócame!

Riendo, extendió la mano dispuesto a tocar el brazo de Albina con sus dedos azulados. Albina chilló y se apartó.

—¡No estoy muerto! ¡Para nada! El viaje ha sido largo, eso hay que reconocerlo: primero en camión, luego en autobús, he dormido en un cobertizo, y después una caminata larga, larguísima, pero no ha sido mortal, ni mucho menos.

El banco del pasillo crujió cuando el hombre tomó asiento para quitarse las botas.

—No, no entiende lo que quiero decirle.

Se quitó los zapatos, que cayeron mojados al suelo. Los pies que ocultaban estaban blancos e hinchados. Inundó el ambiente un olor intenso a queso y a setas, a iglesia y a muertos.

—¡Gor Papasyan se piensa que está muerto!

El hombre levantó de golpe la cabeza.

—¿Mi primo Gor? ¿Está vivo?

—¡Pues claro que está vivo! Fue a visitarlo, en el Vig, y le dijeron que había muerto.

—No sabes cuánto lo eché de menos el día de mi cumpleaños. No llegó a venir, ¿sabes? Esperé y esperé. ¡Me partió el corazón! Imaginé que aquello era el final de nuestra familia. El final de todo, pensé… ¿Y tú? ¡Espera un momento! Tú debes de ser… —La miró fijamente y sus mejillas se arrugaron más si cabe cuando entrecerró los ojos para forzar la vista—. Eres su Olga, ¿no?

Albina se puso furiosa.

—¡Yo no soy Olga! ¡Olga es una mujer adulta! ¡No soy la hija de Gor! He estado temporalmente en su casa porque mi madre está enferma.

—¡Ah! ¿Así qué eres…? —Con una expresión inquisitiva, acercó su cara arrugada a Albina.

—¡Albina!

—¿Albina? —repitió, abriendo mucho la boca—. Si tú lo dices. Pero sigo pensando que te quedaría mejor Olga —añadió, murmurando para sus adentros—. ¿Y dónde está mi primo? ¿Está aquí? ¿Se encuentra bien?

—Bastante bien. —Albina se encogió de hombros—. Pero no está aquí. La verdad es que…

—Si está vivo y bien, supongo que se le pasó. Igual que se me pasó también a mí.

El anciano descansó las manos en el regazo y bajó la vista hacia el suelo. Su rostro se llenó de tristeza.

—Escúcheme, por favor. —Albina lo zarandeó por el hombro—. ¿Me ayudará? Me pensaba que la otra chica era Olga. Ella me trajo aquí. Y dijo que era Olga. Pero me parece que no lo es. Y ahora estoy muy confusa. Y… —Albina señaló en dirección a la sala de estar—… y está allí.

—¿Otra chica, dices? —Levantó muy despacio la cabeza—. Pues me parece que está muy callada.

—Sí. Es una chica mala. Huele a desinfectante. Y grita. Pero creo… —Albina se interrumpió y se quedó muy seria—… creo que podría estar muerta.

—¡Ah! —Los ojos verdes se iluminaron y el hombre movió la cabeza en un gesto de asentimiento—. ¿Has utilizado magia?

—¡No! No ha sido nada de eso.

—¿No? Como llevas ese tocado de chamán…

—Es un disfraz.

—Ah, vaya chasco.

Se levantó para ir a la sala de estar.

—Supongo que lo mejor será echar un vistazo. Si está muerta no va a poder darnos un susto, ¿no te parece?

353

El hombre sonrió y empujó a Albina hacia la sala. Albina se encogió de hombros.

—Me dijo que celebraríamos una reunión con Gor, y mi madre, y que habría yogur. Pero solo estaba yo… y ahora, usted.

—Bueno, sigue siendo una reunión, la verdad.

—¡Pero yo quiero que venga mi madre! —gimoteó Albina, acercándose al cuerpo de Polly.

—Todos queremos que venga nuestra madre, ¿verdad? Pero, por desgracia, la tuya está en Moscú y la mía en la tumba. —El anciano fue directo a la mesa de trabajo que había en una esquina, cogió un montón de papeles y lápices que había encima y se los acercó al pecho, como si fueran bebés. A continuación, chasqueó la lengua con preocupación al percatarse de los reveladores huecos que había en las estanterías—. Mis cosas, mis cosas preciosas —murmuró—. Alguien ha estado aquí, moviéndolo todo. ¿Dónde están mis pinturas al óleo, Olga? ¿Dónde está el bloc de dibujo con los desnudos? ¡Aquí no está!

—Me llamo Albina y no sé nada de ningún bloc de desnudos.

—¿No? —La miró de arriba abajo—. Pues muy bien. Serás bienvenida a casa siempre y cuando no me la saquees. —Miró otra vez las estanterías y suspiró—. Me llamo Tolya. Supongo que tu padre te habrá hablado de mí.

—¡Qué no es mi padre! Pero sí, me ha hablado de usted. Y mucho.

—Eso que has dicho me ha calentado un poquito el corazón. Bien.

—Pues que no se lo caliente tanto. Porque se cree que usted está muerto.

—¡Ay! —Anatoly Borisovich tropezó con el pie de Polly, que asomaba detrás del sofá—. ¿Y esta es…?

—Una chica que da miedo.

—Vaya. —Meneó la cabeza y le dio un leve puntapié al cuerpo con el pie descalzo. No hubo respuesta. Levantó la vista y sonrió—. No hay de qué preocuparse. ¿Té?

—La puerta de la cocina está atascada. La atascó ella. Estaba enfadada, la cerró de un portazo y entonces se quedó atascada. Lo cual le hizo enfadarse todavía más, y acabó quedándose encerrada. ¡Mire!

El anciano, descalzo con pisadas que no hacían apenas ruido, rodeó el cuerpo tendido en el suelo, dejando marcas de humedad en las baldosas del suelo. Se acercó a la puerta corredera y le dio un empujoncito con la cadera en la parte central, seguido por un doble golpe con los nudillos en la parte superior y un puntapié rápido en la base, como si quisiera probar suerte. La puerta chirrió y, acto seguido y con un suspiro, se deslizó para abrirse.

—¡Oh! —exclamó Albina—. ¡Magia!

—Como ya te he dicho, estamos en mi casa. Y tengo *pryaniki*. ¡Hurra! O, al menos —añadió, palpándose los bolsillos—, tenía *pryaniki*. Los tendré por aquí. La caminata ha sido larga y, créeme, lo único que he tenido como alimento han sido estas galletas.

Sacó del bolsillo del pantalón una bolsa de papel arrugada y se llevó una galleta a la boca.

Al verlo masticar, Albina notó una extraña sensación de soledad en la boca del estómago. A lo mejor lo de tomar un té no era tan mala idea. Aunque, por otro lado, tampoco era que le apeteciera intimar mucho con ese tal Tolya. Tenía unos ojos raros, un olor raro y, en realidad, no se parecía en nada a Gor. Esperó hasta que el hombre pasó a la sala de estar, donde acarició con sus manos rollizas la alfombra de piel de oveja colgada en la pared, y entró entonces ella en la cocina. La mejilla del anciano emitía un sonido húmedo a masticación.

—¿Y por qué no está muerto? —le preguntó a través de la ventanilla del pasaplatos cuando la tetera empezó a hervir.

El anciano levantó la vista del libro que había cogido.

—No lo sé —respondió él, clavándole en la frente su verde mirada—. ¿Crees que debería estarlo?

Albina movió con nerviosismo las manos que tenía enlazadas en la espalda.

—No quería dar a entender eso. No quería dar a entender nada. Lo único que quería decir es que… que Gor se piensa que está muerto y que usted debería saberlo. Le dijeron que se había ido.

—¡Y tenían razón! Tienes la prueba delante de tus narices. Ya no estoy allí. Me escapé en plena noche. ¡No lo aguantaba más! —Se acercó al pasaplatos. Albina le pasó una galleta y el anciano siguió caminando descalzo por la sala—. Al final, en cuanto he recordado lo de la ropa, los zapatos, las llaves y los despachos, todo ha sido muy sencillo. ¡Esa auxiliar gruñona duerme como un tronco! De modo que me escabullí sigilosamente, como un ratoncillo. No podía seguir allí más tiempo; aquella gente quería matarme. Y mi nuevo amigo había dejado de venir a visitarme.

Se pasó la mano por los ojos y el bigote para limpiarse y a continuación, con mucho cuidado y con la parte lateral del pie, hizo rodar el cuerpo de la chica para girarlo.

—¿Cómo lo has hecho?

—¡No he sido yo! —exclamó Albina—. Lo ha hecho ella sola. Ha salido volando por el pasaplatos y…

—Entonces ha sido magia.

—No, no volando de verdad, claro.

—¿Pero ha pasado por ahí? ¿Por el hueco del pasaplatos? ¿Y qué la ha impulsado, eh, sino la magia?

Albina se detuvo un momento a pensarlo.

—Pues no lo sé.

Albina se acercó para estudiar mejor a la chica.

—Respira.

—Estupendo —dijo el anciano.

Abrió un cajón del aparador y, trabajosamente, extrajo una manta para tapar a la chica que yacía inconsciente en el suelo. Volvió a entrar en la cocina, sacó dos taburetes, tomó asiento y depositó delante de él los *pryaniki* que quedaban.

—¡Ven a comer, Olga! Los compartiremos. Hay que alimentarse.

—¡No soy Olga! ¡Olga es ella! ¿Y qué vamos a hacer con ella? —preguntó Albina.

—¿Con ella? —Se encogió de hombros—. Esperar. Esperar y comer. —Se metió una galleta en la boca y masticó con entusiasmo. Los ojos se le quedaron vidriosos—. Están buenísimos. Un poco húmedos, pero...

La mirada de Albina se vio atraída por una polilla que acababa de posarse en el cristal de la ventana. La noche, como una telaraña oscura, empezaba a acumularse en las esquinas. La tetera emitió un pitido que parecía un grito.

—Mejor que encendamos la lámpara de parafina —dijo Tolya.

—Tenemos luz eléctrica. No es necesario encender ninguna lámpara más.

El anciano cruzó la sala en dirección al aparador. Empezó a rebuscar, proyectando hacia el suelo una lluvia de viejos blocs de dibujo, pinceles y sombreros de colores. Al final, se enderezó, sujetando una vieja lámpara de parafina.

—¡Aquí está! ¡Busca cerillas, Olga!

Albina puso cara de exasperación, pero hizo lo que se le pedía.

La lámpara se encendió después de emitir un siseo y una minúscula explosión y el aroma a parafina quemada y polvo inundó el ambiente.

—¡Este resplandor es felicidad pura! —Tolya miró fijamente la luz de la lámpara que, a medida que ajustaba la mecha, fue cambiando del blanco al amarillo, hasta quedarse finalmente en la tonalidad anaranjada de la miel—. Abrasa mis viejos ojos —dijo, riendo entre dientes—. ¡Ahora no veo más que en blanco, verde y rojo! ¡Mira!

El anciano tomó asiento detrás de la caótica mesa de trabajo y se puso a canturrear mientras revolvía montañas de papeles.

—Me parece que tenía una foto en la que salíamos Lev y yo en el jardín.

Albina decidió ir a echar un vistazo detrás del sofá para ver qué tal seguía Olga, o quien fuera la chica. Pensó que tal vez deberían llamar una ambulancia. O mejor aún, atarla. Se agachó y extendió el brazo para tocarle el hombro. La manta se hundió con el contacto y se le formó al instante un nudo en la garganta. No se atrevió a moverse más.

—¿Tolya? —susurró.

Albina palpó toda la manta y sus manos chocaron contra el suelo.

—¿Qué pasa? —dijo el anciano, sin levantar la vista de sus papeles—. ¿Se ha muerto?

—¡Se… se ha ido!

—¿Ido porque se ha muerto?

—¡No! —gritó Albina, levantándose del suelo de un salto para pegar la espalda a la ventana que tenía detrás. La maltrecha ventanilla del pasaplatos se columpiaba sobre sus bisagras y chilló al ver las sombras negras que cambiaban de forma en la cocina—. ¡Ido de irse! ¡No está en el suelo! ¿Dónde… dónde está? —Recorrió la estancia con la mirada—. ¡Encienda la luz!

—¡Magia! ¡Esto es magia malévola!

—¡Esa chica no tiene nada de mágica! Tiene que estar aquí, en algún lado.

—¡No tengo más habitaciones que estas!

Sus miradas se encontraron en la sombría oscuridad y, a la vez, miraron a través del agujero negro de la puerta que daba al pasillo.

Tolya se incorporó, cogió la lámpara y, en cuanto se puso en movimiento, la luz tenue se diseminó por el suelo y las paredes, formando olas. Albina corrió a situarse detrás de él. Juntos, con sus caras pálidas dirigidas hacia la puerta, abrieron mucho los ojos para forzar la vista e intentar vislumbrar una forma.

—Tengo miedo —musitó Tolya—. Ayúdame.

Avanzaron un pasito.

—¿Olga? —dijo Albina.

—¿Has dicho antes que esa chica daba miedo? —susurró Tolya con los ojos cerrados.

Se quedaron inmóviles como estatuas, contuvieron la respiración y aguzaron el oído: el zumbido humano del televisor de algún vecino, el rechinar de los trolebuses más allá de los abedules, un cuervo emitiendo su graznido vespertino. Pero detrás de los sonidos normales, había otra cosa, sutil, grave, amenazadora; la bestia del invierno que empezaba a recorrer las llanuras orientales. Dieron un paso más y la lámpara tembló en la mano de Tolya.

—¡Chss! —murmuró Albina.

Intuía una presencia en el pasillo, un resuello rítmico que se fusionaba con la oscuridad y vibraba en el espacio; un leve crujido en las tarimas de madera del suelo, una respiración que removía el polvo. Fijó ciegamente la vista en la negrura.

—¿Has oído eso? —musitó Tolya—. Es un sonido de... alas.

—¿De alas? —cuestionó Albina, arrugando la nariz.

—De alas gigantes, batiéndose. Escucha.

Albina prestó atención. Cuando se concentró en el silencio descubrió que, además del latido de su corazón y el parpadeo de sus pestañas, se percibía en el aire del piso una oscilación, un aleteo...

«Tap tap tap».

—¡El niño polilla!

Tolya le cogió una mano con fuerza.

—Es ella —dijo en voz baja Albina—. Tiene que ser ella.

Los golpecitos tenían que venir del pasillo. Tenía que ser el de unas uñas golpeando la madera: un sonido vacío.

«Tap tap tap».

—Pretende asustarnos. No tenga miedo.

—No lo entiendes. —Tolya movió la lámpara a la altura de su cabeza—. Viene de noche. ¡Es amigo mío!

«Tap tap tap».

—No es ningún espíritu. Es ella.

—¡Ven, Yuri! ¿Dónde está Baba?

«Tap tap tap».

Con los brazos abiertos, Tolya avanzó un paso más hacia el umbral oscuro de la puerta. La luz de la lámpara bailó por las paredes, extendiéndose por el pasillo. Albina se retiró el flequillo del tocado. Durante un único segundo, gracias al movimiento de la lámpara, le pareció ver una cara. Una cara blanca y resplandeciente con unos ojos enormes que parecían dos lunas. La cara sonrió. La luz de la lámpara se retiró, el pasillo quedó completamente a oscuras y gritó el nombre de su madre.

Una ráfaga de aire le acarició la cara cuando alguna cosa pasó corriendo por su lado para entrar en la sala. Al pasar, chocó contra la lámpara que se balanceaba en la mano de Tolya. El fuego se reavivó cuando el anciano agitó los brazos para revolverse contra el atacante y la lámpara empezó a golpear por todos lados.

—¡No! —chilló Albina, aplastándose contra una pared al ver que el cristal de la lámpara se hacía añicos.

Oyó un golpe sordo y vio que Tolya se tambaleaba y se derrumbaba como un árbol podrido. La parafina encendida empezó a derramarse en el suelo y a formar senderos candentes y serpenteantes. Vio una bota que se alzaba en el aire dispuesta a asestar un puntapié, un puño preparándose para golpear. E intuyó el viento que soplaba entre los brazos negros del bosque, la luna plateada cabalgando hacia lo más alto del cielo. Tolya levantó los brazos y sus dedos ansiaban aferrarse a algo. La sombra de su atacante creció de tamaño al dibujarse en la pared.

—¡Baba! —gritó.

Albina saltó, con las manos, los brazos y los muslos dispuestos a todo. La sangre le zumbaba en los oídos.

MEDIDAS ESPECIALES

Un hombre mayor, delgado y moreno, recorrió corriendo el pasillo, seguido por una mujer bajita, fornida, con cejas muy perfiladas y pelo corto muy rubio. El hombre extendió un dedo huesudo y pulso el timbre con todas sus fuerzas. Jadeando, se quedaron mirándose.

—No he oído nada. ¿Ha oído usted algo?

—Tampoco he oído nada. Aunque podría ser uno de esos timbres que solo suena en el fondo del piso.

—He dicho que era un apartamento de una sola habitación, ¿no?

—Ah.

Sveta acercó el dedo al timbre y lo pulsó con insistencia y un buen rato.

—No funciona.

Llamó a la puerta golpeándola con los nudillos y el dolor se reflejó en su cara.

—No, no, Sveta. Tiene que dejar las manos en reposo.

Gor cerró la mano en un puño y aporreó la puerta. El sonido resonó por el pasillo. Nadie salió a abrir.

Sveta acercó la oreja a la mirilla.

—¡Se oyen cosas!

—¿Y?

Abrió los ojos como platos

—No sé, suena a… golpes, ¡a pelea! —Subió la voz—. ¡A fuego! ¡Huelo a quemado! ¡Oh, Gor! ¡Rápido!

Se descolgó del hombro la bolsa y desenvolvió con cuidado el hacha. La cabeza era resplandeciente.

—¿Cree que es momento para tomar medidas especiales?

Sveta asintió.

Gor se enderezó y todas sus articulaciones crujieron. Inspiró hondo. El hacha rotó sobre su hombro y la proyectó contra la puerta. Emitió un sonoro ruido metálico. El golpe se transmitió brazo arriba y casi le hace salir los ojos de las órbitas. El hacha cayó en el suelo y Gor se doblegó de dolor.

—¿Metal? —preguntó Sveta.

Gor hizo una mueca y se llevó la mano al hombro derecho. En el pasillo, un vecino asomó la cabeza en silencio por su puerta y volvió a cerrarla apresuradamente.

—Déjeme probar a mí.

Sveta se arremangó y enlazó el mango con manos rojas y doloridas. La hoja resplandeció cuando la trasladó más allá de la altura de la cabeza.

Se oyó un portazo y, acto seguido, unos pasos retumbaron en el pasillo.

—¡Espere! —gritó una voz—. ¡Dejen que les ayude!

Cuando Sveta se giró, vio un extraño trío corriendo hacia ella: un hombre alto y guapo, una mujer flaca y canosa y otra, fornida y con el cabello anaranjado cargada con un bizcocho.

—¡Hemos venido a ayudar! —anunció Valya, resoplando—. ¡Dame el hacha, vamos! ¡Creo que me apañaré mejor que tú!

Sveta escondió el hacha detrás de su espalda.

—¿Han hablado con Polly? —preguntó Vlad.

—¿Hablar con ella? ¡Si no podemos ni entrar! ¿Para qué te piensas que es el hacha? —replicó Gor.

—¡Sabía que acabaría pasando algo así! —gimoteó Alla, llevándose un pañuelo a la nariz y sonándose con fuerza—. Se lo estaba diciendo en el coche, siempre lo supe.

La puerta vibró al recibir un golpe desde el interior.

—Sveta, creo que tal vez tendríamos que… —Vlad le tendió la mano y Sveta depositó el hacha en ella—. ¡Perfecto! Y ahora, señoras, échense hacia atrás. ¡Y usted también, Papasyan! Ya me encargaré yo de solucionar esto. La atacaré de lado y tranquilos, que controlo la situación.

Se repartieron por el pasillo formando una curva en forma de herradura. Hubo otro golpe contra la puerta desde el interior y el pomo tembló.

—¡Date prisa! —gritó Sveta, llevándose la mano al cuello.

Vlad se secó las palmas de las manos en el pantalón, enlazó el mango del hacha y separó las piernas para plantar los pies con firmeza en el suelo, en perpendicular a la puerta. Tensó la musculatura y el hacha se elevó por los aires por encima de su cabeza y descendió despacio, muy despacio, como lo haría un golfista cuando practica sus golpes.

—¡Vamos! —gritó Gor.

—¡Dale! —chilló Sveta.

Levantó de nuevo el hacha por encima de su cabeza. Esta vez, se arqueó hacia atrás, emitiendo un gruñido, y cortó el aire con un golpe veloz.

Pero en el mismo momento en que Vlad arqueaba el cuerpo hacia atrás y la cabeza del hacha iniciaba su descenso, la puerta empezó a abrirse, empujada desde el interior. Tolya no la había cerrado con llave. Gor y Sveta no habían intentado empujarla. Y algo se escapaba por ella. No hubo ni tiempo para gritar. Todos los ojos se salieron de las órbitas y todas las bocas se abrieron cuando la puerta empezó a escupir humo. Oyeron primero un crujido y luego percibieron la vibración del golpe cuando la puerta al abrirse alcanzó a Vlad y le obligó a expulsar todo el aire que contenía en su pecho. Lo golpeó en línea recta: nariz, esternón y caderas, impulsándolo hacia atrás. El hacha salió disparada de sus manos y voló por los aires trazando círculos, como un hacha de guerra en un espectáculo del circo siberiano. La hoja afilada brilló como una esquirla de cristal.

Mientras el hacha daba volteretas por los aires, algo salió en estampida por la puerta, un movimiento confuso, voluminoso y rápido como un tren que corre a la velocidad del rayo por las vías. El hacha siguió volando y el cuerpo cargó contra todo el mundo. Resonó un rugido, seguido de un grito. El hacha cayó. Sveta se tapó la boca con la mano y cerró con fuerza los ojos. Retumbó un golpe sordo, el sonido de alguna cosa partiéndose… y luego el ruido metálico del hacha al impactar contra las baldosas del suelo.

Algo raro y terrible rodó por el suelo y acabó deteniéndose a los pies de Gor. Bajó la vista y saltó hacia un lado, sorprendido.

Era una cabeza.

NO ESTÁ MUERTO

El alarido de Valya fue el sonido más agudo que Albina había oído en su vida. Más agudo que los gritos de Kopek cuando tenía un mal día. Más agudo que los que profería Albina cuando Kopek la mordía. Más agudo que el de Albina en aquel mismo momento, cuando emitió su grito de batalla para lanzarse a la carga contra la puerta del piso en busca de la luz del pasillo que había al otro lado. Era un sonido que le quedaría grabado para siempre. Le taladró el cerebro cuando salió corriendo tras el maniquí que la chica mala había lanzado hacia la puerta después de que Albina se abalanzara sobre ella por séptima vez. El maniquí le había hecho un buen servicio a Albina y ahora, además, representaba el camino hacia la libertad. Echó a correr para salir de allí, con las cintas del sombrero de chamán acariciándole la espalda, tosiendo como consecuencia del humo y con los ojos empañados por el hollín. El mundo seguía desdibujado a su alrededor hasta que emergió por fin a la luz. Oyó el grito y vio que una mujer gorda se desmayaba y caía... en brazos de su madre. Vio que su madre se tambaleaba para sujetar el peso y controlar la caída, y vio que su mirada se clavaba en Albina.

Gor era el que estaba más cerca de la puerta y fue él quien le tendió los brazos cuando la vio salir. Albina se abalanzó hacia aquellos brazos flacuchos, riendo y llorando a la vez, sin siquiera buscar con la mirada a Olga, sin importarle nada, consciente de que la lucha había terminado. El contacto corporal hizo real todo aquello.

—¡Estás a salvo! —gritó Gor—. ¡Eres una chica tremenda!

—¡*Malysh*! —Sveta saltó por encima del cuerpo tumbado en el suelo de Valya—. ¡Mírala, pobrecilla mía!

Estrujó a su hija contra su pecho. Albina se apartó rápidamente de ella.

—No montes tanto escándalo, mamá, estoy bien. ¡Pero tenemos que salvarle!

Señaló en dirección a la puerta abierta, en dirección a la oscuridad que se extendía tras ella.

—¿A quién, pequeñuela?

—¡Al viejo! ¡Ella está aún allí dentro con él! ¡Olga!

Una figura vestida de negro se abalanzó hacia la puerta perfilada por el humo, corriendo a toda pastilla, como un gato, con el estilo de un animal salvaje.

Polly cruzó la puerta. Esquivó las manos extendidas de Vlad, pasó de largo de los brazos preparados de Gor y fue directa hacia el pasillo. Sus ojos parecían los faros de un coche y su boca esbozó una mueca de dolor cuando saltó por encima del maniquí decapitado y de la perjudicada Valya. Siguió corriendo en busca de las puertas de salida. Sveta miró a Gor, Gor miró a Vlad, que seguía apoyado contra la pared intentando detener la hemorragia de la nariz. Vlad se encogió de hombros: era demasiado tarde.

Alla esperó el momento propicio. Se había quedado en mitad del pasillo, plantada en la puerta de un vecino, casi invisible. Lo único que necesitó fue levantar el pie unos centímetros en el momento adecuado y Polly cayó al suelo como un niño en una carrera de sacos. Sin apenas un murmullo, la chica ralentizó el ritmo para pasar de veinte a cero kilómetros por hora y quedar extendida boca abajo en el suelo. En cuando detuvo su carrera, el golpe del impacto resonó en todo el pasillo.

—¡Ahí tienes lo que te mereces! —dijo entre dientes Alla—.

Eso me pasa por intentar ayudar. ¡Le consigo un puesto en la farmacia y acaba haciéndose secuestradora! —Se inclinó sobre la forma quejumbrosa de Polly—. Que sepas que pienso contarle todo esto a tu madre. Y no le va a gustar. ¿Cómo has podido hacerme esto?

Las baldosas del suelo amortiguaron el sonido de la respuesta de Polly.

Todas las cabezas se volvieron de repente cuando se escuchó un sonido en la puerta. Un hombre acababa de emerger de entre la oscuridad creciente: menudo, rollizo, balanceándose de un lado a otro, con unos ojos verdes que resplandecieron en la penumbra cuando se acercó una maltrecha lámpara a la cara, como si su cristal ennegrecido y su mecha rota pudieran ayudarle a dar un poco de sentido a la escena que se desplegaba ante él. Tenía un ojo hinchado y marcas de arañazos en la mejilla.

Gor se quedó blanco y soltó la bolsa que llevaba colgada en el hombro.

—¿Qué…?

—¡No está muerto! —anunció Albina—. ¡Simplemente se había ido! ¡Eso fue lo que pasó! Siento mucho que ella no fuera Olga, pero él sí que es…

—¡Mi primo! ¡Mi primo! ¡Esto es un milagro! —Gor avanzó tambaleándose para coger las manos de su primo y acercarlo a la luz—. ¡Gracias, Dios mío! ¡Esto es increíble!

Los ojos de Tolya traspasaron el humo y necesitó un momento para serenarse y ver de quién eran las manos que sujetaban las suyas. Miró fijamente el rostro de su primo.

—¡Por fin has venido! —dijo, radiante—. ¡No sabes cuánto he esperado que lo hicieras! —Dejó caer al suelo la lámpara rota y abrazó a su primo, descansando la cabeza contra el pecho de Gor—. Todo va bien. ¡Todo va bien! Estamos en casa. Sí, estamos en casa. Pasa, primo, que pase todo el mundo, por favor. Ha habido un incendio, me temo. He roto la lámpara. Pero prácticamente todo es humo. Todo va bien.

Se encaminaron juntos hacia la puerta del apartamento.

—¿Es Tolya, su primo?

La barbilla de Sveta tembló de curiosidad y rio sin poder evitarlo.

—¡Volvió a casa andando, mamá! Una parte del camino, al menos. Se fue, simplemente eso. No estaba muerto.

—Así que ha vuelto a casa. ¡Bravo! —Sveta sonrió y le estampó un beso en la frente a su hija. Al llegar a la puerta, se giró y gritó, con voz potente y tono autoritario—: ¡Mejor que vayas llamando una ambulancia, Alla! El señor Tolya puede haber perdido el conocimiento en algún momento. Igual que Vlad. Y es posible que también Polly. Y seguramente Valya también. Ah, y la policía. Creo que tendríamos que llamar a la policía.

—¡Perfecto! —Alla recorrió el pasillo a saltitos para espabilar a su amiga—. Valya, vamos, despierta. —Valya refunfuñó y movió los brazos como si estuviera nadando por el suelo del pasillo—. ¡Tú nunca te pones enferma! Espabila y vigila a esa Polly, aunque me parece que pasará un buen rato sin poder ir a ningún lado —dijo Alla en tono burlón—. Tengo que hacer llamadas. Y tú aquí tumbada en el suelo babeando. ¡Vamos, amiga!

—Sí, pero... ¡y el cuerpo! —Los minúsculos ojos negros de Valya reaparecieron por encima de unas mejillas que tenían aún el color del alabastro—. ¡La cabeza! ¡Ha ido rodando hasta los pies de ese hombre! ¡Qué asco!

Alla se arrodilló a su lado.

—Valya, *milaya*, ten, ponte mis gafas y mira. ¿Dónde ves tú sangre? Era un maniquí, simplemente eso. Te has desmayado por unas cuantas astillas de madera, mi robusta amiga. A ver si vas a ser tú la que necesita seguir una dieta vegetariana.

Con una mueca de dolor, Valya se incorporó.

—¡Al diablo con eso! ¿Astillas? ¿Madera? ¿Cómo pretendes que supiera yo que era eso? Salió disparada como un demonio... ¡iba directa hacia mí! Y el hacha... ¡Dios mío, también iba directa a por mí! ¡Y la cabeza! —Se santiguó haciendo movimientos espasmódicos.

Detrás de ella, Polly gruñó de dolor.

—Vamos, ahora te toca vigilar a la prisionera. ¡Cumple con tu deber!

Alla ayudó a Valya a levantarse y se marchó a localizar un teléfono.

—Tengo que vigilar que no te muevas de aquí. ¿Entendido? No es que quiera hacer esto, pero tengo que hacerlo. —Valya flexionó las rodillas y se instaló sobre el pecho de la chica—. Y ahora no te menees, Polly. Será mejor para ti que, por una vez, hagas lo que se te dice.

La chica gimoteó cuando Valya se movió para cambiar el peso del cuerpo hacia el otro lado.

—¡Ni se te ocurra!

Cojeando, Vlad se acercó a la pareja. Acercó la mano al cabello castaño oscuro de Polly.

—¿Cómo has podido hacer esto, Polly? —le preguntó en voz baja.

Los ojos de Polly, inexpresivos y negros como los de un tiburón, estaban fijos en el maniquí, una figura muda e inerte, vestida aún con la blusa de estilo campesino y con un montón de astillas allí donde antes estaba la cabeza. Lo taladró con la mirada.

—Idiota —dijo.

Sveta abrió las ventanas y el humo empezó a ascender poco a poco hacia las estrellas.

—¡Pues muy bien! —proclamó Anatoly Borisovich con alegría, encantado de tener invitados para celebrar su vuelta a casa—. ¡Vamos a tomar el té!

Echó a andar entre los fragmentos de la ventanilla del pasaplatos, en dirección a la cocina. Pero Gor lo agarró por el brazo y, con delicadeza, lo dirigió hacia el sofá.

—Sentémonos, primo. Descansemos un poco. Hacía mucho tiempo que no estaba por aquí. Mucho tiempo que no te veía. Veo que conservas aún esa piel de oveja.

—Oh sí. Todas las cosas que quiero.

—Y el caballete.

—Sí, sí. Y mi caja de los tesoros.

Con los brazos entrelazados, tomaron asiento el uno junto al otro en el abollado sofá. Tolya descansó la cabeza en el hombro de Gor mientras Sveta empezaba a limpiar un poco, barriendo sin molestar las tarrinas de yogur y los cristales que había en el suelo.

—Ya están de camino la policía y la ambulancia —le comunicó en voz baja a Gor.

—Primo, primo —murmuró Tolya—. ¡Había abandonado ya todas mis esperanzas! ¡Creía que habías muerto! Pero, ya ves, estamos aquí los dos y yo estoy de nuevo en casa.

Gor le dio unos golpecitos cariñosos en la mano.

—Siento mucho que hayas tenido que esperar tanto tiempo. Y siento también no haber venido antes, para tu cumpleaños. Te lo explicaré todo, y te lo compensaré. Me sentía… confuso. Pero ahora tengo las cosas mucho más claras.

—Sé muy bien lo que es sentirse confuso, primo. Sé mucho sobre sentirse confuso. Pero me alegro de que estés aquí, y de que haya venido también la pequeña Olga.

Albina puso cara de exasperación. Se quitó el tocado de chamán y lo dejó en una estantería cubierta de polvo.

—Tenemos que hablar, primo —dijo Tolya, presionando con mano firme el brazo de Gor.

—Sí, tenemos que hacerlo, querido primo. Aunque tal vez ahora no sea el momento. No hay prisa. Primero hay que echar un vistazo a esas heridas. Descansar un poco. Hablaremos cuando te hayan curado.

—¿Curado? ¡Ja! ¡Acabo de venir prácticamente andando desde Azov! ¿Crees que estoy enfermo? ¡Soy un tigre!

Tolya levantó su desgreñada cabeza y sonrió a su primo.

—¡Claro que sí! Pero yo no.

—No, tú eres más nocturno. ¿Algo alado, quizá?

—¿A qué te refieres? —preguntó Gor, frunciendo el ceño.

—¿Una lechuza?

Gor esbozó una sonrisa.

—Te entiendo, sí. Pero mira, Tolya, incluso los tigres y las lechuzas necesitan descansar. Estas últimas semanas nos han pasado factura, tanto a ti como a mí, me temo. Hay que mirar estas heridas. Descansar. Podemos hablar luego en cualquier momento.

—Quería llamarte. Quería verte. Lo recordé todo, ¿sabes? Vlad me ayudó. Pero tú no viniste nunca, y él también dejó de venir. Y entonces pensé que lo mejor que podía hacer era volver a casa.

Por encima de la cabeza de su primo, Gor miró a Sveta a los ojos.

—¿Recordado? —dijo, y sus palabras retumbaron en el interior de su pecho.

—¡Todo!

—¿Todo? —insistió Gor, con un brillo intenso en la mirada.

—¡Todo! —Tolya rio—. Éramos unos niños: tú, yo y el niño polilla.

Tolya asintió con energía. El ojo derecho de Gor empezó a temblar con un tic nervioso. Abajo, se oía la sirena de una ambulancia.

Había voces en la puerta y entonces entró Vlad. Tragó saliva con incomodidad y miró a su alrededor. Los dos ancianos estaban en el sofá. Se tocó con una mano las costras que se le estaban formando en la nariz y tendió la otra a Anatoly Borisovich. El anciano se la aceptó.

—Veo que ha vuelto por fin a casa, Anatoly Borisovich.

—¡Así es! ¡Así es! Aquí estamos. Me alegro de verte, Vlad. Pero, si me perdonas la pregunta, ¿por qué estás…?

—Por Polly.

—¿Polly?

—La chica morena. La que está ahí fuera. La que…

—¡Ah! ¡Esa chica que da tanto miedo! ¿Era ese tu gran amor? ¿Además del BMW?

Las mejillas de Vlad se tiñeron de una tonalidad roja apagada.

—Creo que me equivoqué al respecto.

—Vaya. La vida enseña, ¿eh? Incluso a los médicos.

Tolya le guiñó el ojo y esbozó una mueca de dolor.

—Eso espero —dijo Vlad, asintiendo.

—Pero escucha una cosa, Vlad. Tengo que corregirte.

Vlad entrecerró los ojos.

—¿En qué sentido?

—He estado muy preocupado por el tema. Pero como no volviste a pasar por allí, no pude decírtelo.

—Lo siento, pero es que…

—¡Me refiero al caso de estudio, Vlad!

—¿Qué pasa con mi caso de estudio?

El anciano abrió los ojos de par en par.

—El desencadenante, de que lo recordara todo, de mis recuerdos del incendio. ¿Te acuerdas de que querías un elemento desencadenante?

Vlad asintió, muy despacio.

—¡Estaba equivocado! —Anatoly Borisovich sonrió—. No fueron los golpes en los cristales. Nunca hubo golpes en los cristales, ¿entiendes?

—¿Y entonces qué fue?

—Fue mi querido primo, aquí presente. O mejor dicho, su ausencia. El día de mi cumpleaños no vino a verme. Esperé y esperé y, al final, llegué a la conclusión de que debía de haber muerto. Tuve tanto miedo, me sentí tan solo y tuve tanto miedo, que… entonces lo recordé todo, cuando me quedé aquí postrado por la fiebre, lo fui recordando todo en fragmentos inconexos, ¡como las hojas a merced del viento!

Vlad le apretó la mano.

—Ahora no se preocupe por eso, Anatoly Borisovich. Vendré a verlo la semana que viene y lo arreglaremos todo. —Los ojos grises miraron fijamente los verdes—. E intentaré compensárselo.

El anciano le palmeó la mano.

Vlad volvió la cabeza.

—Y también quiero disculparme ante usted, señor Papasyan.

—Basta con que te vayas.

Gor cerró la boca con fuerza y miró hacia la ventana.

La policía llegó diez minutos más tarde y, pasmada, contempló la asombrosa escena de caos doméstico. Había mobiliario roto y volcado sobre unas losetas de moqueta, chamuscadas y ennegrecidas, que se enroscaban en el suelo como cicatrices secas. Los testigos no paraban de hablar y, los que no lo hacían, contemplaban en silencio el techo amarillento oscuro como si estuvieran observando las estrellas. La supuesta criminal, que alguno de los testigos había conseguido inmovilizar con sábanas anudadas a modo de esposas, estaba sentada cabizbaja en el pasillo exterior. Sus ojos negros ardían de rabia y se negó a declarar. Estaba custodiada por una mujer robusta con el pelo de color naranja que comía sin cesar bizcocho de vainilla y bebía té.

—Una vez más, a ver si lo he entendido bien —dijo el agente de policía—. ¿Resulta que estaban todos aquí porque creían que habían secuestrado a la niña?

Asintieron.

—¿Y nadie llamó a la policía?

Bajaron todos la vista.

Salieron todos al pasillo, cabizbajos, para darles las buenas noches a los agentes de policía y a los enfermeros.

—Es evidente que está desequilibrada —dijo Vlad al ver a Polly, con las manos esposadas a la espalda, marchar escoltada por el pasillo—. Ahora me doy cuenta. Lo único que le interesaba era ella, sin tener el mínimo sentimiento de vergüenza, sin mala conciencia alguna. Sería un caso de estudio interesante. Me pregunto si debería pedirle que...

—¡Olvídate del tema! —le espetó Valya—. Tú sigue con tu vida. Estudia mucho. ¡Y come un poco de bizcocho!

—Siempre fue así. Y ahora que pienso toda la confianza que

deposité en ella… todos los detalles íntimos que le conté. Tengo enfermedades, ¿saben? Y hubo momentos en que…

—Buenas noches, primo Tolya. Que descanses —dijo Gor—. Volveremos mañana y empezaremos a ponerlo todo en orden. Y por ahora, basta de *pryaniki*. Duerme y no hagas nada más. ¡Qué tengas dulces sueños!

Tolya les dio las buenas noches, le dio un beso en la mejilla a su primo y cerró la puerta.

Gor, Sveta y Albina subieron al coche para emprender el camino de regreso. Recorrieron de nuevo el ondulante paisaje, atravesaron pueblos austeros, desfilaron por delante de las chabolas de hormigón y por la llanura del estuario. Llegaron en silencio a las afueras de Azov y el coche continuó su camino por las calles alumbradas mediante farolas de escasa luz anaranjada que centelleaban a su paso, haciendo caso omiso a los borrachos nocturnos y la gente engalanada para ir de fiesta. Atravesaron el puente que cubría la profunda negrura del río Don y rodearon la manzana hasta llegar al edificio bajo de hormigón que Gor calificaba como su casa.

Cerraron las cortinas y encendieron las luces. Gor se sentó al piano y, crujiéndose los nudillos, lo miró con cariño unos instantes. Empezó a tocar, y tocó como si su vida dependiera de ello, eligiendo música que enriqueciera el alma, y música para sosegarla. Rachmaninov, Rimsky-Kórsakov, Mussorgsky. Cerró los ojos. Albina se había sentado en su sillón, con una manta sobre los hombros y cuatro gatitos blancos en el regazo. Su madre estaba acurrucada en el sofá, con los pies descansando sobre Dasha. Pericles se había instalado en lo alto de una pila de libros colocada en equilibrio encima del piano de media cola y lentamente, muy despacio, fue cerrando sus ojos de color zafiro.

Al final, Sveta bostezó y se desperezó.

—Vamos a comer algo. ¿De acuerdo? Necesitamos comer. Yo no he comido en todo el día. Albina, ¿tú también debes de tener hambre, verdad, pequeñuela?

—Mmm… la verdad es que he comido un montón de yogur, y también *pryaniki*. Pero si quieres preparar alguna cosa…

Sveta entró en la cocina.

—Para empezar, pondré agua a hervir y tomaremos un té. Y, Gor…

Salió hasta el umbral de la puerta.

—Qué chica más malvada. Las llamadas telefónicas, todas esas jugarretas, ¿y para qué? Para nada. Aún no alcanzo a creérmelo.

Gor fijó la vista en el teclado.

—Avaricia —dijo Sveta—, eso es lo que es. Se apodera de las personas… cuando no reciben suficiente amor.

—¡Ja! Solo una mujer podría creer que los malos se vuelven malos por falta de amor.

Sveta arqueó las cejas y frunció los labios.

—Y solo un hombre puede llegar a estar tan ciego que ni siquiera lo ve. Cambiando de tema, ¿hay costillas en algún rincón de esta casa? —Entró de nuevo en la cocina y abrió primero la nevera y luego el compartimento del congelador—. ¡Oh, veo que sí! ¡Qué maravilla!

Sacó un paquete envuelto en papel marrón y atado con cordel.

—¿Tengo? —Empezó a limpiar las teclas del piano con saliva y el pañuelo. Frotó el marfil hasta que quedó reluciente—. No lo sabía. ¡Este piano es buenísimo!

Sonriente, se levantó para contemplarlo y acarició la tapa del piano.

Sveta cortó el cordel con unas tijeras afiladas con mango rojo y abrió el papel.

El chillido llenó el piso entero, resonó en el techo y se introdujo en los oídos de los gatos, que bufaron y arquearon el lomo.

Gor entró corriendo en la cocina. Sveta estaba paralizada junto al paquete. Se había llevado una mano al cuello. El interior del paquete contenía los restos congelados de un conejo blanco decapitado.

EL GRAN ESPECTÁCULO

Era un triste día de diciembre, pero Gor miró por la ventanita de su cocina y sonrió. La vida empezaba a animarse. Los habitantes de la ciudad de Azov, en el sur de Rusia, paseaban con las mejillas sonrosadas, y no era precisamente por el frío. Habían acabado las clases, los niños de segundo año no conocían aún el alfabeto romano y Kopek había aprendido una canción nueva. Albina se había tranquilizado y ya no se mostraba exageradamente educada con su madre, lo cual, bajo el punto de vista de Gor, era una buena señal. Las noches eran largas, las heladas duras, lo que prometía nieve en las estribaciones de los Urales y un Año Nuevo que empezaba a llamar desde las resplandecientes ramas de los abetos.

Gor hacía tiempo que había arrancado de la pared el calendario plagado de «x» para arrojarlo al colector de la basura, acompañando el ceremonial con un «rom-pom-pom» y un gesto teatral. Sveta y él habían empezado a ensayar en serio, habían incluso alquilado una sala en la Casa de Cultura. Y a pesar de que de entrada se había resistido a los planes de Sveta de disfrazarse para la ocasión, tampoco estaba dispuesto a descartarlos por completo. Al final, había accedido tanto a las plumas de avestruz como a las lentejuelas, al menos para ella.

Se esforzaban por recuperar la normalidad y querían dejar atrás los sucesos del otoño. Eran como nadadores en una piscina, que van apartando el agua para avanzar, brazada a brazada. Cuando no estaba de visita en casa de su primo Tolya o ensayando trucos de magia, Gor dedicaba el tiempo a pensar. Los gatitos y él mantenían largas conversaciones. Él les contaba sus problemas y ellos escuchaban con atención. Él, a su vez, les explicaba que ya estaban listos para vivir en un nuevo hogar.

¿Y hoy? Hoy era día de espectáculo: el Gran Espectáculo para Recaudar Fondos, o GERF. Todo había empezado cuando Albina le preguntó acerca del dinero del Círculo de Magia. Él estaba intentando enseñarle las notas del piano, los conceptos más elementales. Pero Albina era como un perro con un hueso: lo único que quería era conocer detalles sobre el crimen que había cometido.

—¿Y qué piensa hacer?

—Tú no te preocupes. Mira, este es el Do central.

—Lo digo en serio. ¡Podrían partirle las piernas!

—¡No, no! ¡Son todos magos! Venderé el piano. Eso es lo que pienso hacer. Y esta nota es el Re.

—¡No puede vender el piano! ¡Es su única alegría!

Gor se mordió las mejillas por dentro y asintió.

—Bueno, entonces tal vez venda el coche. Esta nota es el Mi.

—¡Nooo! Si no tiene en coche, ¿cómo vamos a ir a la dacha? ¿Qué comerá entonces?

—Pues si tampoco puedo hacer eso, tendré que ir a la policía y reconocer lo que hice.

—¡Entonces lo meterán en la cárcel con asesinos!

—Albina, me da igual, de verdad. Y entonces, después del Mi viene…?

—¿Y qué será de su primo Tolya si lo meten en la cárcel?

—Eres agotadora de verdad, jovencita.

—¿Dijo un millón de rublos? Eso equivale tan solo a… —Arrugó la nariz y contó con los dedos—. Doscientos treinta dólares norteamericanos. No es mucho. No vale la pena ir a la cárcel por eso —dijo, mirándolo fijamente—. Yo tengo tres dólares —añadió—. Podría donárselos.

Gor hizo un gesto de negación con la cabeza.

—Gracias, Albina, eres muy generosa, pero…

—Estaba considerándolo como una inversión, no como un regalo.

—Sea como sea, no puedo aceptar tu dinero. Tendrá que ser con el piano.

—Tiene que haber otra manera —dijo Albina, hurgándose la nariz con el dedo.

—Hay que saldar la cuenta en enero. No hay otra manera.

—¡Espere! —Albina saltó del taburete del piano—. ¿Y lo del gran espectáculo? —dijo, mirando a Gor y a su madre.

—¿Qué? —Sveta levantó los ojos de la revista—. ¿El gran espectáculo? Eso no fue más que una idea, Albina. No entiendo cómo puede ayudar en algo.

—¿El gran espectáculo? ¿Qué gran espectáculo? —preguntó Gor.

—Gor, seguro que se acuerda: la idea que tuve de hacer un gran espectáculo de variedades. —Sveta perdió la mirada en la lejanía—. Algo nunca visto en Azov: una abundancia sin parangón de números de entretenimiento.

—¡Lo haremos, mamá, y lo convertiremos en un gran espectáculo para recaudar fondos!

La revista cayó al suelo.

—A ver, cuéntame más cosas, pequeñuela.

—Imagínatelo: el gran espectáculo del año, un suceso deslumbrante. Las entradas serán para cubrir costes y los beneficios para cancelar la deuda de Gor.

—¡Ooooh! Eso suena…

—Podemos cobrar doscientos rublos por entrada, donar algo a hogares infantiles y hospitales para quedar bien… ¡Es facilísimo! —dijo Albina, riendo.

—Tengo que decir, Albina, que creo que has tenido una idea maravillosa —dijo Sveta.

Rieron y saltaron casi sobre el sofá, gritando de emoción.

—¡Sí! —exclamó Albina, aplaudiendo—. Empecemos con el programa, y luego seguiremos con la estrategia de *marketing* y finalmente el presupuesto.

—¡Ah! —dijo Sveta—. Y el vestuario. ¡No hay que olvidar el vestuario!

Gor fijó la vista en el cuenco con caramelos de café con leche que había en la mesita y se preguntó si haría bien comiendo uno. Al fin y al cabo, no tendría necesidad de volver a hablar en una hora y media.

—Podríamos incluir acróbatas. ¿Sabe que tenemos conocidos en el circo? —gorgoteó Sveta—. A lo mejor podría servirme de algo…

—Oh, no, Sveta… —Gor tosió y escupió el caramelo de café con leche.

—No se preocupe, será todo con un gusto exquisito. ¡Ese es capaz de encontrar cosas de todo tipo, créame! Recuerdo las historias que contaba: la *troupe* de los cosacos, el hombre más fuerte del mundo, Rodolfo el payaso. Oh, y tenían también cerditos domesticados, ¿a qué es increíble? ¡Cerditos que empujaban cochecitos de bebé con gatos dentro! Sería superfantástico, ¿verdad?

—Y Kopek podría cantar, mamá. Kopek podría participar en el espectáculo, ¿no?

—¡Por supuesto, *malysh*! ¡Tiene que participar en el espectáculo!

—Podría enseñarle una canción nueva.

—Y si conseguimos los cerditos…

—Lo de los cerdos no lo veo muy claro —dijo Gor, cortándola.

—¡Tenemos que hacerlo! ¡Será maravilloso, haya cerdos o no! Se ha terminado nuestra racha de mala suerte. ¡Ya es hora de que la suerte nos sonría!

Los pasillos del Palacio de la Juventud eran un hervidero de excitación. Escolares parlanchines, jóvenes parejas con las manos entrelazadas, dignatarios locales barrigudos y ancianas marchitas con ojillos como semillas de manzana cruzaban uno tras otro las dobles puertas de entrada, ansiosos por presenciar el gran acontecimiento del año.

Los intrigantes carteles pegados en las paradas de autobús, en las máquinas de devolución de envases y en las panaderías prometían a la ciudadanía un espectáculo enorme e irresistible, y la flor y la nata se había subido al carro y se había rascado con gusto el bolsillo. Estaba prevista incluso la asistencia del teniente de alcalde, que hizo su sudorosa aparición escoltado por una rubia alta cargada de diamantes. Había insistido en pagar el doble por su entrada, por cuestión de principios.

Valya y Alla irrumpieron en el vestíbulo enfundadas en sendas creaciones de brillante estampado de tela de viscosa. Emocionadas con sus entradas gratuitas, llevaban dos semanas seguidas explicando a todo aquel dispuesto a escucharlas que Gor Papasyan era un hombre encantador y un mago con un talento fantástico.

—Estuvimos presentes en su sesión de espiritismo, ¿verdad? —le dijo Nastya a Alla mientras esperaban a que las atendieran para colgar los abrigos—. ¿Sabes si salió alguna cosa a partir de todo aquello?

—Bueno —dijo Valya, inclinándose hacia su interlocutora y meneando la cabeza como un terrier que acaba de capturar un conejo—, digamos que no fue más que un timo, como siempre he dicho. Humo, espejos y nada más.

—¿Y qué ha pasado con Polly? —insistió Nastya, susurrando como si el espectáculo ya hubiera empezado y conteniendo una sonrisa—. ¡Corre cada rumor! ¿Es cierto que le arrancó la cabeza a un pollo de un mordisco?

—¡No tendrías que hacer caso a todos esos chismorreos! —le espetó Alla, subiendo el tono de voz—. Yo hice lo que pude. Le di todo mi apoyo y, ¿cómo me lo devolvió? ¡Con robos! ¡Amenazas! ¡Incluso con un secuestro! Pero nada de pollos, cerebro de mosquito. ¿De dónde ha salido eso del pollo?

—¡La culpable de todo fue ella! Mi Vlad no fue más que un títere en sus manos. ¡En sus sucias manos! Lo utilizó de una forma abominable —dijo Valya—. ¡Y aún lo está sufriendo! El caso es que ahora está lejos, en un correccional, y esperemos que cuando vuelva lo haga… corregida. O que no vuelva, mejor.

—Sí —dijo Alla, resoplando—. Su madre está muy enfadada. ¡Y me echa la culpa a mí! Por lo visto, podría darle problemas con el papeleo de inmigración en los Estados Unidos.

Valya hizo una mueca.

—No tengo ni idea. Este, oeste, lo mejor es quedarse en casa.

—Eso digo yo.

—¿Cuándo salen los cerditos? —preguntó Valya, forzando la vista para leer el programa.

El primo Tolya se había desplazado en taxi desde Rostov. Tomó asiento en primera fila y miró a su alrededor preguntándose por el parloteo, el zumbido de fondo, el ajetreo de la situación. Hacía mucho tiempo que no veía tanta gente junta. Se había preguntado cómo llevaría lo del ruido, pero en cuanto se hundió en el terciopelo de su asiento, experimentó la palpitación de la calma, el murmullo de la excitación. Y le gustó. Escuchaba mil palabras a la vez, veía un montón de destellos de sonrisas, y se sentía como en casa. La bolsa con pasteles que reposaba en su regazo le proporcionaba además una sensación reconfortante.

—¡Coma! ¡Coma y disfrute, Anatoly Borisovich! —le había dicho Valya cuando lo había acompañado a su localidad.

La vida podía ser mágica.

En el vestíbulo, un grupillo de antiguos empleados del banco se apiñaba alrededor de Gor. Murmuraban en voz baja y le estrechaban la mano en la penumbra, haciendo comentarios sobre su aspecto, tan delgado y tan en forma. Gor rechazó los cumplidos y consiguió contar dos chistes en los seis minutos que se concedió antes de fingir que tenía cosas que hacer entre bambalinas. De hecho, no tenía nada que hacer en ningún lado. De modo que fue a comprobar que su primo hubiera llegado bien y luego se dirigió al camerino para meditar un poco antes de que se levantara el telón.

Sveta, por su parte, estaba en su elemento. Había sido un placer confeccionar el programa y el vestuario era tal y como esperaba, o mejor si cabe. Su atuendo llevaba una semana colgado detrás de la puerta de su habitación y, cada vez que lo miraba, sentía escalofríos de emoción. Y ahora, bajo la luz cálida como la miel del camerino, se subió la cremallera del cuerpo de lentejuelas doradas y el brillo que se proyectó le evocó un cielo iluminado con fuegos artificiales.

—Sveta —murmuró ante el espejo de cuerpo entero—, estás fenomenal.

Se lanzó un beso y se subió con cuidado las medias de redecilla antes de cruzar la puerta. Quería permanecer un rato entre bambalinas, sintiendo la agitación, observando al público... viviendo el espectáculo.

Lo primero de todo era el baile, suministrado por las ágiles hadas de la escuela de Albina. Nadie tenía muy claro quién había concebido la obra, que era, como el público no tardó mucho en descubrir, una interpretación del «significado de los productos lácteos en la sociedad moderna, y la vida de una vaca». Extremadamente interesante, nadie tenía una idea clara de quién, entre la docena de bailarinas, era la vaca, quién era la leche y quién la mantequilla. Pero, igualmente, la ovación fue clamorosa.

A continuación era el turno de Albina. Había trabajado una composición propia en el piano de media cola de Gor y subió con orgullo al escenario, con todas las notas memorizadas, Kopek posado en el hombro y una fotografía enmarcada de Ponchik en lugar de partitura. Las notas brotaron de sus dedos como gatitos saltando en un campo de cardos, y el público permaneció sentado, extasiado y con miedo a moverse, mientras el piano aullaba y maullaba por turnos. Orgullosa, Sveta se secó las lágrimas cuando su hija abandonó el escenario.

Bogdan no había podido aportar una *troupe* de trapecistas cosacos y tampoco había conseguido los cerditos que tiraban de los carritos de bebé cargados de gatos. Pero lo que Sveta había logrado contratar había sido a Rollick, el macho cabrío cantante. El silencio se cernió sobre el auditorio en el instante en que Rollick empezó a balar las primeras notas de *Noches de Moscú*, a lo que siguió un fragmento del himno nacional y, para finalizar, el conmovedor y casi reconocible estribillo de *Kalinka*. El auditorio se vino abajo con los aplausos que suscitó la actuación del macho cabrío y sus admiradores llenaron el escenario de flores, muchas de las cuales acabaron devoradas por el artista.

—¡Mamá! ¡Podríamos tener una cabra! Podría vivir en la dacha de Gor y yo le enseñaría un dueto con Kopek.

—Sí, *malysh*, me parece una idea genial. Ya lo hablaremos más tarde.

Sveta no podía parar quieta. Los nervios empezaban a consumirla.

Finalmente llegó la hora de la magia. Subieron al escenario: el Gran Maestro Papasyan y Sveta, su Ayudante Mágica. El anciano, vestido con un traje de lana de color verde oscuro y pajarita en tono rubí, se mostró confiado, seguro, misterioso y amable. Sonrió a la primera fila y meneó las orejas. Sveta, por su lado, se concentró en la sofisticación. Movió con elegancia y lentitud brazos y piernas, con una sonrisa fija en la cara. Hizo caso omiso a las plumas de avestruz que se le pegaban al lápiz de labios.

Empezaron con trucos de cartas, eligiendo a miembros del público para que subieran al escenario, y luego pasaron a pañuelos que aparecían en el interior de un sombrero o detrás de la oreja de Sveta. A continuación llegaron las banderas, anudadas entre ellas y desanudadas, y las pelotas que aparecían debajo del vaso que menos te esperabas. No cayó nada, no quedó nada atascado. Cuando la caja de magia apareció en el escenario sobre su carrito con ruedecillas, el público contuvo la respiración. Estaba reluciente, con su barniz que parecía caramelo líquido bajo los focos. Habían practicado el truco un montón de veces, pero aun así, cuando Sveta se tumbó en la caja, recordó la primera vez que lo ensayó con Gor. No hacía tanto tiempo de eso. Recordó lo asustada que estaba, lo raro que le parecía todo. Gor cogió la sierra, se inclinó sobre ella y ella sonrió. Todo era vibración e ilusión. Las luces palpitaron y el público emitió un «¡aahhh!» comunitario. Cuando Gor le invitó a hacerlo, movió los dedos de los pies enfundados en sus medias de redecilla. El público contuvo un grito y Sveta sonrió.

Los niños pequeños se colocaron en fila a los pies del escenario para pasarle olorosos ramos de flores y cajas de bombones. Sveta saludó con reverencias y lanzó besos al palco. Eso era lo que andaba buscando cuando respondió al anuncio de Gor. Era la chispa que faltaba en su vida. Regresó al camerino como si estuviera flotando y con los brazos cargados de regalos.

—¡Nunca me cansaré de darle las gracias! —dijo Gor, que llegaba corriendo de la taquilla con una sonrisa dibujada en su rostro alargado—. He echado un vistazo a los números y mi deuda quedará saldada. Podremos, además, hacer una donación al orfanato. ¡Es usted un ángel! ¡Me ha rescatado y me ha salvado la vida! Jamás podré devolverle todo lo que ha hecho por mí.

Le cogió la mano, se inclinó y se la llevó a los labios.

—Ha sido un placer, Gor. Tengo que decirle que esta noche ha estado usted maravilloso. Me encantaría volver a repetirlo todo.

Le miró a los ojos.

—Y usted… usted ha estado también maravillosa: ha sido la ayudante perfecta. Una imagen encantadora combinada con un aura de misterio y… bueno…

Seguía sujetándole la mano. Sveta hizo un gesto para retirarla, pero él se aferró a su muñeca. Tosió, con la mano que le quedaba libre extrajo del bolsillo un pañuelo de seda con estampado de puntitos, se secó la frente y lo guardó en el bolsillo de la chaqueta.

—Sveta, estaba preguntándome si… —Se enderezó y sus grandes ojos oscuros repasaron el techo, las ventanas empañadas, las plumas que ella llevaba al cuello—… si podríamos considerar… ser… ser pareja. Aparte de lo de la magia, me refiero. No solo como dúo artístico; me refiero también a nuestras actividades sociales. Ya sabe. Creo, tengo la impresión, de que usted tiene ganas de tener un compañero en la vida y yo, aunque ya soy viejo, me preguntaba si…

—¡Oh, Gor!

La barbilla de Sveta empezó a temblar. Sus ojos azules se ensombrecieron por un instante y él creyó que iba a romper a llorar. Pero sucedió lo contrario, puesto que su rostro esbozó una tierna sonrisa de perplejidad.

—No, Gor. ¡Oh, no!

Él le soltó la mano.

—Soy su amiga; una muy buena amiga. Su mejor amiga, incluso. —Rio—. Pero eso es todo. Siento mucho si…

Tragó saliva, bajó la vista y, con dedos temblorosos, limpió las marcas imaginarias que el carmín había dejado en las comisuras de su boca. El silencio llenó el camerino.

La garganta de Gor emitió un sonido ahogado, seguido por un crujido, un desmoronamiento, un trueno, como una crecida del agua sobre un lecho rocoso y seco. Sveta levantó la vista, alarmada. Jamás había oído aquel sonido.

Era el sonido de las carcajadas de Gor.

Echó la cabeza hacia atrás y rugió. Sus ojos abiertos se clavaron por un momento en el mugriento techo y se cerraron con fuerza al doblegarse de la risa. Se vio obligado a sujetarse los costados con las manos. Se le hincharon las venas de las sienes y empezó a zarandear los hombros. Las lágrimas brotaron inevitablemente de sus ojos y, cuando las risotadas se hicieron más audibles, notó un intenso dolor en las costillas. Era contagioso. Albina dejó de hablar con Rollick, el macho cabrío cantante, y a reír con nerviosismo. Tolya apareció en aquel momento en la puerta y empezó también a reír entre dientes, sin creer lo que veían sus ojos. Sveta tampoco pudo resistirse y su garganta elástica emitió una alegre risa. A Gor le costaba incluso respirar. Incluso Rollick dejó de rumiar y se quedó mirando a Gor con sus distantes ojos rectangulares. Los ocupantes del camerino formaron un círculo y rieron todos con Gor.

—¿Y qué es lo que es tan gracioso? —preguntó finalmente Albina tras coger aire y con una expresión que era una combinación de sonrisa y ceño fruncido.

—¡Me siento tan aliviado! —dijo Gor, secándose los ojos con el pañuelo y palmeando el lomo de la cabra.

—¿Aliviado? —dijo Sveta, con la sonrisa congelada en los labios.

—¡Quiero decir feliz! ¡Me siento tan feliz por todo! ¡Por la vida! Todo se ha solucionado. ¡La vida vuelve a ser sencilla! ¡Tenemos que celebrarlo! Me he quitado un gran peso de encima. ¡O varios pesos! ¡Tendríamos que ir al bar! ¡Y brindar! Vamos, subamos al bar —dijo Gor, frotándose las manos y sonriendo.

—¿Al bar? ¡Pero Gor, si voy con lentejuelas! —dijo Sveta, encantada con la idea.

—Está usted divina, Sveta. Vamos Tolya, vamos Albina: tenemos que celebrar la nueva oportunidad que me ha dado la vida. ¡Venid todos por aquí y os invitaré a un poco de champán soviético!

Gor hizo una reverencia para que Sveta pasara delante. Y Sveta, con su falda bamboleándose al ritmo impuesto por el satén y la pedrería, lideró la comitiva hacia la escalera de hormigón pulido y de allí hasta el bar del Círculo.

Gor fijó la vista en el metal y el hormigón del vestíbulo de entrada, que quedaba abajo.

—¡Ha sido una velada inolvidable! ¡Siento una ligereza increíble en los huesos, Albina, como si pudiera dar una orden a mis pensamientos y echar a volar!

Albina iba mirando los peldaños y se encogió de hombros.

—¿Y adónde iría volando?

—¿A Armenia, quizá? O tal vez al norte, a Moscú. O a lo mejor... ¡podría recorrer el mundo entero! —dijo, enseñando su exagerada dentadura amarilla y adentrándose en la penumbra de terciopelo de imitación de color marrón que decoraba el bar.

—¿Pero volvería, no?

—¡Oh, sí, sí! —La miró con ternura—. Claro.

Llegó el champán y Gor, con un gesto teatral, descorchó el tapón de plástico, proyectándolo hacia el techo. El impacto provocó una cascada de polvo y laminillas de pintura que fue recibida con chillidos de alegría por parte de Sveta.

—Quiero proponer un brindis. ¡Por usted, mi queridísima Sveta! Es usted una amiga auténtica, una amiga que sabe perdonar. No se puede pedir más. ¡Le doy las gracias desde lo más profundo de mi corazón y deseo que disfrute de buena salud, felicidad, amor y fortuna en este año que va a empezar y en todos los años venideros!

Albina levantó su copa con zumo de naranja y mantuvo la boca cerrada mientras los adultos hablaban, reían y hacían planes. Su madre estaba contenta. Todos parecían muy felices. Tal vez sería mejor no decir nada.

—¿Va todo bien, *malysh*?

Sveta se inclinó sobre ella para arreglarle un poco el flequillo y los enormes pompones con cintas que adornaban los laterales de su cabeza.

—Sí, mamá. Solo estaba pensando —respondió, incapaz de mirar a su madre a los ojos.

—¿Qué pasa?

—Es sobre una polilla.

—Ah, pequeñuela. Ya sé que es difícil, pero todo eso ya se acabó. Esto es un nuevo principio, ¡para todos nosotros! De modo que vamos a olvidarnos del pasado y seguir adelante, ¿entendido?

—Sí, mamá.

La niña movió la cabeza en un gesto afirmativo y bebió un poco de zumo de naranja. La vida giraba en torno al futuro, en torno a la felicidad. Removió la bebida con la pajita. Los mayores siguieron hablando. Pero ella no podía ser feliz con aquella sensación: era como si estuviera llena de fango por dentro.

—No, mamá, tengo que… Gor: escúcheme. —La conversación se interrumpió y Gor la miró a los ojos—. Dice usted que ha hecho cosas malas en la vida. Pero también ha hecho cosas buenas.

Y me ha enseñado a… a enfrentarme a lo malo. Y por eso tengo que decirle que hice una cosa mala.

—¿Ah sí? Bueno, no te preocupes…

—Fui yo: usted no se estaba volviendo loco.

Gor levantó las cejas.

—¿Te refieres a la polilla, Albina? ¿La del bocadillo?

Albina asintió, tremendamente abatida.

—No sé por qué lo hice. Supongo que para ponerlo a prueba. Pero me sentí tan mal cuando explicó… cuando explicó todas esas cosas espantosas que le estaban pasando. Y luego mamá le obligó a ir a una sesión de espiritismo cuando fue… fue solo una broma. Yo no quería hacerle ningún daño. ¿Me perdona?

—Te perdoné al minuto de hacerlo. —Esbozó una sonrisa—. Pero me alegro mucho de que hayas sido capaz de decírmelo.

—Yo también.

Gor observó las burbujas de su copa, luego miró a su primo, que estaba tranquilamente sentado, con los ojos brillantes, feliz con la simple alegría de estar bien acompañado.

UN AÑO NUEVO CON UN RAYO DE ESPERANZA

Los gatitos ya no estaban y en el apartamento reinaba el silencio. La calma aterciopelada que presagia la nieve gobernaba el ambiente. Por vez primera desde que su cabeza alcanzaba a recordar, Gor sacó del fondo del armario de los trastos el pequeño abeto y lo limpió con un trapo húmedo. Lo colocó en la esquina, donde resplandecía con un aura de misterio plástico antiguo. Dasha y Pericles jugaban a cazar las bolas brillantes. Había salido a la luz por última vez en... ¿diciembre de 1974? Movió el bigote en un gesto nervioso. Le habría gustado tener una foto del último Año Nuevo. Ni siquiera recordaba la celebración. ¿Habría sido en esta casa?

Había escrito la carta a Olga en papel fino de color azul, una misiva redactada como un telegrama que había doblado y redoblado, un documento elaborado con minuciosa caligrafía. En el sobre había una representación en colores de la central hidroeléctrica de Krasnoyarsk. Con el fin de asegurarse de que utilizaba las palabras adecuadas, había ensayado lo que iba a escribir tres veces, sirviéndose de servilletas de papel. Pero la carta seguía cerrada en el aparador. La había cogido varias veces, había llegado hasta el extremo de meterla en su vieja bolsa de la compra para echarla al buzón. Pero luego había dudado y la había vuelto a sacar. Probablemente, además, nunca llegaría a su destino. Quienquiera que acabara abriéndola, se reiría de él. ¡Mira que escribir después de veinte años! Vaya locura. Y en el caso de que llegara a recibirla, quizá se limitaría a romperla, asqueada. Y no la culparía por ello. ¿Se merecía, realmente, que Olga leyera la carta?

Se sentó en el recibidor para calzarse las botas. Sveta y Albina se habían llevado a Ponchik a casa el día anterior. Echaba de menos las carreras de los gatitos, el coro de maullidos, la atención que suscitaba cuando se ataba los cordones. Sonrió para sus adentros mientras ordenaba el calzado en el zapatero: las zapatillas peludas de color naranja, que eran de Albina, sus viejas botas de agua, que los gatitos adoraban. Rozó con la punta de los dedos una cosa fría, le pareció palpar por un instante un objeto redondo y suave. Introdujo la mano en el interior de la maltrecha bota de agua. No cabía la menor duda: la mano se cerró alrededor de un huevo blanco y perfecto de gallina. El que había perdido aquel día, a primeros de octubre. Debía de haberlo dejado encima de la mesa y había acabado en el interior de una bota, un juguete más de los gatitos. Rio sin poder evitarlo. ¡Cuándo se lo contara a Sveta! Le parecería de lo más gracioso. Cómo reiría. Con cuidado, retiró el huevo y lo tiró a la basura.

Llegó a las siete de la tarde en punto.

—Primo, primo, permíteme que te coja el abrigo. ¿Qué tal el viaje?

Tolya iba de un lado a otro, cogiendo las cosas de Gor en la penumbra del recibidor. En la sala de estar solo había una luz encendida. Respiraba con cierta dificultad y Gor se fijó en que se movía con rigidez, como un juguete de cuerda.

El piso era acogedor y se había redecorado en tonos rojos y verdes, para recordarle a Tolya los bosques, las frutas salvajes y las puestas de sol. La moqueta del suelo era nueva y al olor agradable a ropa vieja y grasa de cocina se le había incorporado una nota de barniz y plástico virgen. El regalo de Gor, un arbolito de Año Nuevo igual que el que tenía él, brillaba alegremente sobre la estantería del rincón.

—¿Y cómo va todo por aquí, Tolya? —Gor recorrió la estancia con la mirada—. ¿Todo tranquilo?

Se fijó en los papeles que había en el caballete, en los libros abiertos repartidos como mariposas gigantes por las estanterías, los asientos y el suelo.

—Todo tranquilo, Gor. Muy tranquilo. He estado dibujando, ya lo ves. Y leyendo. Tengo mucho que hacer.

Inspeccionó las hojas amontonadas en una esquina de la mesa de trabajo y eligió unas cuantas pinturas al pastel para que Gor las viera. Trazos turbulentos en grises, verdes, y azules tachonados con estrellas plateadas y doradas.

—Puedo casi percibir la brisa —dijo Gor con una sonrisa—. Y oler a piñas.

—Son mi alegría —comentó Tolya, haciendo un gesto de asentimiento. Miró fijamente la cara pálida de Gor con sus ojos azules—. ¿Pasa alguna cosa, primo? Te veo… con mala cara. ¡Ve con cuidado y no te me rompas ahora! Iré a prepararte un poco de cacao. A lo mejor el cacao sirve para dar algo de color a esas mejillas. Y puedes contarme lo que sea.

—Ya lo haré yo, Tolya. Tú descansa. ¿Y cuándo fue la última vez que viste color en mis mejillas, eh? Todo va bien, no te preocupes.

Gor abrió la puerta corredera que daba acceso a la pequeña cocina y empezó a preparar la leche, el cazo, a encender el gas.

—Hay un poco de tarta, si te apetece. Esa mujer tan encantadora, la del pelo naranja con cara de bulldog…

—¿Valya?

—Sí, Valya me prepara tartas día sí, día no. Me las trae Vlad personalmente. La última vez fue una tarta de frutas. Hoy es de nueces. Han sido los dos muy amables.

—¡Ah, el buen doctor Vlad! —Gor abrió la ventanilla del pasaplatos y se agachó para asomar la cabeza—. ¿Sabes que la policía no ha presentado cargos contra él? De hecho, se ve que se ha convertido casi en una celebridad local. Posa como modelo para *madame* Zoya.

—Sí, lo sé. Es un chico encantador. Debería cultivar más su lado artístico.

—¿Y no te da rabia? ¡A mí sí que me da rabia!

—Es joven, pero no es mal chico. A veces, la bondad de la gente tarda un tiempo en aparecer, ¿no te parece? Me gusta charlar con él. Y él me escucha.

—Sí tú lo dices. ¡Ya está! ¡*Na zdarovie*!

Gor tomó asiento en el sofá al lado de Tolya y le pasó con cuidado el cacao y una porción de tarta.

—Hemos estado hablando sobre su caso de estudio…

Tolya se interrumpió y se dibujó en sus labios una sonrisa triste.

—¿Y?

—Se ve que se lo han revisado. Tuvo una larga conversación con el doctor Spatchkin y… por lo que parece… bueno, el caso es que piensan que podría tener… demencia.

Lanzó a Gor una verde mirada inquisitiva. Gor frunció el entrecejo a modo de respuesta y aporreó la mesa con su trozo de tarta.

—¡Tonterías! ¡Esto es una enorme tontería! —Se acarició la perilla—. Estás simplemente un poco confuso, primo. ¡Nos pasa a todos cuando nos hacemos mayores!

Tolya examinó su trozo de tarta.

—A lo mejor tienes razón. Todos estamos confusos, en mayor o menor grado. Aunque eso no me preocupa, ¿sabes?

Gor lo miró de soslayo.

—¡Estupendo!

Tolya se acercó el plato a la barbilla, sacó la lengua y dejó caer en ella los trocitos de nueces que quedaban.

—Mmm, está deliciosa. —Masticó—. ¡Ojalá hubiera aprendido a preparar tartas!

—Si se te diera bien la cocina, no pasarías ni por la puerta, querido primo. —Los ojos de Gor se iluminaron al ver a Tolya ahogándose casi de la risa, bajó la vista hacia la taza de cacao—.

Pero ya sabes, Tolya, que cualquier cosa que pase… —Levantó la cabeza—. Cuidaré siempre de ti. Esta demencia, si esto es lo que es, no cambia nada. Seremos fuertes… juntos.

Tolya asintió y movió los pies al ritmo de la música de Rachmaninov que emitía la radio colgada en la pared.

Y mientras permanecían sentados en el sofá, codo con codo, una polilla enorme de color marrón empezó a trazar círculos alrededor del aplique de la luz, proyectando una sombra sobre la moqueta nueva del suelo. Le rememoró a Gor su infancia, le recordó a Albina, y también su deber. Respiró hondo.

—Tengo algo… hay algo que debo contarte, Tolya. Siempre ha estado ahí, inquietándome, y creo que ha llegado el momento. Ha estado eternamente escondido en mi memoria y… hasta recientemente, siempre pensé que era un sueño. Pensaba que no era real. —Gor dudó unos instantes y Tolya levantó la vista, masticando aún con felicidad—. Pero lo era. Cuando creí… cuando creí que te había perdido, reapareció con fuerza, con claridad. Y luego, cuando Albina… —Tolya eructó sin hacer ruido. Gor siguió adelante—. Finalmente comprendí lo que era. No es mi intención hacerte pasar un mal rato, pero debo contarlo.

—¡Mi querido Gor! —Tolya, con los ojos brillantes, esbozó una gran sonrisa y se limpió la boca con la manga—. ¡Habla, habla y sácalo! ¡No sufras!

Gor se pasó la lengua por los labios.

—Sé que has recordado aquella noche, en casa de Baba. Y que es bueno, en cierto sentido, que puedas… afrontarlo. Pero me pregunto si has recordado cómo te despertaste.

—Sí, Gor. Lo recordé todo cuando me puse enfermo.

—¿El día de tu cumpleaños?

Gor estaba demacrado.

—Deja de sentirte mal, Gor. Sí. Ya explicaste lo que pasó. Cada uno tiene sus propias preocupaciones… —Le presionó la mano a su primo—. Fue confuso. Contar ese cuento… porque todo es como un cuento, ¿verdad? La vida es como un cuento. La familia, otro. Los amigos, otro. Y todo estaba en ese cuento… y al contárselo a Vlad lo puse todo en su debido lugar. Recuerdo…

—¿Sí?

—Recuerdo que me desperté a medianoche, en mi cama. Recuerdo el olor, el sabor a humo… fuego por todas partes, devorando la casita.

Se metió otro trozo de tarta en la boca.

Gor frunció el ceño.

—No, Tolya. ¿No recuerdas… unos golpecitos en las ventanas? ¿Tener miedo?

—¿Golpes? —Su expresión fue de no entender nada—. No. No hubo golpecitos.

—Debiste asustarte, por los golpes…

—¡No, Gor! Estás equivocado. No me desperté por oír golpecitos en las ventanas. Me desperté por el rugido del fuego, por el humo. El incendio fue lo que me despertó.

Gor siguió muy serio. Bajó la vista hacia el suelo.

—No lo recuerdas bien. Necesito continuar. Aquella noche, Tolya, fui a tu casa. Era un reto —dijo Gor, y se le quebró la voz.

Tolya enarcó mínimamente las cejas, su lengua se quedó paralizada un instante, pero su expresión siguió siendo apacible.

—¿Por qué?

—Para hacerme valer… ante los chicos de la escuela. ¿Recuerdas, los grandullones? Se burlaban de nosotros, nos seguían hasta casa al salir de la escuela.

Tolya movió la cabeza en un gesto afirmativo.

—Me dijeron… dijeron que si iba a tu casa a medianoche y golpeaba tu ventana, me dejarían entrar en su banda. Y eso fue lo que hice. ¡Dar golpecitos en tu ventana a medianoche! ¡Fui yo el que te asusté!

—No, no primo.

—¡Fui yo quien te hizo tirar la lámpara! ¡Fui yo… quien mató a Baba!

Los grandes ojos negros de Gor se llenaron de lágrimas no derramadas. Tolya meneó la cabeza con preocupación y se inclinó hacia delante, cogiendo las manos de Gor. Se sentaron rozando casi nariz con nariz.

—Te equivocas, primo. ¿Me viste, cuando viniste?

—Eso da igual.

—¿Pero me viste? —insistió, y sus ojos verdes brillaron.

—¡No! Estaba oscuro, golpeé los cristales, y seguí golpeándolos, y eché a correr para volver a casa como un perro asustado. Llegué rápidamente a casa y me metí en la cama, temblando; temblando de vergüenza, de orgullo y de miedo. Justo empezaba a conciliar el sueño, a soñar con la escuela, cuando... cuando sonó la alarma. ¡Fui yo!

—Ay, primo. Sigues sin entenderlo. ¡No llores! —Tolya le acarició la cabeza, que Gor mantenía enfocada hacia el suelo—. No es necesario. No fuiste tú. De verdad. —Gor lo miró—. Y tampoco fui yo.

—Pero.

—Fue Yuri, el niño polilla, mi pobre amigo. ¡Fue un accidente! Siempre le gustó esa lámpara. Pero no era nada cuidadoso... lo único que quería era la llama. La tiró al suelo. Baba lo dejó quedarse en casa porque hacía mucho frío. Y Baba se quedó dormida con la lámpara aún encendida. Se quedó dormida...

Gor cogió la cabeza de su primo entre ambas manos y lo miró a los ojos.

—¿No lo entiendes, Tolya? Eso es simplemente tu imaginación. Ese Yuri no es real. ¡El niño polilla no era real! ¡Ya te lo dijimos! ¡Te hicimos creer esa historia, pero él nunca estuvo allí! Todos esos recuerdos son imaginaciones tuyas. Le echaste la culpa a él, ¡pero debes echármela a mí!

Riendo, Tolya separó las manos de su primo de su cabello.

—¡No, no! ¡Eres tú el que no entiende nada. ¡Espera! Espera y verás. —Se levantó del sofá, tirando migajas de pastel al suelo, y se acercó a su mesa de trabajo. Después de revolver trastos durante un buen rato, acabó sacando una cajita abollada de metal—. Ya verás. ¡Ya verás! Este es mi tesoro especial. No lo abro muy a menudo. Es mágico, ¿sabes? En esta caja huelo a mi infancia. A mis tiempos felices.

Volvió al sofá con la caja. Levantó la tapa, que emitió un crujido. Empezó a repasar el contenido: papeles amarillentos, piñas secas, flores prensadas sujetas con cintas descoloridas. Y sonrió cuando su mano se cerró sobre algún objeto sólido.

—Aquí tienes la prueba, ya que no me crees. Lo encontraron entre las ruinas, encima de la cocina donde yo dormía. El único objeto. Me lo entregó Goloshov.

Extrajo una vieja cuchara de madera, irregular y tosca. En el mango, dibujados burdamente con un atizador, se leían las palabras *Tolya*, *Yuri* y *Amigos*.

Gor miró la cuchara y sintió un escalofrío.

—Baba me dijo que no lo explicara nunca. Dijo que sería nuestro secreto. Aunque supongo que a estas alturas no le importará.

Cuando llegó a casa, entrada la noche, Gor cogió la carta que había escrito a su hija, le dio un beso y fue con ella directamente al buzón de color azul de la esquina. Después de que desapareciera por la ranura, se la imaginó viajando por la extensa campiña rusa, corriendo de ciudad en ciudad, pasando por minas de carbón, canteras, siderurgias y fábricas, siguiendo cuervos y ríos, hasta llegar al norte, a la joya nevada: Moscú. Acarició con la punta de los dedos el contenedor metálico, percibiendo la carta que guardaba su interior. Le deseó buen viaje.

¿Qué diría Sveta al respecto? Se moría de ganas de contárselo. Justo en aquel momento, el cielo azul oscuro empezó a derramar esponjosos copos de nieve. Levantó la cabeza para sentirlos en la cara. Qué extraña, maravillosa, desconcertante y preciosa era la vida.

Aquella noche, Tolya estaba solo en su habitación. Baba no estaba, tampoco estaba Lev, con su morrito frío y húmedo y sus incansables golpes de cola. Había estado poniéndose el miedo en el cuerpo con sus cuentos: los cuentos que hacían palpitar su corazón con una fuerza tremenda, las historias que le contaban los niños de la escuela. El viento soplaba entre las copas de los árboles cuando se metió en la cama, caliente como una tostada, caliente como los fogones de la cocina, aunque quizá demasiado. Se cubrió prácticamente la cara con el edredón. Si sacaba la mano, estaba seguro de que podría tocar un pedazo de pan negro y la lámpara. Se giró con cuidado, abrió los ojos y miró por la ventana. Las cortinas habían desaparecido.

Allí donde en algún momento había habido una arboleda de abedules, que el viento despeinaba y agobiaba, había ahora un bosque. Oscuro y helado, silencioso y vigilante, centelleaba con los ojos del millar de criaturas que anidaba en él por la noche, cobijándose en sus ramas. Tolya atravesó la estancia descalzo y pegó la nariz al cristal. Era una belleza.

A los pies de los árboles, en el linde del claro, vislumbró el perfil de una figura entre los arbustos, casi transparente. Solo el concepto de una figura, la impresión de un pensamiento. Estaba esperándolo. Dio la espalda a la ventana y se restregó los ojos. A lo mejor haría bien comiendo alguna cosa. Tal vez Baba le había dejado una salchicha. Ella siempre decía que comer era importante, si no podías dormir. La compartiría con Lev. A Lev le encantaría una salchicha: el viejo perro comía poco últimamente, las gachas que sobraban y lo que encontraba en las basuras. A Lev le encantaría una salchicha. Echaría un vistazo.

«Tap tap tap».

Se detuvo en seco y notó que se le ponían los pelos de punta.

«Tap tap tap».

En plena oscuridad, cerró con fuerza los ojos y cruzó los dedos, pero fue incapaz de pronunciar una palabra. ¿Dónde estaba Stalin? ¿Dónde estaba Baba? ¿De qué tenía miedo? Respiró hondo, muy despacio. Él no tenía miedo a nada.

El aroma a bosque le impregnaba la nariz, lo paladeaba en la lengua. Relajó las manos y permaneció un buen rato escuchando el viento, el aire que entraba en sus pulmones. Abrió los ojos y regresó a la ventana. Había alguien.

Había una cara mirándolo, flotando en la oscuridad, tan cerca que casi podía tocarla. Distinguía todas sus facciones. Dio un paso más. Los ojos titilaban de forma extraña, oscilaban en el interior de sus órbitas: eran como dos lunas brillantes en una cara blanca como la leche.

—Ven —dijo Yuri, y su boca esbozó una gran sonrisa, mostrando la dentadura. Dio unos golpecitos en el cristal, brillando en la oscuridad, moviendo sus largos dedos—. Ven, amigo mío. Todo irá bien.

—Yuri —dijo Tolya—. ¡Amigo mío! Sí, ya voy.

Abrió la ventana.